Rebecca

Van Felix Thijssen zijn verschenen:

De roman *Onder de spekboom*

De Max Winter Mysteries
Cleopatra*
Isabelle*
Tiffany*
Ingrid
Caroline
Charlotte
Rosa

Charlie Mann Thrillers I
(met *Wildschut, Jachtschade, Rattenval* en *Ontsnapping*)
Charlie Mann Thrillers II
(met *Koud spoor, De tweede man* en *Vuurproef*)

* Ook in Poema-pocket verschenen

Felix Thijssen

Rebecca

een Max Winter Mysterie

SIJTHOFF

Voor meer informatie: kijk op **www.boekenwereld.com**

© 2004 Felix Thijssen en
Uitgeverij Luitingh ~ Sijthoff B.V., Amsterdam
Alle rechten voorbehouden
Omslagontwerp: Lodewijk Thijssen
Foto auteur: Fe Mylene Sagra

ISBN 90 245 5334 2
NUR 332

Met dank aan Thijs Bron, sr. & jr., van kwekerij
De Vlinder in Deil,
en J.B. Treffers van het N.H Kerkbestuur in Rumpt
en aan mr. Dirk de Loor
Aan onze vele zomergasten op La Garde, die me royaal
bijstaan met anekdotes en deskundigheid uit hun beroep
en ervaringen, en van wie er diversen, nolens volens,
model staan voor karakters in de Max Winter-romans
Aan mijn vriend Henk Bos, die niet alleen meedenkt,
maar ook met strenge hand over de logica en de
consistentie waakt en mijn verhalen om de haverklap
voor ontsporing behoedt

Voor Maria en Sarah

Niets is te moeilijk voor de jeugd!
Socrates

I

Rebecca drukte haar oor tegen de tussenwand. Het waren maar dunne planken en ze kon alles horen. Er was beweging en geschuifel aan de andere kant, ze waren aan het zoenen. Voetstappen.

Het was onfatsoenlijk om mensen af te luisteren en zeker verliefde stelletjes, dat wist ze heus wel. Maar haar broer was weer eens bezig zijn hoofd te verliezen, en zij zou hem zoals gewoonlijk later uit de put moeten helpen. Daarom moest ze weten hoe dat meisje ongeveer in elkaar zat. Boeba zelf was totaal nutteloos in die dingen, zodra de zaken een beetje heftig werden struikelde hij over zijn eigen emoties. Het meisje had dat blijkbaar ook al ontdekt, want na het eten had ze met een irritant giecheltje in Rebecca's oor gefluisterd dat bij Rob alles uit zijn ogen kwam, in plaats van uit zijn mond. Rebecca had het akelig en nogal beledigend gevonden om zoiets intiems over haar broer te moeten horen van een vreemde.

Niemand hoefde haar te vertellen dat voor Boeba de meeste gevoelens te groot waren voor woorden en dat hij maar zo begon te huilen, vooral als hij weer eens in de steek gelaten werd. Hij was nog geen achttien, maar volgens Rebecca zou hij zijn leven lang niet overweg kunnen met het droevige van de liefde, en met de angst om die weer kwijt te raken. Boeba was de beste broer ter wereld en alle meisjes werden tot hem aangetrokken, of hij hoog in een boom zat met z'n kettingzaag of op een podium met de Armada, maar hij kon nooit zoals andere jongens gewoon verkikkerd raken en in auto's of roeiboten foezelen en na een tijdje weer afhaken. Zijn verliefdheden werden meteen zo totaal en heftig en eeuwig, dat meisjes het benauwd kregen en op de vlucht sloegen, vooral als hij er ook nog bij begon te janken. Je zou wel een erg moedertype moeten zijn, en die vond je weinig in de leeftijd van zeventien. Boeba zocht iets dat er misschien helemaal niet was. Ze had medelijden met haar broer.

'Dit is de douche,' hoorde ze hem zeggen.

Elena giechelde. Misschien was ze alleen maar onzeker, dacht Rebecca, of beducht voor dat *geweld*. Maar haar opwelling van mildheid verdween toen ze het meisje op zo'n toon hoorde zeggen: 'Een *houten* douche?'

So what, mompelde Rebecca. De laatste houten douche in de provincie Gelderland, afvoerbak en kraan van Karwei, alles zelf gesoldeerd en getimmerd, olijfgroen gebeitst, en aan de binnenkant bedekt met dikke lagen jachtlak. De vloer opengebroken, een gat door de buitenmuur gehakt voor de afvoerbuis naar de septic tank in de zijtuin, ze was dertien en ze had mee staan graven en kruiwagens puin en grond weggereden.

Boeba was te verliefd om die toon te horen. 'Ik wou het je alleen laten zien,' zei hij.

'Het is beslist een curiosum.'

Elena was iemand voor dat soort woorden. Ze deed gymnasium in Utrecht en ging studeren. Voor zover Rebecca wist was bij Boeba de bliksem ingeslagen toen Elena op een schoolfeest door vriendinnen werd uitgedaagd om een nummer te zingen met zijn band. Sindsdien pakte hij elke vrije avond en in de weekends de trein en vandaag was Elena voor het eerst in Acquoy, vooral op aandringen van Suzan, die nieuwsgierig was naar de oorzaak van Boeba's jongste verwarring. Al bij de lunch zag Rebecca dat haar broer zich weer blind staarde op z'n eigen illusies. Arme Boeba, dacht ze. Ze kon zijn verlegenheid voelen, door de tussenwand heen.

'Het is een compleet huis,' zei hij. 'Met eigen ingang.'

'Dat deurtje waar we binnen zijn gekomen?'

Hij hoorde haar spot ook niet. 'Nee, dat was vroeger de staldeur, voor de koeien. Er stonden twintig koeien, of misschien hier de kalveren en aan de andere kant de koeien. We hebben er drie jaar geleden de betonvloer overheen gelegd en die wand getimmerd om er een apart huis van te maken. We hebben het een tijdlang verhuurd aan een gezin met twee kinderen.'

'En nou woon jij er?'

'Nou, Becky slaapt er nog, er zijn twee slaapkamers boven.'

Nog? dacht Rebecca. *Wat haal je in je hoofd?*

Ze hoorde de deur naar de kleine hal en zijn stem: 'Hier is de voordeur, we hebben zelfs een eigen nummer, nou ja, hetzelfde nummer, maar dan met een A erachter.'

Rebecca liet de tussenwand los en holde over de deel naar de bijkeuken, die aan deze kant tegen het oude voorhuis was gebouwd. Behalve de verwarmingsketel en de diepvrieskist was ook daar alles van hout, haar vader was een kunstenaar met hout en timmerde alles zelf, ook de trap en de douche, maar die was tenminste aan de binnenkant betegeld. Rebecca sloop de trap op, al dat hout was erg gehorig. Er was een deur in de brandmuur naar de gang boven het voorhuis. Aan het eind was de tussendeur naar de bovenverdieping van het zijhuis, met de kamers van haar en Rob en een eigen trap naar de zijhal. Rebecca glipte haar kamer in, deed de deur op slot en ging op de vloer liggen. Ze waren beneden.

Een halve minuut hoorde ze niets. Toen zei Elena: 'Is dat jouw computer?'

'Becky gebruikt hem het meest, ze kletst urenlang met de hele wereld.'

'Het is nogal kaal.'

'Dat komt omdat er niet gewoond wordt, we gebruiken alleen de kamers boven, maar we kunnen maken wat we willen.'

Nog meer stilte. Rebecca werd zenuwachtig van al dat 'we'. Iemand verschoof de pingpongtafel, als om bij het raam te komen.

'Zullen we een eindje gaan lopen, langs de rivier?'

'Het regent,' zei Boeba.

'Daar hebben ze paraplu's voor uitgevonden.' Een nerveus lachje. 'Jij was die buitenman.'

Boeba lachte ongelukkig terug. 'Ik wou het je eerst laten zien.'

'Ik heb het gezien.'

'Boven nog niet.'

'Je ouders zullen wat denken. Wat bedoel je, eerst?'

Rebecca kon Elena's wenkbrauwen omhoog zien gaan. Elena had mooie wenkbrauwen en lange donkere wimpers en groenige ogen, die alles opmerkzaam bekeken en dan knipperden, zoals de sluiter van een camera, alsof ze foto's maakte voor bij het verhaal dat ze later in haar krant ging schrijven. Ze had aan tafel verteld dat ze geschiedenis ging studeren en daarna journaliste wilde worden. Iedereen had verbaasd opgekeken, eerst naar Elena en toen naar Boeba, die meteen begon te blozen. Rebecca begreep niet wat haar broer in Elena zag, of het moesten die ogen zijn, die wel speciaal leken en een beetje mysterieus, dat moest ze toegeven, alsof ze meer zagen en begrepen dan andere mensen. Elena had elegante kleertjes, maar ze was nogal mager, met gespierde benen en dunne polsen, en borsten die niet half zo vol waren als die van Rebecca.

Rebecca hoorde gestommel op de trap. Ze kwam snel van de vloer. Haar bed stond tegen de houten tussenwand. Ze viel erop en loerde naar de deur toen haar broer aan de andere kant zei: 'Dit is Rebecca's kamer.' De deurknop bewoog. 'Hij zit op slot.'

'Heeft ze geheimen?'

Het was even stil. 'Het is haar kamer.'

'Waar is ze?'

'Ik weet niet. Misschien bij de schapen. Een ooi moet binnenkort lammeren.'

'Dat zou ik wel willen zien.'

'Ze doen het meestal vroeg in de ochtend.' Voetstappen. Ze wist dat hij Elena's hand vasthield. 'Dit is mijn kamer.'

Ze hoorde de deur dichtgaan. 'Je zou de balken rood moeten verven, van dat osserood? Dat lage raam is leuk. Is dat de dijkkant?' Voetstappen. Iemand streek over de snaren van Boeba's gitaar.

'En de rivier,' zei Boeba. 'Kom es.'

Zijn bed kraakte.

'Dat vindt je vader niet goed,' hoorde ze Elena fluisteren.

'Ik hou van je,' zei Boeba.

Rebecca staarde naar de tussenwand. De planken waren beige geschilderd met een dekkende beits waar je de knoesten doorheen bleef zien. Je kon uren kijken naar de patronen van knoesten die terugkeerden in naast elkaar getimmerde planken, zoals de driehoek van twee dikke en een dunne. Haar vader had haar uitgelegd dat dat kwam omdat die planken van dezelfde boom kwamen en bij elkaar bleven omdat alles automatisch gebeurde, zagen en schaven en verpakken, tot aan de klant. Je zou de boom zo terug in elkaar kunnen zetten, als een dode puzzel.

Ze probeerde niet te luisteren. Ze had zelf nog nooit gevreeën, tenminste niet helemaal. Alle jongens waren gek op haar lichaam, vooral op haar borsten. Ze was verliefd geweest op Bertram en had met hem in het riet gelegen, en ze had hem ook in haar hand gehad, verder wilde ze niet gaan. Misschien was het daarom uitgeraakt, want ze zag hem kort daarop met een van de drie Gorkumse meisjes die het met iedereen deden. Suzan had haar gezegd dat ze de pil moest gaan gebruiken en in de seksklas ging het over aids en condooms en dan moesten de jongens eruit en vroegen ze naar je ervaringen van de eerste keer, of je bang was geweest voor de pijn, en hoe je jezelf kon bevredigen. Ze wist niet of er nog meer maagden bestonden, maar Atie en zij waren de enigen die er voor uit kwamen dat ze het nog nooit hadden gedaan.

Boeba's bed stond tegen het hare aan, met alleen die planken ertussen. Soms gaven ze elkaar klopsignalen. Ze hoorde Boeba met verwrongen stem 'Elena' zeggen en toen gaf hij een geluid, misschien trok hij ook met zijn tanden net zoals Harry de ram deed als hij achter een ooi aan liep. Ze hoopte dat Boeba zich dat van de condooms herinnerde, ze had nooit condooms in zijn kamer gezien, in het hele huis niet, trouwens. Zelf kende ze ze voornamelijk van de seksklas, waar ze de lucht uit de punt moesten knijpen en ze over plastic penissen stropen, zoals met die bierworstjes, maar dan andersom.

'We kunnen hier niet blijven,' zei Elena.

Rebecca had Elena al die tijd niet gehoord, ze vond dat raar. Nu kwam er wat geschuif en gekraak, en toen zei Boeba: 'Als ik achttien ben haal ik meteen m'n rijbewijs en mijn vader wil me wel geld lenen voor een auto, een Polo break van iemand op zijn werk, daar kunnen m'n machines in.'

'Machines?'

'Bosmaaier, kettingzaag, m'n snoeispullen. In september hoef ik nog maar twee dagen per week school te doen en dan ga ik bij mijn vader werken.'

'Bij je vader?'

'Ik bedoel op de boomkwekerij waar hij werkt.'

'Ik dacht dat iedereen altijd zo ver mogelijk bij z'n vader uit de buurt probeerde te komen.'

'Ik niet. Er is niemand beter om mee te werken. Wacht, ik pak een zakdoek voor je.'

Het bed kraakte, Boeba liep door de kamer.

'Suzan vindt het goed dat ik hier ga wonen, ik heb met haar gepraat, ik bedoel in het zijhuis.'

'Daar woon je toch al?'

'Ik bedoel dat het mijn huis wordt.'

'En je zus dan?' Elena's stem klonk telkens anders, alsof ze in verschillende richtingen praatte. Misschien keek ze naar wat ze droogwreef.

'Er is nog een kamer, aan de andere kant.'

'Is de enige wastafel beneden, naast die douche?'

Rebecca tikte met haar vingertop op het hout, een-twee-drie, eentwee, *hou je mond*, zo zacht dat ze het zelf niet eens kon horen. *Boeba, hou in herejezusnaam je mond.* Toen bedacht ze dat ze misschien helemaal niks hoefde te doen, gezien de snelheid waarmee hij zijn eigen graf aan het graven was.

'Het kost niks en het is alleen voor de eerste jaren, tot we een eigen huis vinden,' zei Boeba.

Het bed kraakte, misschien schoot Elena overeind, omdat dat woord eindelijk tot haar doordrong. '*We?*'

'Als je wil gaan studeren breng ik je 's morgens naar de trein in Geldermalsen, ik moet toch die kant uit naar m'n werk, en zo gauw ik genoeg verdien koop ik een auto voor je...'

'Rob, je bent niet goed wijs.'

'Ik bedoel heus niet trouwen, maar we...'

Een hoge zenuwgiechel. 'Zoiets als dat gezin met die twee kinderen?'

'Ik hou van je,' stamelde Boeba.

'Ik ga op kamers in de stad.'

'Hier woon je voor niks. Anders kom je alleen in de weekends, dan is het toch een beetje samenwonen. Zaterdags hebben we vaak iets met de Armada, je kunt zo een paar nummers instuderen en met de band zingen.'

'Je hebt het nogal voor elkaar.'

'De jongens vinden dat je een prachtige stem hebt.'

Elena zei: 'Als ik zangeres wou worden ging ik wel naar het conservatorium, en wat ik zeker niet wil is samenwonen.'

Even was er de onthutsende stilte die Boeba als een mist om zich heen kon hangen. Toen hoorde ze hem een beetje schor zeggen: 'Je houdt toch ook van mij?'

'Ik vind je leuk,' zei Elena. 'En lief,' voegde ze er haastig aan toe. 'Anders was ik niet hier. Toe nou, hou op...' Het bed kraakte. Haar stem schoot uit: 'Rob, niet doen!'

Deze stilte was anders, abrupt als van geschrokken vogels. Boeba kan niet stoppen, dacht Rebecca. Hij weet niet wat dat is, zich ergens uit redden zonder alles kwijt te raken.

'Ik dacht...' Boeba's stem trilde. 'Je kwam hier om m'n vader en Suzan te ontmoeten.'

'Ja, nou.'

'Wat wil je dan?'

'Niks,' zei Elena. 'Toe nou, Rob...'

Rebecca zag het voor zich, Boeba met tranen die hij probeerde te verbergen, Elena ernaast, met steeds meer afstand, van verbazing en schrik.

Rebecca zat in de oude rotanstoel onder de kap naar de regen te kijken en Lukas lag op zijn mat tegen het kalverhok te slapen toen ze uit de staldeur kwamen. Je moest zijn zuster zijn om te zien dat Rob in de war was, hij leek bijna normaal, ze hadden zich waarschijnlijk opgeknapt, naast elkaar aan die ene wastafel naast de douche, en Rob had zijn gezicht gewassen, boven zijn voorhoofd was z'n haar donker van het vocht. Elena had haar jas over haar arm.

'Je kamer zat op slot,' zei Boeba.

Hij probeerde aandoenlijk gewoon te doen en z'n kop in het zand te houden, totdat hij alleen was.

'Inbraakpreventie.' Rebecca had ook woorden. 'Hoezo?'

'Ik had hem willen laten zien. Waar was je?'

'Bij de schapen.' Rebecca keek uitdagend naar Elena. 'Een ooi moet binnenkort lammeren.'

Boeba hoorde niet dat ze zijn tekst gebruikte, maar Elena trok haar wenkbrauwen op en maakte weer zo'n knipperfoto. Haar broer keek naar de verdronken boomgaarden. 'Wil je de schapen nog zien?' vroeg hij.

'Ze doen het meestal 's morgens vroeg,' zei Rebecca voor alle duidelijkheid.

Voordat Elena kon antwoorden verscheen Suzan in de open deeldeur. Roelof slofte achter haar aan met een emmer bietenpulp. Hij was in zijn manchesterbroek en rubberlaarzen en had een legerjack over de schouders van z'n wollen ruithemd. Roelof was een verlegen man, net zoals zijn zoon. Hij bewoog z'n emmer en knikte naar Elena. 'Ik voer ze maar wat bij,' zei hij. 'Als het lang regent zijn ze niet graag buiten.'

'Zal ik thee maken?' vroeg Suzan.

Elena glimlachte beleefd. 'Dank u, maar ik moet echt terug naar Utrecht, mijn vriendin geeft een feestje.'

Roelof keek met goedige spot naar zijn zoon. 'Ik dacht dat we vanavond die partij zouden afmaken?'

Boeba knikte onhandig. 'Dat doen we ook.'

'Hij zit aan het derde bord,' zei Roelof tegen Elena. 'Eerste tiental, onze club schaakt in de KNSB-competitie.'

'Het is alleen voor meisjes,' zei Elena.

'Gaat ze trouwen?' vroeg Rebecca. 'De vriendin, bedoel ik?'

'Nee.' Elena keek naar haar, eindelijk met een blosje.

Het was even stil. Er kwam een rimpel in Suzans voorhoofd.

'Zal ik je naar de bus brengen?' bood Rebecca aan.

Haar broer keek nijdig naar haar. 'Dat kan ik heus wel zelf.'

'Onzin,' zei Suzan. 'Je wordt drijfnat. Ik rij jullie naar het station, dan hoef je niet op een bus te wachten.'

'Graag,' zei Elena. Rebecca zag dat ze wilde ontsnappen. 'Als dat niet te lastig is?'

'Ik kan het ook doen,' zei Rob.

'Hij rijdt beter dan ik,' zei Roelof goedig tegen Elena. 'Hij doet de dag na z'n verjaardag z'n rijexamen, dat is al geregeld. Een fluitje van een cent.'

Suzan wilde er niet van horen. 'Hij kan naar z'n rijbewijs fluiten als ze hem aanhouden. Ze zijn streng met controles, vooral in de weekends.' Ze knikte naar Rob. 'Haal de sleutel maar even.'

Rob verdween misnoegd naar de deel en Roelof zei: 'Nou, dan zeg ik maar vast gedag.'

'Bedankt voor de leuke middag,' zei Elena.

Roelof gaf haar een hand. 'Da's goed hoor. Je bent altijd welkom.' Hij trok zijn jack over zijn hoofd en stapte door het gordijn van water dat van de rieten kap op de kruidenhelling onder het terras stroomde.

Boeba deed er lang over. Misschien zat hij te kniezen op de wc, bedacht Rebecca. 'Bevalt het platteland je?' vroeg ze.

'Het lijkt alsof het hier harder regent dan in de stad,' zei Elena.

'Meer iets voor de zomervakanties misschien?'

Elena glimlachte toegeeflijk. Je kreeg haar niet gemakkelijk klein.

'We gaan zomers meestal naar Avignon, voor het festival.'

'Da's niks voor Rob,' zei Rebecca.

'Hoe weet je dat nou,' merkte Suzan op. 'Rob is dol op muziek.'

'Avignon is meer theater,' zei Elena.

Boeba kwam net op tijd terug, met de autosleutel en een paraplu. Elena sloeg haar jas om. Boeba opende de paraplu en hield hem boven Suzans hoofd.

'Veel plezier in Avignon,' zei Rebecca.

Elena draaide zich om, aan deze kant van het waterscherm. 'Je bent een gemeen krengetje,' siste ze.

'Braadkip,' zei Rebecca.

Ze kon niks venijnigers bedenken en staarde een kort moment in Elena's oorlogsverklaring tot het meisje zich omdraaide en met de regenjas over haar hoofd achter de anderen aan over de inrit holde tot ze een schim werd. 'Maar ik blijf,' mompelde Rebecca.

So what, dacht ze toen. Ze had weer dat gevoel zoals vaker dat haar leven een verhaal was dat voornamelijk over andere mensen ging en waarin zij alleen maar toekeek, als een figurant, zonder invloed op de gebeurtenissen die zich volgens hun eigen ritme voordeden, zoals de dood van haar moeder, hun verhuizing naar hier, de komst van Suzan. Ze had verdriet of ze was vrolijk, maar ze had geen macht over de lange perioden waarin alles maar voortkabbelde, met school en examens en een feestje, de disco, het afweren van een brutale hand, grijze tekst die je eigenlijk zou willen overslaan, zoals langdradige beschrijvingen in een boek. Ze verlangde soms heftig naar dingen die haar direct zouden raken, en die haar leven zouden veranderen, zodat ze die rol van toeschouwer kon afschudden.

Haar vader had Katrien op haar gat tegen zijn knieën gezet en boog zich over haar heen. Hij wreef de punten van haar tepels tussen duim en wijsvinger om de korstjes van de monding te krijgen en zette ze aan door er een paar druppels van de dikke biest uit te knijpen. De andere schapen stonden korrels te eten uit de voerbak tegen de lage betonnen wand langs het middenpad. Het waren er acht, inclusief Harry, plus een vijftal lammeren.

De vorige eigenaar had de vijftien meter lange stal gebouwd om varkens te fokken, hij had er wel tweehonderd gehad, in betonnen hokken aan weerskanten van het middenpad. Aan de kant van het weiland zaten nog de lage deuren naar wat vroeger de mestplaats en buitenhokken waren geweest. De stal was veel te groot voor de acht ooien, die ze op het weiland en aan de andere kant van de Lingedijk konden houden, daarom hadden ze een paar van de betonnen tussenwanden gesloopt om Harry en zijn ooien de ruimte te geven. De rest van de stal gebruikten ze om er hooi en aardappels en werktuigen op te slaan, en er was ook nog een kippenhok. Stoffig licht kwam door de ramen onder het dak in de lange wanden.

'Ze is goed,' zei Roelof. 'Ik denk dat het voor vannacht is. Zullen we haar apart zetten?'

'Je hoeft niet alles te vragen.'

'Het zijn jouw schapen.'

Rebecca grinnikte. Dat plechtige moment, toen ze vijftien werd en ze de schapen cadeau kreeg. *Iedereen moet verantwoordelijkheden hebben.*

Ze zette het lege hok aan de overkant open voordat ze de grendel van het deurtje voor de grote stal schoof en bleef daar staan, voor het geval de andere schapen zich iets in het hoofd haalden. Haar vader zette Katrien op haar poten, pakte haar bij kop en rug in de wol en bracht haar het hok uit. Ze was zwaar en traag, en liet zich gedwee over het middenpad voeren. Schapen waren slim, ze vertrouwden je, vooral Katrien en Bella, de oudsten.

Rebecca sloot het hok en haalde een emmer water, Roelof schudde een armvol hooi uit in de ruif. Katrien begon te drinken. Ze leek tevreden en Rebecca stapte terug naar de grote stal om te zien of de andere schapen nog genoeg water hadden.

'Ik zou de buitendeur weer open zetten,' zei Roelof achter haar. 'Dan gaan ze er wel uit als ze willen drinken.'

Rebecca wilde de stal in gaan toen de ongewone klank van zijn stem tot haar doordrong. Ze draaide zich om. Haar vader leunde tegen het stalmuurtje en wreef over zijn voorhoofd. 'Wat is er?'

'Niks. Koppijn. Kramp in m'n buik. Het gaat wel over.'

Ze ging naar hem toe en pakte zijn arm. 'Kom mee naar binnen. Kun je lopen?'

'Laat me even.' Hij drukte een vuist in de zijkant van zijn buik. 'Verdomme.'

'Dat had je daarstraks niet.'

Hij zoog sissend adem naar binnen, tussen zijn tanden. 'Misschien was die ham bedorven.'

'Dan zou ik ook misselijk zijn.'

'Ik eet meer dan jij. Of hij viel slecht op de kater.'

'Welke kater?'

Hij grinnikte halfslachtig, de pijn bleef op z'n gezicht, de hand op zijn buik. 'Een knul wou me eronder krijgen met mooie praatjes en jenever. Psychologische oorlogvoering. Dat je daar nog in trapt. Geef me wat water.'

Rebecca holde naar de hoofddeur, klikte de slang aan de kraan en draaide hem een halve slag open. Ze sleepte het andere eind van de slang naar Roelof, en haar vader boog zich voorover en dronk van het straaltje. Hij kneep het uiteinde van de slang tot een spleet en spoot water over zijn gezicht.

'Was die oorlog met schaken?' vroeg Rebecca.

'Ja, wat anders.'

Ze gaf hem zijn jack en holde terug om de kraan dicht te draaien. Roelof droogde zijn gezicht aan zijn jack. Alles bleef nat en hij moest zich aan de stalmuur vasthouden. Ze werd er bang van.

'Sinds wanneer schenken ze jenever in het dorpshuis?' vroeg ze.

'Het was in de kroeg in Leerdam.'

'Kwam je daarom zo laat thuis?'

'Ja moeder.' Hij probeerde te grijnzen en legde zijn hand weer op zijn voorhoofd. 'Ik had de baas beloofd een paar bossen beukhaag af te leveren.'

'Op zaterdagavond?'

'Die man is pas 's avonds thuis, een ouwe klant, we zijn een borrel gaan drinken. Dat joch daagde me uit, ik denk dat hij me ergens in de competitie had gezien. Hij wist zelfs dat ik aan het zesde bord zat.'

Rebecca wist waarom haar vader daar zat, dat was strategie van de club, hij hoorde aan het tweede of derde bord, maar aan het zesde was hij geheid goed voor de volle twee punten. Clubs mochten officieel geen sterkste spelers aan de lagere borden zetten, maar het gebeurde natuurlijk toch.

'Wie was die man?'

'Jan zus of zo, ik had hem nooit eerder gezien, maar er loopt van alles in en uit tijdens die wedstrijden. Ik kon hem wel de baas, maar hij bleef me jenever voeren. En bitterballen.'

'En hij wilde een revanche,' zei Rebecca.

Haar vader drukte zijn vingers op zijn slapen. 'Zeg maar niks tegen Suzan.'

'Merkte ze het vannacht dan niet?'

'Ik had een glas te veel op, dat heeft ze wel vaker gezien. Dit schoot pas in m'n kop toen ik Katrien omzette.'

Hij zag er koortsig uit. Rebecca wist dat er niet veel mooie praatjes nodig waren om haar vader aan de jenever te krijgen. Hij was geen alcoholist, maar in een neerslachtige bui of als er iets te vieren viel kon hij maar zo z'n gevoel van maat verliezen en dan zagen ze hem in de vroege ochtenduren dronken thuiskomen.

'Misschien moeten we de dokter bellen.'

Hij schudde zijn hoofd. 'Het komt er vanzelf weer uit.'

'Ga dan een tijdje liggen.' Ze wierp zijn jack over zijn schouders, pakte zijn arm en draaide zich eronder. 'Kom mee.'

'De schapendeur.'

'Straks. Ze gaan heus niet dood.'

'Ik ook niet,' spotte hij.

Ze kwam onder zijn oksel zodat hij op haar kon leunen terwijl ze over het middenpad naar de deur liepen. Zijn jack gleed van hem af en ze liet het liggen.

'Had je die Elena al es eerder gezien?' vroeg hij.

Rebecca duwde met haar voet de buitendeur open. 'Nee,' zei ze. 'Boeba is net zo dom als jij. Soms denk ik dat ik hier de enige… Lijk ik zoveel op mijn moeder?'

Haar vader grinnikte weer. 'O ja,' zei hij. 'God sta ons bij.'

Ze zeulde hem door de regen en de terrastreden op. Ze keek naar de carport. Suzans auto was nog niet terug. Ze zaten op het perron in Geldermalsen te wachten op de trein, met het meisje dat niks voor Boeba was en dat hem in de steek zou laten, ook al wist hij dat zelf nog niet.

Ze zou haar vader op z'n bed leggen en dan deed hij een middagdutje en was straks alles weer in orde.

2

Suzan had Elena een hand gegeven en wachtte op een bank tegen het lage stationsgebouw. De stoptrein uit Den Bosch kwam eraan. Er was niets zo deprimerend als stations op zondagmiddag in de regen, behalve misschien het jonge stel.

Ze waren samen achterin gaan zitten, dat kon ze wel snappen, al gaf het haar een chauffeursgevoel. Ze zag in de spiegel dat Rob Elena's hand vasthield en z'n andere hand op haar knie had. Ze konden blijkbaar weinig vinden om over te praten, zodat Suzan zelf maar wat kletste, als een taxichauffeur, over hoe mooi de Linge was als de zon scheen en dat het hier over een maand op Loosdrecht zou gaan lijken, met zeilbootjes en kano's en plezierjachten en tenten en caravans. Het meisje zei alleen ja en nee en oh? en Rob helemaal niks.

Ze stonden naast elkaar op het perron, terwijl de trein voor hen langs schoof en stilhield. Een paar zondagsreizigers stapten in. Rob en Elena liepen naar een wagondeur en Rob stak werktuiglijk een hand uit om een bejaarde man te helpen uitstappen. Toen kusten ze elkaar, nogal vluchtig vond Suzan, en Elena verdween in de trein. Rob liep langs de halflege wagon mee tot Elena een raamplaats had gekozen. Suzan zag haar een boek uit haar tas nemen en toen keek ze eindelijk opzij. Ze leek verbaasd dat Rob daar stond. Hij legde zijn hand tegen het raam. Ze gaf hem een glimlachje en wuifde, als de koningin uit haar koets. Robs hand schoof over het glas toen de trein in beweging kwam en hij liep een paar passen mee en bleef ten slotte op het perron staan.

Het zag er triest uit.

Suzan kwam van haar bank en ze liepen zwijgend naar de trap. In het tunneltje naar de parking nam ze zijn arm. Hij liet het toe, ook al was hij meestal terughoudend met fysiek contact, in tegenstelling tot Rebecca. Suzan wist natuurlijk wel dat hij naar haar keek, als ze uit de badkamer kwam of met Becky op het gras bij de pruimen lag, zoals ze soms deden om bruin te worden. Of als ze aan het aanrecht stond als Roelof thuiskwam en zijn handen onder haar oksels schoof en op haar borsten legde. Elke jongen zou kijken.

'Een leuk meisje,' zei ze.

Rob knikte. Hij maakte zijn arm los en ze holden de parking op. Ze overwoog hem de sleutel te geven, maar ze voelde dat zijn humeur er een was om de rivier mee in te rijden.

Ze wachtte met starten. 'Wil je erover praten?' vroeg ze.

Rob keek niet naar haar. 'Waarover?'

Hij was een paar weken geleden na veel geaarzel met haar over het zijhuis begonnen. Ze wist meteen dat het een potsierlijk idee was, ook al had ze Elena nooit ontmoet, maar ze had beloofd het met Roelof in orde te maken. Dat was vooral omdat ze blij was dat Rob eindelijk een keer met een probleem bij háár aanklopte.

Ze startte en reed de parking af. 'Het is misschien moeilijk voor haar,' zei ze.

Hij staarde naar de ruitenwissers. De rechter piepte bij elke slag.

'De stad is een andere wereld,' zei Suzan.

'Ze zou er heus wel aan wennen.'

'Maar als ze journalist wil worden…'

'Dat is maar een idee.' Ze zag hem op z'n kaken bijten. 'Ik kan ook in Utrecht gaan wonen en een baan nemen in dat tuincentrum Overvecht.'

En na een maand tussen de hobbyharkjes, droogbloemen en balkontomaten ziek worden van heimwee naar de ruimte, bomen planten in gemeenteparken en langs de rijkswegen met zijn vader, in de zon, in de regen. Ze zei: 'Je bent jong, je kunt nog alle kanten uit.'

Rob fronste. Hij werd er nooit graag aan herinnerd dat hij nog zo jong was. 'Ik ken daar iemand,' zei hij.

'Ben je al wezen kijken?' vroeg ze verwonderd.

'Nee, maar ik kan er terecht.'

'We zouden je missen.' Ze deed haar best op een opgewekt lachje. 'Misschien moet je eerst je school afmaken. Als je ooit met Roelof een eigen bedrijf wil beginnen heb je dat diploma nodig.'

'Dat bedrijf is een luchtkasteel.'

Ze reden zwijgend Acquoy in, de dijk op en er weer af, er was geen mens op straat, ook niet op de Achterweg. Het hek stond open en ze manoeuvreerde haar auto onder de carport, naast de oude Volvo van

Roelof. Rob hield de paraplu boven haar hoofd toen ze langs de weigelia's en de ribessen naar het huis liepen. Die vanzelfsprekende hoffelijkheid had ze meteen bij Roelof opgemerkt, en zijn zoon was precies zo, het zat in hun aard om op anderen te letten, op hun comfort. Onder de kap gaf hij haar de paraplu en hij verdween door de staldeur in het zijhuis. Lukas lag op zijn mat, met zijn kop op z'n voorpoten. De oude herder blafte nooit, ook niet voor vreemden, en nu nam hij zelfs niet de moeite om zijn ogen open te doen.

Het was stil op de deel, de hoge rieten kap smoorde het lawaai van de regen. Suzan zette de paraplu open op de betonvloer en droogde haar gezicht bij de wasbak, die op de deel was geïnstalleerd om hun handen te kunnen wassen zonder met modderlaarzen haar schone bijkeuken in te hoeven. Ze kamde haar haar. Ze had blond haar, met een mooie glans, die niet uit een flesje kwam. Ze was pas vierendertig. Ze had een goed lichaam en een leuk, rond gezicht met volle lippen. Ze gebruikte weinig make-up, niet meer zoals voordat ze Roelof ontmoette, een vleugje lippenstift, en als ze mooi voor hem wilde zijn een tikje mascara en een druppel van de parfum die ze met Kerstmis van hem had gekregen en die naar jasmijn rook.

Ze wilde altijd mooi zijn voor Roelof, maar ze had even hard aan de verbouwing meegedaan als de anderen en ze moest een crème gebruiken om haar handen zacht te houden. Ze werkte nog steeds hard, in het huis, in de tuin, Roelof had haar alles geleerd, de schapen, lammeren ter wereld helpen, kippen slachten, hout hakken, aardappels poten en onkruid wieden, ze was een regelrechte boerin geworden. In het begin had het dorp opgekeken van Roelof met zijn veel jongere vrouw. Ze waren er nu aan gewend, maar op de markt in Leerdam floten ze haar nog wel na. Suzan keek in de oude spiegel boven de wasbak en grinnikte naar zichzelf.

Rebecca stond in de keuken met een theedoek over haar schouder de afwasmachine uit te ruimen. Ze keek vragend naar Suzan toen die binnenkwam.

'Inderdaad,' zei Suzan. 'Waar is Roelof?'

'Boven, hij was een beetje misselijk.' Rebecca opende de glas-in-looddeur van de servieskast en zette kopjes terug. 'Hij dacht van de ham bij de lunch.'

Suzan trok de koelkast open en nam het aangebroken pak ham

eruit. 'Hooft hij dirrr?' Het beeld van Elena op de wc in de trein kwam bij haar op. Ham kon zo'n groenige parelmoerkleur krijgen, dat had deze wel een beetje. Ze rook eraan. 'Gooi maar weg,' zei ze. 'Ik ga wel even kijken.'

Rebecca opende het kastje onder het aanrecht, trapte het deksel van de kippenemmer omhoog en liet de ham uit het pak glijden. 'Ik denk dat hij slaapt,' zei ze. 'Ik zou hem een uurtje laten. Hij was moe.'

'Oké. Te moe.' Suzan glimlachte. Rebecca grijnsde terug. Ze waren vertrouwd genoeg geraakt voor grappen zonder woorden. Voordat ze met Roelof trouwde was Suzan van diverse kanten en vooral door haar zuster gewaarschuwd voor de problemen die ze kon verwachten als ze de plaats van de moeder innam, vooral met de dochter, maar Rebecca had haar direct geaccepteerd, een betere dochter zou ze nooit kunnen krijgen. Zelfs Rob was genoeg ontdooid voor een kus op de wang als ze jarig was. Misschien was het allemaal zo goed gegaan omdat ze hier helemaal opnieuw waren begonnen, met z'n vieren, in een ander huis, zonder herinneringen en zonder dood. Emma hoorde bij hun vorige huis, in Rumpt. Dit was een volgend leven.

'Ik leg de haard klaar,' zei Suzan. 'We verdienen een gezellige avond.'

'Dan mag je Rob wel volgieten met champagne.'

Ze giechelden weer. 'Arme jongen,' zei Suzan. 'We mogen er niet mee spotten. En we kunnen ons vergissen.'

Ze liep naar de woonkamer. Vroeger zat er een muur tussen de keuken en de woonkamer, die hadden ze er meteen uitgebroken. Nu was er een lage scheiding met planten en de telefoon erop en een bank aan de andere kant, en naast de open doorgang een dikke, geverniste boomstam om de draagfunctie van de muur over te nemen. De haard was dichtgemetseld geweest en er had een oliekachel voor gestaan, maar Roelof had centrale verwarming aangelegd met tweedehands radiatoren van een bank in Geldermalsen en ze hadden de schouw opengebroken en gerestaureerd, met een vonkenvanger op de schoorsteen omdat de verzekering niet dol was op open haarden onder rieten daken. Het huis was om hen heen gegroeid, net zolang tot alles klopte.

'Hij moet een soort Cecile zien te vinden, maar dan met een leukere kop en meer tussen de oren,' zei Rebecca.

'Ik had medelijden met dat meisje,' zei Suzan.

'Ze kwam van hier en ze deed lbo-groen, daar had hij meer aan in die eigen kwekerij.'

'Dat is niet het enige.'

'Dat weet ik.'

'Hoe staat het met jouw vriendjes?'

'Niks. Niente. *At the moment*,' zei Rebecca. 'Ik mag van jou niet aan een man van boven de twintig en de puistenpubers komen me de neus uit. Had jij dat vroeger ook?'

'Altijd,' zei Suzan.

'Ja.' Rebecca bloosde toen ze aan Roelof dacht. 'Stomme vraag.'

Suzan vond Rebecca's verwarring nogal vermakelijk. 'Dat bedoel ik niet,' zei ze. 'Ik bedoel toen ik zestien was. Jongens hebben meer tijd nodig, maar ze halen je wel in. Als je twintig bent zijn er leuke jongens van je eigen leeftijd of vijf jaar ouder, dat maakt dan niet meer uit.'

'Dat mag ik lijden.'

Suzan vergat soms dat Becky pas zestien was. Ze had ergens gelezen dat meisjes die hun moeder verloren, tweemaal sneller seksueel rijp werden dan meisjes in normale gezinnen, alsof de natuur een zonderlinge poging ondernam om een ontstane vacature op te vullen. Misschien kwam het daardoor, maar ze dacht ook dat Becky als kleuter al slim en onafhankelijk moest zijn geweest, en alles wilde lezen en weten.

'Ik ga naar hiernaast,' zei Rebecca. 'Ik heb nog huiswerk voor morgen. Oké?'

Suzan knikte en hurkte bij de haard. De as moest eruit worden geschept, maar niet op zondag, en er was nog genoeg hout in het vak naast de haard. Ze schoof de as naar links en rechts, nam een krant en aanmaakhout uit de mand en legde een vuur klaar tussen het ijzeren haardstel. De regen sloeg tegen de ramen. Er kwam meer wind. De geleerden hielden vol dat er met het klimaat niks aan de hand was, maar de zomers werden heter, de winters en voorjaars natter, en de stormen harder. Soms waren er angstwekkende stormen, dan stond ze onder de overkapping te kijken naar de populieren langs de Achterweg, die zo krom gingen dat je dacht dat ze zouden breken. Ze was gewend geraakt aan het idee dat ze veilig was, niet alleen omdat de oude boerderij met z'n Gelderse rieten kap dat geweld nog wel een paar eeuwen langer zou doorstaan, maar vooral omdat Roelof haar onzekerheid had weggewist, eenvoudig door er te zijn en te blijven. Die rare telefoontjes van de laatste twee weken hadden niks te betekenen.

Ze keek naar het schaaktafeltje, dat tussen twee lage krukken met lamsvachten erop aan de andere kant van de haard stond. Als de kinderen de hort op waren en ze het rijk alleen hadden, probeerde Roelof haar schaken te leren, maar ze bracht er niet veel van terecht. Ze wist hoe de stukken gingen en hoe ze de herdersmat moest voorkomen, maar tien zetten later kreeg hij haar hoe dan ook te pakken. Er stonden vaak, zoals nu, ingewikkelde stellingen op het bord, waar geen mens aan mocht komen. Soms deed Becky dat toch om ze een beetje te pesten, en dan merkten ze na een paar zetten dat ze met twee witte lopers zaten, of met wat Roelof een Nowotny of zoiets noemde, waarbij de eigen stukken elkaar in de weg zaten op een manier die een beetje schaker zou weten te voorkomen. Ze keken dan meesmuilend naar Becky, haalden hun schouders op en zetten gewoon de stelling terug zoals hij moest zijn. Ze hadden allebei een ijzeren geheugen.

Soms voelde Suzan zich schuldig omdat ze zo gelukkig was.

3

Meestal was Rebecca voor zessen thuis van school, maar op de maandagen bleef ze met Atie en Betsy Verduin in Gorkum voor de volleybaltraining in het sportcomplex. Dan aten ze een broodje of een hamburger in een snackbar en na de training was het meestal rennen om de trein te halen, vooral omdat Atie meer tijd nodig had om te douchen en haar gezicht in orde te krijgen dan normale mensen.

Het was halftien toen hun trein in Leerdam aankwam. Het had die dag niet meer geregend, maar het was bewolkt en al behoorlijk donker. Ze zwaaiden door het coupéraam naar Betsy, die doorreed tot Geldermalsen, en liepen met hun tas naar de uitgang. Het station was praktisch verlaten, op twee andere reizigers na die waren uitgestapt en een figuur die voorbij de stationshal met zijn rug naar hen toe in een mobiel stond te praten. Atie dacht dat ze hem herkende en riep 'Bertram?', maar de man keek niet eens om en Rebecca grinnikte.

'Als je mijn voormalige Bertram bedoelt moet je je ogen laten nakijken. Deze is een halve meter groter.'

Ze liepen naar de stalling. Atie giechelde. 'Hij probeerde me vorige week mee uit te krijgen.'

'Tot zover de eeuwige trouw.'

'Ik zou het je heus niet aandoen.'

'Je mag hem gerust hebben,' zei Rebecca.

Ze trokken hun fiets uit de rekken, bonden hun tas erop en klikten de dynamo's tegen de voorwielen. Ze reden Leerdam in en er meteen weer uit, over het fietspad langs de Leerdamseweg. Voorbij de bebouwde kom gingen ze rechtsaf de Meerdijk op. Rebecca reed altijd met Atie mee, die in een van de huizen bij fort Asperen woonde.

'Kom je nog binnen?' vroeg Atie, toen ze op de dijk boven haar huis van hun fiets stapten.

Rebecca schudde haar hoofd. 'Ik ga m'n mail kijken.'

'Tot morgen dan.'

'Als je om halfacht niet klaar staat rij ik door, ik krijg de zenuwen van dat jakkeren.'

'Maak je niet dik,' zei Atie.

Atie was haar beste vriendin, ze deed alleen waanzinnig lang over het poetsen van haar tanden omdat ze in zo'n blad had gelezen hoe dat eigenlijk moest, inclusief de tong. Ze kon ook moeilijk voorbij een spiegel zonder aan haar haren te prutsen en de opkomst en ondergang van minuscule puistjes op haar voorhoofd bij te houden. Ze zaten al vier jaar samen op de havo in Gorkum. Vorig jaar dreigden ze uit elkaar te raken omdat Atie een complete zero was op het gebied van wiskunde, maar Rebecca had haar avonden lang bijgespijkerd, zodat Atie ten slotte met de kleinst mogelijke marge en een donderpreek van de rector overging. Oudere mensen beweerden dat je gelukkig was als je in je leven een of twee echte vrienden overhield. Rebecca had tientallen vriendinnen, maar de meesten kwamen en gingen, je hoefde je maar een keer aan te stellen met de verkeerde jongen. Ze wist dat Atie een van die uitzonderingen zou zijn, voor levenslang, tenzij een van hen naar IJsland emigreerde. Dan nog zouden ze elkaar blijven mailen en bellen en geld sparen voor het vliegtuig.

Het was donker voorbij het fort. Ze hadden hard getraind en ze was moe, haar kuitspieren begonnen op te spelen. Op de onverharde Langendijk bedacht ze dat ze beter via de Kerkweg had kunnen gaan. Maar ze was net als een oud paard gewend aan de route langs de Linge, het was er mooi, en stil, vooral buiten het vakantieseizoen. Ze was nooit bang in het donker, zoals Atie. Die kon ze nooit wijsmaken dat het gewoon dezelfde wereld was, je eigen kamer, met de lamp uit.

Ze zag licht in de rommelige boerderij van Veldhuis, in de bocht onder aan de dijk, waar ook de enige straatlantaarn stond. Er voorbij werd het weer donker. De weg was niet meer dan twee wielsporen, gemaakt door tractoren en nu hard gereden door de auto's die hier steeds meer kwamen. Er waren nog een paar beschermde stukjes griend, die wemelden van vogels en waterhoentjes, maar het meeste van de oeverstrook was verkaveld in lapjes van tien tot twintig meter breed, die voor veel geld verkocht of verhuurd werden aan toeristen, die er hekken en hagen voor zetten en er zomerverblijven van maakten met zelfgetimmerde keetjes en steigertjes voor hun boot, tuinstoelen, picknicktafel.

Rebecca werd zich bewust van licht, dat haar inhaalde. Er kwam een fietser achter haar aan. Ze hobbelde over de grasstrook naar het rechterspoor, zodat hij haar links kon passeren.

Het licht kwam naast haar, schokkend door de oneffenheden, en toen reed de fietser de lichtkring van haar eigen lamp in. De sporen waren smal, je raakte er maar zo vanaf en ze kon nauwelijks tegelijk sturen en opzij kijken. Ze zag handen op een stuur, een donkere broek, sneakers op de pedalen, een voorovergebogen figuur met donker haar en een gezicht dat in het zwakke licht zo wit leek als een eierschaal. Rebecca merkte dat haar automatische 'Hoi' er geknepen uit kwam, alsof ze ongemerkt haar adem had ingehouden en nu opgelucht uitblies omdat de man doorreed. Het was vreemd dat hij niks terugzei. Mensen hadden hier de gewoonte om elkaar te groeten, zeker 's avonds op donkere wegen.

De man was twee of drie fietslengten voor haar uit toen zijn rode achterlicht plotseling doofde, maar het drong pas tot haar door dat hij was gestopt toen het licht van haar eigen lamp over zijn fiets viel. Het was een ouderwetse herenfiets, met een rechte stang. De man stond er links naast, een hand op het zadel, de andere op het stuur.

Kapotte fiets? Remmen, doorrijden? Er flitste van alles door haar heen. *Hij zei niks.* Iets was verkeerd, maar ze was te dichtbij om te keren. Doorrijden. Ze stampte op de trappers, zover rechts in haar spoor dat haar wiel de rand raakte en ze er zowat uit slingerde.

Precies toen ze hem passeerde tilde de man met beide handen zijn fiets op en gooide hem tegen haar aan.

Rebecca slaakte een gil van schrik en stortte in een wirwar van sturen en wielen en trappers van de dijk. Ze liet haar stuur los in een reflex om de klap op te vangen, maar sloeg niettemin met haar hoofd tegen iets hards in de dijkhelling. Het was donker, ze had overal pijn, haar enkel voelde als gebroken en haar hoofd gonsde. Rebecca was niet gauw bang, ze kon tegen een stootje, ze hielp met slachten en met zieke dieren, ze was aan bloed gewend, maar het enige waar ze op dit moment aan kon denken was gillen.

Een zaklamp flitste aan. De herenfiets werd van haar afgerukt en tegen de dijk op geslingerd. Staal schaafde over haar dijen en sloeg tegen haar knieën toen haar eigen fiets tussen haar benen vandaan werd getrokken. Ze gilde weer. De man sloeg haar hard in het gezicht: 'Hou je bek!' Ze proefde bloed. Ze begon met haar armen en benen te maaien. De man greep een van haar voeten, gaf haar een gemene trap in haar zij en doofde zijn lamp. Haar rok kreukelde tot een rol om haar middel en bramen schramden haar billen toen hij haar verder omlaag sleurde.

Onder aan de dijk liet de man haar voet los. Ze probeerde weg te rollen, maar hij greep haar beet en zakte schrijlings boven op haar, zodat haar benen in de lucht maaiden en haar hakken alleen nog maar gaten in de dijk sloegen.

'Laat me los!' gilde ze.

Zich verzetten, zich niet verzetten. Ze had alles gelezen, maar ze volgde haar reflexen en haar handen klauwden naar zijn gezicht en naar zijn ogen. Haar nagels raakten een oog en haalden zijn wang open en hij gaf een kreet van pijn en woede. Hij kreeg haar pols te pakken, duwde haar arm omlaag en pende hem in het gras, gaf haar met zijn vrije vuist een klap op haar slaap en begon haar in haar gezicht te slaan, links, rechts, en wéér, en ze besefte dat niemand haar zou horen. Het was te vroeg voor toeristen, ze was honderd meter voorbij de enige boerderij. De man legde zijn volle hand over haar mond en drukte zo hard dat ze haar achterhoofd in de natte dijkgrond voelde zinken. Haar lippen werden op haar tanden gepletst en ze proefde bloed. Maagd, dacht ze.

De muis van zijn hand sloot haar neusgaten af. Haar brein vocht om bij bewustzijn te blijven. Bloed gonsde door haar hoofd. Ze begon te stikken.

Zijn dijen zaten als een bankschroef om haar bovenbenen toen hij haar arm losliet om haar jack open te rukken. Knopen sprongen eraf. Ze probeerde vergeefs haar arm op te tillen. De pijn vervaagde, ze zag vonken en een rode gloed. Ze wilde niet dood. Ze jammerde onder zijn hand en vocht om haar hoofd opzij te draaien. Een neusgat kwam vrij en ze snoof raspend zuurstof naar binnen. Haar longen brandden. Ze rook de modder op zijn hand.

De hand verdween van haar mond maar ze had geen kracht meer om te gillen. Hij rukte de panden van haar jack opzij, klauwde in haar bloes en scheurde hem aan flarden, ze voelde de rugsluiting van haar beha knappen. De man pakte haar borsten, begon ze te kneden en in de tepels te knijpen. Zijn onderlijf schuurde over haar lichaam.

Hij gromde en kwijlde over haar borsten, de knobbel van zijn geslacht drukte in haar buik. Hij bracht zijn heupen omhoog, hield haar met één hand tegen de grond en trok met de andere aan de rits van zijn broek. Rebecca kon zich niet meer verzetten. Ze had haar ogen open, ze zag zwarte bladeren en de nacht die geen veilige kamer meer was, en kon alleen nog maar aan haar moeder denken. *Mama.*

Ze begon te huilen. De man rukte haar rok hoger en trok aan haar slipje. Ze voelde zijn hand op haar buik en zijn knie die haar dijen uit elkaar dwong en zijn vingers tussen haar benen.

Rebecca gilde.

Iemand schreeuwde: 'Héla!' Ze hoorde voeten. Een lamp flitste aan, en direct weer uit. Een donkere gedaante kwam in sprongen de dijk af.

Haar aanrander richtte zich op en tastte naar iets in zijn zak, maar werd met kracht van Rebecca afgetrokken en een paar meter bij haar vandaan gesleept. Ze hoorde vloeken en grommen en geworstel. Toen werd het stil. Het schijnsel van een zaklamp viel over haar heen.

'O jezus,' zei een man. 'Arme meid.'

De man knielde naast haar en richtte de lamp opzij om haar niet te verblinden. In de weerschijn zag ze een smal gezicht, sluik, blond haar. Er kwam een hand op haar voorhoofd. 'Heb je pijn?'

Ze kon niet praten. Ze voelde dat hij de panden van haar jack over haar borsten trok. Ze schaamde zich, maar de hand op haar voorhoofd was als die van een verpleger, of van God. Ze deed haar ogen dicht.

'Dank u,' fluisterde ze.

'Ik breng je naar huis. Denk je dat je...'

Ze hoorde iets, wilde hem waarschuwen: 'Pas op...'

De man kwam bliksemsnel overeind en richtte zijn zaklamp, maar de aanrander was al boven op de dijk, met zijn fiets. Haar redder klom tegen de helling op en schreeuwde: 'Blijf staan, rotzak!'

Het lukte haar om rechtop te gaan zitten. Alles deed pijn, erger dan daarstraks. Haar gezicht was gekneusd, haar lippen bloedden, haar heup stond in brand. Ze zag een achterlicht in de richting van het fort verdwijnen. De lamp kwam terug.

'Hij is ervandoor,' zei de man. 'Heb je hem herkend?'

'Nee.'

Hij drong aan. 'Echt niet? Zou je hem herkennen?'

Het schudden van haar hoofd deed pijn en ze hield er meteen mee op. 'Nee,' fluisterde ze.

'Kun je opstaan? Wacht.'

Hij legde zijn lamp op de grond, het schijnsel omhoog, nam haar onder de oksels en tilde haar overeind. Hij was erg sterk. Ze bleef wankelend staan. Haar slipje viel op haar schoenen. Ze wilde bukken en kreunde toen een vlammende pijn door haar hoofd schoot. Hij trok haar recht. 'Blijf staan.' Hij knielde voor haar. 'Steun op mijn schouders. Het geeft niet.'

Ze voelde zijn handen die het slipje omhoogtrokken langs haar kuiten en onder haar rok en over haar billen. Ze zakte zowat door haar enkel en leunde zwaar op zijn schouders. Het geeft niet, dacht ze, hij wil alleen maar helpen. Hij kwam overeind en ze stond gedwee als een kind met haar handen tegen zijn schouders terwijl hij de flarden van haar bloes over haar losgerukte beha schikte en haar jack sloot met de paar knopen die er nog aan zaten. Ik ben niet dood, dacht ze, het is voorbij.

'Kun je lopen?'

'Ja.'

Hij trok haar rechterhand over zijn nek en zette zijn schouder onder haar oksel. Elke beweging deed pijn, maar ze moest hier weg en beet op haar tanden. Ze stond wankelend in het spoor op de dijk, met zijn zaklamp in haar hand, om hem licht te geven terwijl hij haar fiets tegen de helling op zeulde.

'Ik kan niet fietsen,' fluisterde ze. 'Ik heb m'n enkel gebroken, of verzwikt.'

'Hoe heet je?' vroeg hij.

Ze hield zich vast aan het zadel. 'Rebecca.'

'Ik ben Dennis.' Hij nam de zaklamp uit haar hand en hing hem aan zijn broekriem. Hij trok aan de snelbinders om haar tas van de bagagedrager te nemen. Het licht zwaaide mee met al z'n bewegingen. 'Je moet even doorzetten, het is vlakbij. Kun je achterop zitten?'

'Weet je dan waar ik woon?'

'Ik heb je in de tuin gezien, met een blonde jongen, is dat je broer?'

'Boeba,' fluisterde ze.

Dennis hing haar tas aan het stuur en zette haar fiets schuin om

32

haar op de bagagedrager te krijgen. Ze hield zijn schouder vast terwijl hij de fiets rechtzette en erop stapte. Ze slingerden hevig toen hij begon te trappen, maar toen kregen ze vaart en hoefde ze alleen nog maar haar voeten uit het achterwiel te houden, de bobbels in het spoor te verduren en zich aan Dennis vast te klampen. Het bonken in haar hoofd werd minder op het asfalt van de Lingedijk.

Dennis stopte voor de voordeur en Rebecca schoof van de bagagedrager. Ze duizelde en Dennis gooide de fiets tegen de gevel en was net op tijd om haar op te vangen. Hij hield een arm stevig om haar middel en ze hing slap tegen hem aan, terwijl hij net zolang met de klopper hamerde tot Roelof de voordeur openmaakte.

Roelof schrok zich een ongeluk. 'Becky?'

'Ze moet een dokter, meneer,' zei Dennis. 'Laat mij maar.' Roelof deinsde opzij, terwijl de onbekende jongeman zijn bloedende dochter binnenbracht.

Suzan verscheen in de woonkamerdeur. 'O god,' zei ze. 'Becky.'

'Ze is aangerand,' zei Dennis. 'Ze heeft pijn. Bel een dokter.'

Rebecca viel in Suzans armen. Roelof sloot de voordeur en hielp hen de woonkamer in. Dennis bleef bij de deur staan, alsof hij niet zeker was of hij moest blijven of gaan.

'Dokter,' mompelde Roelof, en hij liep naar de telefoon.

'Ik breng je naar boven.' Suzan ondersteunde Rebecca en hielp haar door de kamer. Roelof nam de hoorn en legde hem weer neer. 'Moet ik helpen?'

'Douchen,' fluisterde Rebecca.

'Ja.' Suzan was kalm. Ze knikte naar Roelof. 'Blijf maar hier, bel de dokter.' Rebecca leunde op haar schouder en hinkte door de keuken. Ze keek eenmaal om, naar Dennis. Toen ging de deur dicht.

Roelof zakte op de bank. Hij wist niks anders te zeggen dan: 'We vroegen ons al af waar ze bleef.'

Dennis knikte. 'U kunt beter de dokter bellen.' Hij deed een stap naar de deur. 'Ik zal maar gaan,' zei hij bescheiden.

Roelof kwam bij zijn positieven. 'Nee, wacht!' Hij keek naar de modder op Dennis' kleren en de donkere vegen van Rebecca's bloed op zijn legerjack. 'Wacht,' herhaalde Roelof. 'Ik weet niet eens hoe je heet.'

Dennis bleef staan. 'Dennis.'

Roelof opende een klapper naast de telefoon en toetste een nummer. 'Peter, met Roelof Welmoed,' zei hij in de hoorn. 'Mijn dochter is...' Hij keek met iets hulpeloos naar Dennis, kon het woord nauwelijks over zijn lippen krijgen. 'Ze is aangerand, ze is gewond. Ja. Dank je.'

Hij legde neer.

'Ik hoorde haar gillen,' zei Dennis. 'Hij had haar van de dijk getrokken, op dat stille stuk. Hij nam de benen, ik kon hem niet te pakken krijgen.'

Roelof bleef hem aanstaren. De vraag broedde in zijn ogen en Dennis zei: 'Ik was er op tijd bij. Ze is niet verkracht.'

Roelof zuchtte. Er viel een last van hem af.

'Hij heeft haar behoorlijk toegetakeld en ze heeft een enkel verzwikt,' zei Dennis.

'Misschien moeten we de politie bellen.'

'Ze heeft die man nauwelijks gezien, en ik helemaal niet,' zei Dennis. 'Het is daar pikdonker. Ik moest m'n lamp laten vallen om hem de baas te blijven. Ik had hem misschien buiten westen moeten slaan of vastbinden, maar ik wou eerst uw dochter helpen.'

'Ik weet niet wat ik moet zeggen,' zei Roelof.

'U hoeft niks te zeggen, iedereen zou dat doen.'

'Dat denk ik niet.'

Dennis glimlachte. 'Hij was een laffe ploert, hij nam meteen de benen. De gevangenis is te goed voor dat soort kerels.'

'Ik denk toch dat we de politie moeten bellen.'

'Ik zou even wachten,' zei Dennis.

'Waarom?'

'Misschien wil uw dochter de hele zaak net zo lief vergeten, in plaats van in de krant te komen. En wat kunnen ze doen? Die man krijgen ze niet meer te pakken.'

Roelof knikte. Het joch gebruikte zijn verstand. 'Ga even zitten,' zei hij.

'Ik maak alles smerig.'

'Dat is de minste zorg. Wil je een biertje?'

'Als u dat heeft...' Dennis ging op de punt van een leunstoel aan de andere kant van de haard zitten. Hij keek om zich heen. 'U heeft een mooi huis. Wie zijn de schakers?'

Roelof liep naar de keukenhelft en nam twee flesjes pils uit de koel-kast. Hij bedacht zich, zette ze op het aanrecht en liep naar de deur naast de trap. Hij maakte hem open en ging de bijkeuken in. De rok en de bloes van Suzan hingen over de wastafel, de resten van Re-becca's kleren lagen in een hoop op de vloer. Hij stapte eroverheen, klopte op de deur en opende hem op een kier. Het douchehok stond vol stoom, ze stonden er samen onder, Suzan in haar slipje en beha. 'Gaat het?' vroeg hij.

'Laat ons maar,' riep Suzan. 'Heb je de dokter gebeld?'

'Hij is onderweg.'

Roelof keerde terug naar Dennis, opende een flesje pils voor hem en gaf er een glas bij. Rob was naar Utrecht en zijn afwezigheid voel-de verkeerd, alsof zijn gezin op dit moment compleet hoorde te zijn. Alles leek raar en anders, zijn dochter bloedend onder de douche, een vreemde jongeman bij de haard, die niet brandde, met Rebecca's bloed op zijn jack, modder op zijn jeans. Hij was mager, geen kracht-patser, maar hij zag er gezond uit. Hij had een smal, langwerpig ge-zicht met sluik, blond haar, diepliggende blauwe ogen, vuile handen met lange, benige vingers. Halverwege de twintig, dacht Roelof.

Hij ging zitten en schonk pils in zijn eigen glas. 'Een geluk dat je daar net langskwam,' zei hij.

Dennis schudde zijn hoofd. 'Ik kwam niet langs. M'n camper staat er vlakbij. Ik hoorde haar gillen, ik ben er meteen heen gerend.'

Roelof zat hem op te nemen. 'Je bent dus niet van hier?'

'Ik kom uit Brabant.'

'Woon je in een camper?'

'Ik mocht hem zolang aan de Linge zetten, van die boer aan de Langendijk.'

'Veldhuis,' zei Roelof.

'Iemand had gezegd dat ik een baan kon krijgen bij de glasfabriek, maar dat ging niet door. Ik vind wel iets anders.'

'Ben je glasblazer?'

Dennis grinnikte. 'Nee.'

'Heb ik je niet ergens eerder gezien?'

'Ik sta daar al een paar weken, misschien heeft u me langs zien fiet-sen.'

Ze hoorden de klopper. Roelof kwam van de bank. Dennis dronk zijn glas leeg. 'Dat zal uw dokter zijn,' zei hij. 'Ik stap maar op.'

Hij volgde Roelof naar de gang en de voordeur. De dokter was een bedrijvige, gezette vijftiger. Hij knikte naar Roelof en fronste door zijn goudomrande bril naar de besmeurde Dennis. 'Roelof. Waar is de patiënt?'

'Loop maar door, ik zeg even gedag.'

Dennis ging opzij voor de dokter. Roelof hield de deur vast. 'Ik weet niet hoe ik je moet bedanken. Ik durf je geen geld aan te bieden, maar je hebt geen werk...'

'Ik hoef geen beloning,' zei Dennis beslist. 'Ik hoop dat ze er gauw overheen is.' Hij stapte naar buiten. 'Doe haar de groeten. Ik zet haar fiets wel even opzij van het huis.'

'Wacht,' zei Roelof. 'Kom morgenavond bij ons eten, dan kunnen we je allemaal bedanken.'

Dennis schudde zijn hoofd. 'Ik zou maar verlegen worden van al dat bedanken.' Hij pakte Rebecca's fiets, haakte haar tas van het stuur en gaf hem aan Roelof.

'Alleen eten dan. Kom om een uur of zes, dan hebben we tijd voor een glaasje.'

'Oké,' zei Dennis.

De dokter had haar een tetanusinjectie gegeven, haar dij gehecht en een stevig verband om haar verzwikte enkel gewikkeld. Hij had haar schrammen ontsmet en gezegd dat er geen ribben gebroken waren, dat haar tanden niks mankeerden en dat de gezwollen lippen en de builen vanzelf zouden slinken en genezen. Hij gaf haar pillen voor de pijn en ook een pil om te slapen.

Haanstra was een goeie dokter, die haar als een volwassene behandelde, geen flauwekul verkocht, en niet meewerkte aan paniek. Ze moest het zelf weten, maar wat hem betrof bleef ze een dagje thuis en ging ze overmorgen weer naar school. Hij zei dat minstens drie van de tien vrouwen dat soort dingen vroeg of laat een keer meemaakten en dat ze haar best moest doen om het zo gauw mogelijk te vergeten. Ze had geluk gehad, ze was een gezonde meid, morgen moest ze gewoon verder.

Ze lag in haar bed en dacht over hoe dat moest, morgen gewoon verder, en of ze zou kunnen slapen zonder nachtmerries te krijgen.

Ze kon tegen een stootje, maar ze hoefde haar ogen maar dicht te doen om de donkere dijk te zien en die handen te voelen. Ze vroeg zich af of ze daar ooit nog langs zou durven fietsen.

De handen waren het ergste geweest, erger dan het schoppen en slaan, dat was zoiets als een ruige vechtpartij. Ze had de nogal sjieke Gerrit Blauw uit de hoogste klas buiten de disco door een troep dronken bouwvakkers afgetuigd zien worden tot hij met bloedende kop bleef liggen. Z'n vrienden durfden niet tussenbeide te komen en zelf had ze alleen maar geschreeuwd en was ze naar binnen gerend om hulp, die natuurlijk als mosterd na de maaltijd kwam. De volgende dag paradeerde Gerrit hanig over het schoolplein met pleisters en een grijns op z'n kop.

Vechten was niks, een bloedlip was niks. Alleen die handen, die waren smerig. Ze had zich een ding gevoeld, haar lichaam niet meer haar warm kloppende, intieme eigendom. Een stuk grijze tekst was voorbij, maar op de nieuwe scène had ze weer geen invloed gehad. Ze was alleen van toeschouwer in slachtoffer veranderd. Ze moest zich verzetten.

Rebecca dacht aan de hand van Dennis op haar voorhoofd.

Suzan zou Atie bellen dat ze er morgenochtend niet zou zijn. Suzan zou natuurlijk zeggen dat ze zich niet ongerust hoefde te maken, maar je kon er vergif op nemen dat Atie morgen direct na school hiernaartoe kwam fietsen, en alles zou willen horen en meteen aan de gang zou gaan om de blauwe plekken onder make-up te verdoezelen.

De pijn dreef verder weg en ze begon soezerig te worden en dingen door elkaar te halen. Ze had aan haar moeder gedacht. Dat deed ze niet vaak meer, dode moeders verdwenen in het verleden en er kwamen anderen voor in de plaats, het leven ging verder. Dat was raar eigenlijk, en soms voelde het een beetje verkeerd. Rebecca kon zich elk moment van de begrafenis herinneren, maar het gezicht van haar moeder werd de laatste tijd vager en soms moest ze naar de foto op de wand voor haar werktafel kijken omdat ze het met dat van Suzan begon te verwarren. De foto bleef meestal uit het zicht achter stapels boeken en opgeprikte roosters en als ze aan haar moeder dacht wist ze niet altijd zeker of ze zich de levende Emma herinnerde of alleen maar die foto. Emma had hetzelfde donkere haar als zij en dezelfde bruine ogen en ze leek totaal niet op Suzan. Rebecca leek op haar moeder, Boeba had de blauwe ogen, het smalle gezicht en het blonde haar van zijn vader.

In haar droom ging de deur open en kwam er iemand naar haar bed en boog zich over haar heen. Ze voelde de hand van Dennis op haar voorhoofd. 'Doet het pijn?'

'Nu niet meer,' fluisterde Rebecca.

'Ga maar slapen,' zei Boeba.

4

Ze werd wakker omdat Suzan op haar bed kwam zitten. Het was volop dag, de zon stond in haar lage raam. 'Hoe gaat het?' vroeg Suzan.

'Ik voel mijn tanden en m'n been schrijnt. En ik heb een suffe kop.'

'Dat is van de pillen. Wil je straks thee en beschuit op bed, zoals in een hotel?'

'Is iedereen al weg?'

'Natuurlijk, het is halfelf. Er is bezoek voor je.'

Ze kneep haar ogen samen. 'Atie?'

'Nee, die komt vanmiddag. De politie.'

Rebecca schrok. 'Politie? Waarom? Ik wou helemaal geen...'

'Ik heb ze gezegd dat je ze niet kunt helpen en dat je in bed lag, maar een van die twee is een aardige dame en als ze even bij je mag ben je er meteen vanaf.'

Ze lag stil. Het was gebeurd, achter de rug, de scherven lagen bij elkaar geveegd in een hoekje van haar hoofd en niemand had ermee te maken. 'Ik zie er niet uit,' zei ze mat.

Suzan streelde haar hoofd. 'Je ziet er schitterend uit.'

'Ja. Miss Betuwe na de slag om Bagdad. Mag ik even een spiegel?'

Suzan bleef haar strelen. 'Geen spiegel. We gaan niet zeuren. Ik geef haar vijf minuten. Oké?'

Rebecca zuchtte. 'Je lijkt op dat spook van creatieve handvaardigheid.'

'Oké dus.'

Suzan klopte op Rebecca's hand en ging de kamer uit. Ze liet de deur open en ook de tussendeur naar de andere gang. Rebecca kon haar stem horen. 'Komt u maar. Nee, alleen u, mevrouw.' Voeten op de trap en door de gang. Rebecca streek haar verwarde krullen recht. Haar kamer was een rotzooi. Een poster van Brad Pitt. Ze wilde er niet over praten.

Een agente verscheen in de open deur, Suzan achter haar. 'Laat ons maar even alleen,' zei de agente. 'Als dat mag?'

Ze wachtte niet op antwoord maar sloot de deur voor Suzans neus. Rebecca werd er nerveus van, alsof ze iets verkeerds had gedaan. Ze was nog nooit door de politie verhoord. Nu stond er een in haar slaapkamer, in uniform, compleet met pistool aan de koppel. Het voelde als een invasie.

'Eigenlijk moet er iemand bij zijn als we een minderjarige...' begon de agente. 'Maar je moeder zei dat je prima voor jezelf kunt denken en praten en dit is geen verhoor, ik heb alleen maar een paar vragen. Mag ik hier gaan zitten?'

Mensen namen vaak aan dat Suzan haar moeder was, als ze niet nadachten of hun ogen niet gebruikten tenminste, want ze zou wel een erg jonge moeder moeten zijn geweest. De agente had haar pet beneden gelaten. Ze had kort geknipt, blond haar met nogal wat grijs erin. Ze leek veel ouder dan Suzan, maar Rebecca moest toegeven dat ze een vriendelijk gezicht had, ondanks haar spitse neus en erg koele, grijzige ogen achter een bril met een dikke, bruine montuur. De agente pakte de rechte stoel voor Rebecca's werktafel en draaide hem naar het bed. Ze kraakte toen ze ging zitten.

'Ik ben Ria Hamel van de politie in Geldermalsen,' zei ze. 'Is het alleen Rebecca, of heb je nog meer voornamen?' Ze leunde opzij om een opschrijfboekje uit de zijzak van haar uniform te nemen en de kolf van haar pistool kwam omhoog in de holster alsof het wapen eruit wilde.

Rebecca hield haar mond.

De agente krabbelde op het boekje, als om haar balpen te testen. 'Dat was een akelige ervaring voor je,' zei ze. 'Als je hulp nodig hebt, of er met iemand over wilt praten, daar hebben we speciale mensen voor. Dat is normaal na een aanranding.'

'Ik ben niet aangerand,' zei Rebecca.

'Je bedoelt dat er geen penetratie was. Weet je dat zeker? Heeft de dokter je onderzocht?'

Rebecca voelde haar wangen rood worden. 'Ik denk dat ik zelf wel weet of ik verkracht ben of niet,' zei ze.

'Ja, sorry.' De agente fronste.

'De bedoeling was dat we er geen politie bij zouden halen,' zei Rebecca koppig.

'Daar weet ik niets van. Misschien heeft de dokter gebeld.'

'Dat zou hij nooit zomaar doen.'

'Iemand anders dan. Je had het ook zelf kunnen aangeven, of je ouders. Het is een misdrijf, het is onze taak om die man op te sporen voordat hij het nog eens probeert en iemand wel wordt verkracht, of erger. Dat kun je toch begrijpen?'

'Jawel,' zei Rebecca. Haar lippen staken toen ze ze op elkaar drukte.

'En je hoeft niet verkracht te zijn om je toch aangerand te voelen, en dan kun je hulp nodig hebben. Ik ben niet de vijand.'

'Ik kom er wel overheen,' zei Rebecca. 'Ik hoef niet in therapie.'

'Oké. Het is maar dat je het weet.' De agente begon te schrijven. 'Hoe laat gebeurde het?'

'Om een uur of tien.'

'Kom je altijd zo laat thuis?'

'We hadden volleybal. Het was halftien toen we met de trein uit Gorkum kwamen.'

'We?'

'Atie en ik, dat is m'n vriendin. Ze woont bij fort Asperen, we fietsen samen van het station naar haar huis en dan ga ik alleen verder.'

'Rij je altijd over de Langendijk?'

'Ja.'

'Waarom?'

Rebecca raakte geïrriteerd. 'Waarom niet? Ik ben dat gewend.' Ze legde haar vingers op haar lippen, die pijn deden van het praten.

De agente trok een rimpel boven haar bril. 'Is dat volleybal elke week, op maandagavond?'

'Ja, hoezo?'

'Zelfde tijd, zelfde trein?'

'Ja.'

'Als die man dat wist is hij misschien iemand die je kent, of die jou kent, en je gewoontes.'

Slechte gewoontes, zo klonk het. 'Ik zou niet weten wie dat zou moeten zijn.'

'Misschien fietste die man daar niet toevallig, op dat uur? Hij kan je vanaf het station zijn gevolgd, of ergens hebben opgewacht.'

'Ik was al voorbij de boerderij van Veldhuis toen ik hem achter me aan zag komen. Hij reed me voorbij en toen stopte hij plotseling en gooide zijn fiets tegen me aan.'

'Hoe zag hij eruit?'

Ze schudde haar hoofd. 'Het was donker.'

'Had je geen licht op je fiets?'

Alsof ze een bekeuring kwam uitschrijven. 'Jawel. Ik heb licht op mijn fiets.'

De agente boog zich naar haar toe. 'Je wil het vergeten, dat is heel normaal,' zei ze. 'Maar als mensen hun best doen en zich concentreren herinneren ze zich meestal meer dan ze denken.'

'Ik doe mijn best,' mompelde Rebecca.

'Was hij oud of jong?'

'Niet oud.'

'Twintig, dertig?'

'Zoiets.' Ze keek naar de houten wand.

'Lang?'

Rebecca schudde haar hoofd. 'Gemiddeld. Het was donker.'

'Je had licht op je fiets toen hij je passeerde. Had hij een pet op, zag je zijn gezicht? Was hij donker of blond?'

'Geen pet,' zei ze. Niemand droeg een pet, alleen nog een paar oude boeren. 'Donker haar, geloof ik.'

'Buitenlander?'

Ze schudde haar hoofd naar de knoesten in de houten wand. 'Hij had een wit gezicht,' zei ze.

'Zie je wel dat je je van alles herinnert?'

Rebecca herinnerde zich alleen de handen. Ze draaide haar gezicht naar de agente. 'Hij was sterk,' zei ze. 'Verder weet ik het niet.'

De agente knikte en stond op. 'Alle beetjes helpen,' zei ze. 'Zo krijgen we toch een indruk. Dank je wel.'

'Hij had een ouderwetse herenfiets, met een rechte stang,' zei Rebecca.

De agente schreef. 'Goed zo.' Ze glimlachte. 'Het zou mooi zijn als die fiets ook nog opvallend rood was.'

Rebecca glimlachte flauwtjes terug. 'Gewoon donker. Zwart waarschijnlijk.'

Ze was zenuwachtig en stelde zich aan als een tiener en zocht haar mooiste oudroze pull uit, die met de pluizige rol franje om de lage hals en aan de mouwen. Ze had ook de zenuwen gekregen van Atie, die elk detail had willen horen, vooral over haar redder. Rebecca had haar na een halfuur met veel moeite de deur uit gewerkt, zogenaamd omdat ze een taart moest bakken, maar ruim voordat Dennis kwam opdagen. Ze wist niet precies waarom, maar ze wilde haar vriendin daar niet bij hebben.

Ze kon weinig doen aan de donkere plekken op haar gezicht en aan haar gezwollen lippen, maar haar hals was onbeschadigd en haar gehavende benen zaten verborgen onder haar lange zwarte rok met de kleine roze bloemen en zilvergroene blaadjes, die eigenlijk voor speciale feestjes was bestemd en waarin ze er vrouwelijker en volwassener uitzag dan ze zich voelde. Ze voelde zich voornamelijk alsof ze eindexamen moest doen.

Roelof had gegrinnikt toen ze beneden kwam: 'Moet ik ook in m'n beste pak?' Maar hij had een schoon hemd aan en zijn haren waren nog nat van de douche.

Suzan had de gevulde parelhoen in de elektrische oven en stelde de knoppen in toen ze Dennis precies om zes uur langs de ramen zagen fietsen. Roelof ging naar de deur voordat ze de klopper hoorden. Rebecca bleef midden in de kamer staan, haar hart bonsde in haar keel. Ze hoorde Roelofs stem in de gang, en ook die van Boeba, die uit het zijhuis kwam. Suzan stond naast haar toen Roelof hem binnenliet.

Rebecca probeerde niet naar hem te staren. Hij droeg een linnen broek en een rood hemd met dunne witte strepen en had zich keurig geschoren. Hij had een klein diamantje in z'n oor. Ze vroeg zich af of er een douche was in zijn camper, of dat hij zich in de rivier moest wassen. Hij had een bosje rode anjers en ze dacht dat die voor haar waren, maar hij zei: 'Dag mevrouw,' en hij gaf ze aan Suzan.

Suzan vond anjers de ergste stinkbloemen, maar ze reageerde alsof het orchideeën waren. 'Oh, prachtig, dank je wel.' Rebecca vond anjers ook stinken, maar deze had ze wel willen hebben. 'Ik weet niet eens hoe je heet,' zei Suzan.

'Dennis Galman, mevrouw,' zei Dennis beleefd.

'Noem me maar Suzan.'

Dennis glimlachte naar Rebecca. 'Ik ben blij dat je nog heel bent.'

Ze bloosde omdat hij een heimelijk kneepje in haar hand gaf en ze een glinstering van spot in zijn ogen zag, waardoor ze even dacht dat hij haar maagdenvlies bedoelde. 'Heb je kunnen slapen? Anders moet je dit tegen je neus leggen en erdoorheen ademen.' Hij toverde een rechthoekig linnen zakje te voorschijn. 'Het is lavendel.'

Ze nam het zakje en drukte het tegen haar neus, om haar blos te verbergen. Het rook donker en kruidig, ze zou er met gemak duizelig van kunnen worden.

'Is dat waar?' vroeg Suzan.

'Lavandula officinalis,' zei Rob, die alle namen van planten en bomen kende. 'De Romeinen gebruikten het al in hun badwater. Het is rustgevend.'

Rebecca had nog geen woord gezegd, omdat ze niets kon bedenken dat interessanter klonk dan hoe maak je het, of dank je wel.

Dennis keek haar weer een beetje spottend aan en zei, alsof haar gedachten op haar voorhoofd stonden: 'Je vader en ik hebben afgesproken dat we mij niet gaan bedanken en dat we de hele zaak zo gauw mogelijk vergeten.' Hij klonk zeker van zichzelf, totaal op zijn gemak. Hij wendde zich naar Roelof. 'Dat is toch zo?'

'Ja,' zei Roelof. 'Als we de kans krijgen.'

Even was het stil. Toen vroeg Rob: 'Heeft u de politie gebeld?'

'Je hoeft mij geen u te noemen,' zei Dennis. 'Ik ben Dennis, jij bent Rob. Of is het Boeba?'

Rob fronste geërgerd naar Rebecca. 'Ik dacht dat je daarmee op zou houden.'

'Becky noemde hem Boeba toen ze nog niet kon praten,' zei Roelof vergoelijkend. 'Het zijn van die dingen die blijven hangen.'

Rebecca liet haar eerste woord horen. 'Sorry.'

Rob knikte. Hij herhaalde koppig zijn vraag. 'Heb jij de politie gebeld?'

'Natuurlijk niet.' Dennis keek nogal beledigd naar Roelof. 'Dat hadden we toch afgesproken?'

'Wie dan? De dokter?'

'In geen geval,' zei Roelof. 'Dat heb ik hem bezworen.'

Rob hield vol. 'Iemand heeft ze toch gebeld.'

'Ik zou wel de laatste zijn,' zei Dennis. 'Het geeft me alleen maar problemen.'

Rebecca schrok. Problemen? Ze stamelde: 'Wat voor problemen?'

Dennis wuifde het weg. 'Het maakt niet uit.'

Ze bloosde weer. Ze stonden nog steeds onhandig tegenover elkaar in de zitkamer, Suzan met de anjers in haar hand en Rebecca met de lavendel tegen haar borst. Voordat de stilte een eigen leven kon gaan leiden, kuchte Suzan en zei opgewekt: 'De bloemen krijgen dorst, de mensen misschien ook. Of wil Dennis eerst rondgeleid worden?'

Ze kwamen allemaal in beweging. Roelof en Rob namen Dennis mee via de bijkeukendeur. Suzan volgde hen tot in de keukenhelft, waar ze de anjers in een glazen vaas schikte en op de afscheiding naast de telefoon zette. Alleen Rebecca bleef staan.

'Je kunt vast dekken,' zei Suzan, terwijl ze het rooster een stukje uit de oven trok om jus over de parelhoen te lepelen. 'Doe maar het blauwe kleed en schone servetten.'

Rebecca hoorde Lukas blaffen en keek verwonderd op. Toen het blaffen stopte liep ze naar de kast naast de trap voor het tafelkleed. Ze aten altijd in de keukenhelft, aan de grote tafel die langs de zijmuur stond, met een bank tegen de muur, rechte stoelen aan de andere kant en een boerenstoel met armleuningen voor Roelof aan het hoofd. Ze wilde het zondagse servies te voorschijn halen waarmee ze twee dagen geleden Rob hadden geholpen om indruk te maken op Elena, maar Suzan zei dat ze niet moesten overdrijven. 'Hij woont in een camper. Kweeperenmoes en gebakken aardappelen en een fles wijn erbij. Dat lijkt me al aardig.' Ze fronste naar Rebecca. 'Voel je je goed?'

'Wat bedoelt hij met problemen?' vroeg Rebecca.

'De politie is bij hem geweest.'

Ze schrok weer. 'Hoe weet je dat?'

'Van die agent. Ze hebben met hem gepraat voordat ze hier kwamen.'

'Daar heeft die agente niks van gezegd.'

Suzan trok met haar schouders. 'We hebben nog chips en van die kaaskoekjes, doe ze maar in een bakje. Zou hij port drinken? Eerder bier, denk ik.'

Rebecca was bij de tafel blijven staan, streek een vouw glad. 'Maar waarom zou de politie hem problemen bezorgen?'

'Dat moet je aan hem vragen. Misschien is hij een voortvluchtige bankrover.' Suzan hield op met grinniken toen ze Rebecca's gezicht zag. 'Ik zou me niet druk maken. Dennis lijkt me iemand die wel voor zichzelf kan zorgen. Glazen, schat.'

Dennis was erg beleefd, hij had een bescheiden pilsje gedronken en een enkel kaaskoekje gegeten en toen ze aan tafel gingen, wachtte hij tot Suzan en Roelof zaten voordat hijzelf naast Rob op de bank schoof. Dat was eigenlijk Rebecca's plaats, maar ze gaven hem aan de eregast om hem uitzicht op de kamer en de ramen te geven, in plaats van op de muur met de twee reproducties van grillige mensbomen van William Kuyk, die Roelof van Suzan op zijn verjaardag had gekregen. Hij nam bescheiden porties van de parelhoen en maar een half glas van de rode wijn, en hij begon niet te eten voordat Suzan een eerste hap had genomen.

'Het is een tijd geleden dat ik zoiets lekkers heb geproefd,' zei hij toen. 'Is dat kip?'

'Parelhoen,' zei Suzan.

'En moes van eigen kweeperen,' zei Roelof.

Dennis glimlachte naar hem. 'Voor mij was het al feest als we kip met appelmoes en frites kregen. Dit lijkt wel een restaurant met sterren.'

'Dank je,' zei Suzan. 'Je hebt het verdiend.'

Ze trakteerde hem op haar zonnige glimlach, maar Dennis bleef naar Roelof kijken. Rebecca vond dat hij prachtige ogen had. Ze lagen een beetje diep, maar ze waren doordringend en mysterieus en zo onwaarschijnlijk blauw dat ze aan gekleurde lenzen dacht. Maar hij droeg beslist geen lenzen.

'Je hebt het hier prachtig voor elkaar,' zei hij tegen Roelof. 'Je hebt geen mens nodig, met de schapen en de kippen en die tuinen. Het is een paradijs.' Dennis tutoyeerde Roelof met veel gemak alsof hij hem al jaren kende. Hij gedroeg zich stroever tegen Rob, ook al was die veel jonger dan hij. Rebecca bedacht dat dat misschien kwam omdat hij Roelof in een nogal heftige situatie had leren kennen, en Rob voor het eerst zag.

Roelof grinnikte. 'Als we de belastinginspecteur konden afkopen met een mooi paaslam, en Becky zo gek kregen om in zelfgesponnen jurkjes naar school te gaan.' Hij zweeg even. 'Je hebt altijd geld nodig,' zei hij toen. 'Daar moeten we hard voor werken. Maar we hopen ooit nog es de loterij te winnen of een aardige geldschieter te vinden, dan beginnen we een eigen kwekerij.'

'Waar was dat?' vroeg Suzan.

Er gleed een vluchtige trek van wrevel over het gezicht van Dennis alsof hij zijn aandacht bij Roelof had willen houden. Toen glimlachte hij en vroeg: 'Waar was wát?'

'De kip met appelmoes.'

'Oh, dat.' De glimlach verdween. 'Dat was vroeger.'

'Neem me niet kwalijk,' zei Suzan ootmoedig. 'We zijn veel te nieuwsgierig.'

'Het zijn onze zaken niet,' zei Roelof.

'Mijn pleegouders waren niet rijk,' zei Dennis. 'Hij werkte in een meubelfabriek, maar die ging over de kop en toen leefden ze van zijn uitkering en wat ze voor mij vingen.' Hij haalde zijn schouders op. Zijn gezicht stond onverschillig maar Rebecca vond het een droevig gebaar. 'Een gastgezin krijgt elke maand een beetje geld van de staat.'

Even was het stil. Suzans ogen werden zachter. 'Zijn je ouders overleden?'

Dennis knikte. 'Mijn vader al voor mijn geboorte, en mijn moeder liet me in de steek toen ik een baby was. Ze zeggen dat je je als baby niks herinnert, maar ik herinner me dat ze me in haar armen hield. Ze liet me bij een tante achter, maar die kon me ook niet hebben.' Hij keek naar zijn bord, legde zijn mes neer en maakte weer zo'n wegvegend gebaar. 'Zo gaat het nou eenmaal. Het is verleden tijd.'

'Je moeder leeft dus misschien nog,' zei Suzan.

'Ik weet het niet. Ik heb haar nooit meer gezien. Als ik aan haar denk hoor ik de stem van een engel.'

Rebecca voelde haar ogen vochtig worden. Ze wilde zeggen dat ze hem begreep omdat ze zelf ook haar moeder had verloren, maar dat kon je nauwelijks vergelijken, ze had haar vader en ze had Suzan, en een broer. Dennis had niks. Ze keek naar Rob, die zwijgend naast haar redder zat, ze kon niet zien wat hij dacht, maar er heerste een onhandige stilte omdat niemand zich goed raad wist.

Dennis nam zijn glas. 'Ik praat hier net zo lief niet over, de mensen gaan je maar zielig vinden en dat hoeft voor mij echt niet.' Hij knikte naar Roelof en nam een slokje wijn alsof het onderwerp wat hem betrof was afgesloten.

'Zie je die tante nog weleens?' vroeg Suzan niettemin.

'Ze is dood.' Hij glimlachte vluchtig. 'Ze heeft me wat geld nagelaten. Ik kan er niet van rentenieren, maar als ik even geen werk heb hoef ik tenminste niet meer m'n hand op te houden bij Sociale Zaken. Dat is me weleens overkomen en ik heb dat altijd akelig gevonden.'

'Soms kun je niet anders,' zei Suzan.

'Als je wilt kun je altijd werken,' verklaarde Dennis. 'Ik ben niet kieskeurig, ik pak alles aan.'

Suzan glimlachte instemmend. 'En je pleegouders?'

Dennis schudde zijn hoofd. 'Ik ben ze dankbaar voor wat ze voor me hebben gedaan, maar ik heb me daar nooit thuis gevoeld. Het enige goeie was dat ze in een dorp woonden, met weilanden en de Maas vlakbij, ik ben graag buiten. Op den duur ging het niet meer en toen heb ik in een soort weeshuis gezeten.' Dennis trok een gezicht. 'Het heet gezinsvervangend tehuis. Ik kon daar weg toen ik achttien werd. Ik wou op mezelf staan, zelf m'n kost verdienen. Dat moet je uiteindelijk toch.'

Hij moest het beroerd hebben gehad, dacht Rebecca. Ze wilde zijn ogen zien, maar hij had nauwelijks aandacht voor haar.

'Hoe oud ben je nu?' vroeg Rob, opvallend direct voor zijn doen alsof hij door iets geïrriteerd raakte.

Dennis keek een beetje neerbuigend naar hem. 'Vierentwintig.'

'En wat doe je voor werk?'

Roelof kuchte. 'Je zult ons onbeleefd vinden met al die vragen. Je mag gerust zeggen dat het onze zaken niet zijn.'

Dennis glimlachte. 'Vraag maar wat je wilt, ik heb geen geheimen. Ik heb van alles gedaan, zelfs een paar dingen waar ik minder trots op ben.'

'Dat overkomt iedereen,' zei Roelof.

Dennis nam hem zwijgend op. 'Jou vast niet,' zei hij toen.

'Jawel.' Roelof knikte ongemakkelijk. 'Iedereen doet in zijn leven weleens iets verkeerds, iets dat je niet ongedaan kunt maken. Het enige dat je kunt doen is proberen het later beter te doen, en op die manier iets terug te verdienen.'

Dennis glimlachte. 'In een volgend leven?'

'Karma,' zei Rebecca.

Ze keken allemaal naar haar, Dennis eindelijk ook, met die ogen, waardoor ze weer begon te blozen. 'Ik heb dat gelezen,' zei ze.

Roelof glimlachte spottend. 'Mijn dochter leest alles wat los en vast zit. Dat heeft ze van haar moeder.'

Dennis kwam haar te hulp. 'Het bestaat vast.'

'Misschien, maar wat ik bedoelde is opnieuw beginnen in dít leven.' Roelofs ogen kruisten die van Suzan. 'Je mag blij zijn als je die kans krijgt.' Hij opende zijn hand op de tafel zoals hij vaak deed, en Suzan glimlachte en legde de hare erin.

Dennis keek ernaar. 'Dat wil ik ook,' zei hij. 'Iets recht zetten, als je de kans krijgt.'

De stilte hing even tussen hen in.

Dennis glimlachte en wendde zich naar Rob alsof hij zich diens vraag herinnerde. 'Ik heb van alles gedaan,' zei hij. 'Onder andere twee jaar bij een boer, dat was eigenlijk de beste tijd. Ik had zo'n knechtenkamertje boven de stal, lekker warm met de koeien eronder. Maar die man was oud en moest z'n boerderij verkopen, want zijn zoon wilde er niet in. Die is boekhouder.' Hij haalde zijn schouders op. 'Mensen willen geen boer meer worden.'

Roelof knikte. 'Dat bedrijf is er niet gemakkelijker op geworden, met al die regels en quota's, gekke koeien, varkenspest, kippenziekte, er is altijd wat.'

'Ik had die boerderij best aangedurfd, maar ik had toen niks en als je zelf niks kunt inbrengen gaat een bank je geen miljoen euro voorschieten.' Dennis zuchtte en zei na een pauze: 'Iemand tipte me dat ze mensen konden gebruiken bij de glasfabriek in Leerdam, daarom kwam ik deze kant uit, maar dat ging ook niet door. Ik ga het nou proberen bij een verhuisbedrijf in Culemborg. Internationale verhuizingen, dat trekt me wel aan en ze zeggen dat het goed betaalt.'

Ze aten parelhoen en dronken wijn. Rebecca dacht aan Dennis' ongelukkige leven, dat bol leek te staan van loze beloftes en failliete fabrieken en verkochte boerderijen. Hij moest eenzaam zijn geweest, zonder vader en met alleen maar die ene herinnering aan zijn moeder. Toch leek hij niet verdrietig of terneergedrukt. Hij zat er ontspannen bij, totaal niet verlegen zoals ze zichzelf de hele tijd voelde. Ze vroeg zich af of hij een meisje had. Hij was vierentwintig en kon evengoed getrouwd zijn, of geweest. Ze durfde er niet naar te vragen.

Ze keek naar zijn handen en bloosde. Ze zag geen ring, alleen een gouden horloge, dat er duur uitzag.

Suzan stond op en ze volgde haar haastig, blij om bezig te kunnen gaan met afruimen en koffie maken voor bij de kersentaart.

'Je hebt daar een mooie plek voor je camper,' zei Roelof, terwijl Suzan de taart in stukken sneed en op schotels verdeelde.

'Het is een aardige boer, ik had geluk. Ik hoefde niet veel te betalen, ik heb een handje geholpen met hooien en zo.'

'Ga je verhuizen als je die baan in Culemborg krijgt?' vroeg Rebecca.

'Ik weet niet of ik die baan krijg,' antwoordde Dennis. 'Maar ik moet daar hoe dan ook weg.'

'Waarom?'

'Het seizoen,' zei Rob. 'Al die plekken zijn verhuurd aan toeristen.'

Dennis schudde zijn hoofd. 'Dat zou voorlopig nog geen probleem zijn want die mensen komen pas in augustus. Maar je mag daar niet in een camper wonen, volgens een of andere gemeenteverordening.' Hij prikte zijn vork in de taart. 'Veldhuis had dat wel tegen me gezegd, maar er zou geen haan naar kraaien als ik me maar een beetje gedeisd hield, volgens hem kwamen ze nooit controleren. Alleen moet je dan natuurlijk geen politie over de vloer krijgen.'

'O hemel,' zei Suzan.

'Het eerste wat ze vroegen was wie bent u en wat doet u hier?' Dennis haalde zijn schouders op. 'Nou ja, het maakt niet uit, ik vind wel wat anders.'

De kamer was licht, door de zon die bezig was onder te gaan en alles een warme kleur gaf, en ook iets droevigs, vond Rebecca. Ze voelde zich nu al schuldig.

'Wanneer moet je daar weg?' vroeg Suzan.

'Ik had al weg moeten zijn, ik sta er illegaal.' Er gleed een schaduw over zijn gezicht. 'Soms heb je gewoon pech, net als met die boer. Als die z'n boerderij niet had verkocht zat ik nog daar.'

En dan was ik verkracht, dacht Rebecca. *Karma*. Dat kon hij zelf natuurlijk ook bedenken. Ze loerde tersluiks naar Dennis, maar die glimlachte naar Suzan alsof hij een reactie verwachtte.

Die kwam prompt. 'Waar ga je dan heen?'

'Ik vind wel een plek, misschien op een camping, als ze niet te veel vragen. Heb jij die taart gebakken?'

'Rebecca,' zei Suzan.

Dennis trok een bewonderend gezicht. Hij zat haar te plagen en ze balde haar vuisten onder de tafel, omdat ze niet kon ophouden met dat onnozele blozen.

Suzan stond op. 'Ik wil morgen vroeg met de bonen beginnen,' zei ze zacht tegen Roelof. 'Help me even met het gasstel.'

Roelof keek haar vreemd aan. 'Ga je ze wecken?'

'Blancheren. Kom nou maar.'

'Kan ik iets doen?' vroeg Dennis beleefd.

'Nee, blijf zitten. Je krijgt koffie van Rebecca. Misschien wil hij er een glaasje tia maria bij.' Ze plukte aan Roelofs schouder. Hij kon erg onnozel zijn. 'Kom mee.'

Roelof volgde haar naar de bijkeuken. 'Is de gasfles leeg of zo?' vroeg hij verwonderd, toen Suzan de deur achter hen dicht deed.

Ze schudde haar hoofd, nam de aluminium weckketel uit het rek onder de bijkeukentrap en liep ermee naar de deel. 'Ik wou je even alleen hebben,' zei ze.

Roelof grinnikte. 'Ik begreep al niet waarom je de driepoot niet aankon.'

'Nou je er toch bent mag je hem aansluiten.'

Ze droeg de ketel naar de werktafel en zette hem op de vloer ernaast. Het gietijzeren gasstel dat ze voor de inmaak gebruikten, stond op de hooivliering boven de voormalige koeienstal, onder een plastic zak tegen het stof. Roelof tilde het eraf, zette het op de werktafel en bukte zich naar de butagasfles eronder om de slang aan te sluiten.

Suzan legde een hand op zijn rug. 'Ik dacht aan een plek achterin, naast de andere dam, aan deze kant van de groenwal,' zei ze. 'Bij de houtstapel. We kunnen er een paar palen en gaas omheen zetten om de schapen eruit te houden.'

Hij draaide de moer vast. 'Waar heb je het over?'

'Over de camper van Dennis. Hij moet daar weg.'

Ze zag zijn rug verstrakken. 'Onzin.' Roelof richtte zich op en keek haar aan. 'Verkeerd idee.'

'Hij heeft Becky gered.'

Dat moest hij toegeven. 'Daar ben ik hem dankbaar voor. Maar om hem nou in huis te nemen…'

'Het is niet in huis. Het is achter op het terrein, hij blijft gewoon in zijn camper wonen.'

'Je krijgt hem toch in huis. Hij zal naar de wc moeten, hij heeft water nodig. Jij gaat zijn was doen en je laat hem ook niet in z'n eentje met een blik gehakt in zo'n treurige camper zitten terwijl wij gebraden lamsbout eten.'

Suzan zweeg even. 'Hij kan de badkamer in het zijhuis gebruiken,' zei ze toen. 'Daar merken we niks van.'

'Behalve Rob en Rebecca.'

Ze probeerde hem aan te kijken, maar zijn ogen vermeden de hare. Ze wist dat hij bang was dat hun intimiteit verstoord zou worden, dat leven dat ze met z'n vieren hadden, die veiligheid van eigen plannen en geheimen alsof je de wereld kon buitensluiten. Maar de jongeman die koffie zat te drinken in hun keuken, was het levende bewijs dat je die wereld soms hard nodig had. 'Rebecca kan onze badkamer gebruiken en Rob vindt het vast niet erg,' zei ze zacht. 'En het is maar voor tijdelijk.'

Ze zag hem onrustig worden. 'We zijn niet verantwoordelijk voor hem. Hij zegt zelf dat hij op eigen benen wil staan.'

Ze legde een hand tegen zijn borst. Ze had duizend redenen om van Roelof Welmoed te houden. Als ze alleen waren liet hij haar zijn zwaktes zien, zijn frustraties over dat hij een levenslange loonslaaf zou blijven omdat er nooit iets terecht kwam van zijn mooie plannen om voor zichzelf te beginnen. Hij kon gedeprimeerd raken en dan zocht hij troost in de kroeg, vergat de tijd, kwam dronken thuis. Maar hij was haar man. Hij was gevoelig en zorgzaam en serieus, een harde werker. En hij was vooral een man die je niet in de steek liet en die altijd deed wat hij beloofde. Dat laatste wist ze beter dan wie ook.

'Wat nou?' vroeg hij een tikje korzelig.

'Becky had verkracht kunnen zijn, of erger,' zei ze. 'Dennis nam het op tegen iemand die misschien sterker was dan hij, hij kon wel een mes hebben. Hij dacht er niet eens bij na, hij deed het gewoon. Andere mensen zouden zich doof en blind houden en doorlopen. Die jongen tijdelijk uit de brand helpen is wel ongeveer het minste wat we hem schuldig zijn.'

Roelof bleef aarzelen. 'Als we hem nou beter kenden,' zei hij. 'We weten niks van hem.'

'Ik begrijp je niet,' zei ze. 'Ik denk dat Becky het er direct mee eens is, en Rob ook. Waarom doe je zo moeilijk?'

'Ik doe niet moeilijk,' zei hij stug. 'Ik zeg alleen dat we niks van hem weten.'

'Wat we weten is dat hij geen politie op zijn dak had gekregen als hij Becky had laten barsten, en dan hoefde hij daar niet weg.' Suzan was nijdiger dan ze bedoelde. 'Als je wilt, stemmen we erover, maar ik zeg dat hij bij ons kan staan tot hij een baan vindt. Dan verhuist hij heus wel weer.'

Roelof trok met zijn schouders en blies adem uit, als een scholier die niet uit zijn woorden kon komen. Hij kon soms erg onvolwassen zijn, maar Suzan kende geen mannen die dat niet waren. 'Beslis jij maar,' zei hij ten slotte.

Dat had ze al gedaan. 'Het is niet het eind van de wereld,' zei ze.

'Een snoek is mij nooit gelukt,' zei Dennis toen ze terugkwamen. Hij glimlachte naar Roelof. 'Ik had het over de vissen in de Linge.'

Ze zaten met koffie en likeur aan de afgeruimde tafel. Roelof nam z'n stoel aan het hoofd en wachtte af.

'Roelof heeft er niet altijd geduld voor,' zei Suzan. 'Rob vist weleens met de roeiboot.'

'Dennis bakt ze op een primus bij z'n camper,' meldde Rebecca. 'Hij kan van de natuur leven.'

'Niet in Nederland, denk ik,' zei Rob.

Suzan was blijven staan. 'Dennis,' zei ze, 'Roelof en ik vinden dat je je camper best zolang bij ons op het erf kunt zetten, als Rob en Rebecca het er ook mee eens zijn.'

Ze keken op. Rebecca voelde haar hart bonzen. 'Ja,' zei ze. 'We hebben plaats genoeg.'

Dennis hief z'n handen om te protesteren. 'Dat is erg aardig, maar het hoeft echt niet. Ik red me heus wel.'

'Ik geloof best dat je je kunt redden,' zei Suzan, 'maar we bieden het je toch aan. Wat denk jij, Rob?'

Rob trok een gezicht dat van alles kon betekenen. 'Waar moet hij dan staan?'

'We zetten een hoek af, achterin bij de houtstapel, dan kan hij vrij in en uit over de andere dam. Laat het hem maar zien, voordat het donker is.'

Dennis bleef z'n hoofd schudden. 'Ik wil jullie geen overlast bezorgen,' zei hij. 'Niemand wil vreemdelingen op z'n erf.'

'Je bent geen vreemdeling,' zei Rebecca.

Even was het stil. Dennis staarde naar zijn handen. 'Ik was hier echt niet om...' Hij maakte de zin niet af.

'Vind eerst maar een baan,' zei Suzan opgewekt. 'Dan kun je altijd weer vertrekken.'

Dennis' hoofd kwam omhoog. Rebecca zag zijn ogen glinsteren toen hij naar Roelof keek. 'Meen je dat nou?' vroeg hij.

'Ja hoor,' zei Roelof ongemakkelijk.

'Je bent veel te goed voor me,' zei Dennis.

Rebecca zag dat Roelof daar nog meer door in de knoei raakte en stond snel op. 'Kom Rob, we laten het hem zien.'

Rob kwam in beweging. Dennis schoof achter Roelof langs, klopte hem op de schouder en zei een beetje spottend: 'Tel het maar op bij je karma.' Hij was blijkbaar over zijn aarzelingen heen en leek een stuk vrolijker. Roelof bromde maar wat en Dennis gaf Rebecca een knipoog en volgde haar naar de bijkeuken.

Halverwege de deel zei hij: 'Volgens mij vindt Roelof het helemaal niet zo leuk.'

Rob had de deeldeur al open, maar Rebecca bleef staan en draaide zich om. 'Dan ken je mijn vader niet,' zei ze.

Hij haalde zijn schouders op. 'Niet zo goed als jij natuurlijk.'

Rebecca wist niet wat ze moest zeggen en liep door. Op het achterterras hoorden ze het hondenluik en Lukas kwam te voorschijn en begon nijdig naar Dennis te blaffen. Rob joeg hem terug. De hond gehoorzaamde grommend.

'Hij blaft wel vaker tegen vreemden,' zei Rebecca, en ze negeerde de opgetrokken wenkbrauw van Rob. 'Hij went wel aan je.'

'Het is meer dat ik aan hém moet wennen. Ik ben dol op beesten, maar ik heb nooit een hond gehad.' Dennis volgde Rob het terras af.

Rebecca liep achter hen aan. 'Je krijgt hier van alles,' zei ze. 'Schapen en kippen en een hond.'

En een familie, dacht ze tevreden. Het was maar voor tijdelijk, maar er kon in die tijd van alles gebeuren. Dennis liep naast Rob voor haar uit en ze keek naar zijn rug en zijn honingblonde haar terwijl ze achter hem aan liep langs de bloeiende weigelia's en naar het hekje van de schapenwei. Daar bleef ze staan. Ze rook de avond. De zon was al onder. De schapen en de oudere lammeren lagen in de schemering voor de stal te herkauwen. Katrien was binnen, in haar aparte hok, met haar tweeling.

Dennis en haar broer staken de wei over naar de verste hoek, die aan de kant van de buren werd begrensd door de lange, twee meter hoge stapel brandhout van een oude boomgaard die Rob en Roelof hadden helpen rooien, en langs de Achterweg door de groenwal en de droge greppel. Ze liepen naar het damhek in de groenwal en bleven daar staan praten, onder de zware populieren.

Rebecca keek ernaar en grinnikte inwendig om haar eigen onnozele gedachten, zoals dat er iets moois kon voortkomen uit iets akeligs. Of dat andere cliché: na regen komt zonneschijn. Ze zou de klas uit gehoond worden als ze dat ooit in een proefwerk durfde te schrijven.

5

De rivier leek een Chinees schilderij, met nevelslierten die zo dun als de rook van een sigaret op het water dreven, zwarte waterkipjes zwommen in de pastelkleuren, onwereldse stilte. Er lagen al een paar boten aan kleine steigers en ook in het riet, maar de eigenaars waren er niet of sliepen nog, ze hoorde geen geluid.

Dit was het beste uur.

Als ze hier reed dacht Rebecca dikwijls aan haar vader, die vorige winter op een ochtend zonder dat ze wist waarom een eind met haar mee was gefietst. Voorbij de laatste huizen en halverwege de Langendijk had hij plotseling gezegd: 'Stop eens even.'

Ze was verbaasd geweest. Roelof had haar fiets genomen en hem naast de zijne in de berm gelegd. Ze herinnerde zich elk woord, omdat er iets plechtigs aan hem was.

Ze keek naar zijn witte adem en zijn bevroren wenkbrauwen onder de wollen muts. De stilte maakte haar onzeker en ze kneedde haar vingers in haar gebreide wanten. 'Wat is er?'

Hij aarzelde en vroeg: 'Hoe gaat het met je?'

Rebecca giechelde nerveus. 'Goed,' zei ze.

Ze begon het benauwd te krijgen. Misschien ging dit over drugs, omdat hij haar en Rob de vorige avond in het zijhuis had aangetroffen terwijl ze een stickie aan elkaar doorgaven. Haar vader was in de deur blijven staan. Hij had alleen maar 'verdomme' gemompeld en was meteen weer vertrokken alsof hij niet kon bedenken hoe hij hierover moest praten. 'Ik gebruik geen drugs,' zei ze. 'En Rob ook niet. We zijn heus niet gek.'

'Dat weet ik wel,' zei haar vader.

Ze keken naar elkaars bevroren adem. Ze merkte dat ze haar handen op elkaar hield alsof er iets in gevangen zat, een jonge spreeuw, of haar toekomst, die weg zou vliegen zodra ze ze opende.

'We praten eigenlijk nooit,' zei hij. 'Ik weet niet of je gelukkig bent of ongelukkig. Ik heb je niet eens gevraagd of je het ermee eens was dat we verhuisden. Het huis gekocht, schulden op onze nek genomen.'

'Maak je geen zorgen,' zei ze. Haar handen werden kouder en ze vergat de vogel en blies in haar wanten. Dit ging niet over drugs.

'Of dat ik met Suzan trouwde.'

'Ik was dertien,' zei ze. 'Wat had ik moeten zeggen? Het is jouw leven.'

'Ze nam een plaats in.'

'Ik was blij dat we verhuisden,' zei Rebecca.

'Mis je je moeder?'

Ze zag zijn onzekerheid en werd zelf ook verlegen. 'Soms,' zei ze. 'Maar we hebben Suzan.'

Hij keek naar de rivier. 'Ze heeft een moeilijk leven gehad,' zei hij toen.

'Ja. Daarom is ze gescheiden.'

Hij schudde zijn hoofd, hij wilde daar niet over praten, en zij ook niet. Later had Suzan haar en Rob van alles verteld, maar ze hoorde pas op het stadhuis dat Suzan eerder getrouwd was geweest met iemand wiens naam ze zich niet kon herinneren. Op de bruiloft waren er van Suzans kant alleen haar moeder, een grijze dame die de hele tijd met tranen in haar ogen naar Roelof keek, en een aardige oudere zuster, Els, die secretaresse was bij een notaris.

Rebecca stampte met haar voeten. Atie stond op haar te wachten en ze wist niet wat haar vader wilde horen. 'We hebben het goed getroffen,' zei ze. 'We redden het best.'

'Nu en dan moet je stilstaan,' zei hij toen. 'Zoals nu. Dat is eigenlijk wat ik tegen je wilde zeggen.'

'Stilstaan?'

Hij knikte ernstig. 'Ook al is het koud.'

'Ik bevries.'

'Wij zijn niks. Alleen maar druk, nergens tijd voor. Alles moet af. Soms vergeet je wat we aan het doen zijn en dan moet je jezelf bij de schouder pakken en zeggen: sta nou eens even stil en kijk om je heen. Dat is waarom we hier wonen. Er is niets mooiers, en niets beters. Het is van ons en het blijft, of wij er zijn of niet. Straks komt de zwaluw terug, hij heeft vijfduizend kilometer gevlogen en weet precies waar z'n nest zit, bij ons op die balk onder het riet. Er is een schema van alle dingen. Dat is wat ik tegen je wou zeggen.'

Hij nam haar schouders en draaide haar naar de rivier. Het enige dat aan zijn gezicht veranderde was dat het lichter leek te worden. Ze volgde zijn blik naar de vliesdunne ijsvlekken op het water, dat niet bewoog, en naar de hardzwarte inktlijnen van kale wilgentakken boven het riet. Het gras aan de overkant was witbevroren. De winter dampte erboven, melkblauw en zachtroze, het was wonderbaarlijk en onmetelijk vredig, ze voelde dat ze naar iets keek dat er altijd was geweest maar zelden werd gezien. Soms waren er geen woorden om de diepte van een gevoel te beschrijven. Misschien was haar vader zo wijs en zo onbegrijpelijk omdat hij altijd buiten was. Haar ogen begonnen te tranen, misschien van de kou, en toen pakte Roelof zijn fiets en reed terug naar huis.

Rebecca keek naar zijn rug en hield van haar vader.

Ze was niet bang, ook niet toen ze langs het watermolentje kwam en langs de plek waar ze van de dijk was gesleurd. Ze hoefde niet af te stappen om te zien of er sporen waren, sleepsporen, omgewoeld gras, ze had pech gehad, en geluk. Ze remde pas toen ze de camper zag en bleef staan kijken, met een voet op de dijk. De camper zag er oud uit, hij stond met de kop naar het water. Een fiets leunde ertegenaan. Kleine ramen met gordijnen en op het gras ervoor een tafeltje met een paar inklapbare stoelen. Ze dacht stemmen te horen, misschien had Dennis een radio, maar het geluid werd overstemd door het lawaai van een tractor die verderop werd gestart, bij de boerderij van Veldhuis. Wat zou hij doen? Ontbijt maken, thee zetten, opruimen, alles klaarmaken voor de verhuizing. Wat had hij voor water? Een tank boven de kraan misschien, die je telkens moest vullen. Ze konden een tuinslang voor hem door de schapenwei leggen.

Ze reed door.

Atie stond bij uitzondering al op de dijk te wachten, verzorgd en opgemaakt als altijd, in een rok met rode ruiten en een zwarte bloes met driekwart mouwen en een open col, een campus-*girl*-ensemble dat ze Trend nummer Drie noemde.

'Dat mag wel in de krant,' zei Rebecca.

Atie bekeek haar. 'Ik wou je niet laten wachten. Je ziet er nog een beetje gekneusd uit.' Ze knikte naar Rebecca's blauwe jeans. 'Hoe is je been?'

'Het trekt wat, dat is alles. Ik krijg tranen in mijn ogen van je be-
zorgdheid.'

'Ik zelf ook.' Atie grinnikte. 'Is hij komen eten?'

'Ja.'

'En?'

'Wou je het menu horen?'

'Hou een ander voor de gek,' zei Atie.

'Het was leuk.'

'Ik wil alles weten.'

'Oké.' Rebecca knikte. 'In de trein.'

Ze stapte op de trappers en fietste weg, Atie in haar kielzog.

Toen ze die middag thuiskwam stond de camper al in de wei, achter een lage omheining van palen en ursusgaas waar mensen zo overheen konden stappen maar schapen niet. Ze hoorde gedempte coun-
trymuziek uit z'n radio. Zijn fiets zat achter op de camper gebonden
en de schuifdeur in de zijkant was open, maar ze zag Dennis pas
toen ze de inrit op fietste. Hij had z'n vouwstoelen en het inklapbare tafeltje in de schaduw van de groenwal gezet en zat een tijdschrift
te lezen, met een flesje pils onder handbereik. Ze wilde eigenlijk naar
hem toe gaan of minstens hallo roepen, maar hij leek erg verdiept
in zijn lectuur en ze voelde zich plotseling te verlegen om hem te storen.

Ze zag Suzan in de moestuin onder het terras, en ging naar haar
toe nadat ze haar fiets achter in het zijhuis had gezet. 'Eet hij met
ons?' vroeg ze.

Suzan richtte zich op en veegde de rug van haar hand over haar
voorhoofd. Ze zag er warm uit. 'Dennis? Ik denk het niet.'

'Heb je hem niet gevraagd?'

'Hij wil zich niet opdringen. Hij is gewend om voor zichzelf te zorgen. We zullen hem best nu en dan te eten krijgen, maar laten we niet
overdrijven.'

'Is hij er al lang?'

'Sinds vanmorgen. Hij en Roelof hebben tussen de middag dat hek
gemaakt en hij heeft koffie met ons gedronken. Hij gaat morgen een
baan zoeken.' Suzan hurkte weer op het pad, ze was een bed met
pluksla aan het uitdunnen. Ze knipte met een schaar de wortels van

de uitgetrokken plantjes en verzamelde de blaadjes in een vergiet, voor het avondeten. 'Hoe was jouw dag?'

Een roodborstje keek toe vanaf de paal met de buitenkraan. Er fladderde altijd wel een roodborstje om je heen als je in de tuin werkte, dat waren de nieuwsgierigste vogels die er bestonden. 'Er kwam geen eind aan,' zei Rebecca.

Suzan keek op. 'Kalm aan maar.'

'Hoe bedoel je?'

Suzan grinnikte. 'Ik kan de dagelijkse info over Dennis voor je op een bord schrijven als je wilt.'

Rebecca wendde zich af om haar blozen voor Suzan te verbergen. 'Je hoeft me niet te pesten, het is toch normaal dat ik een beetje nieuwsgierig ben?'

'Natuurlijk,' zei Suzan. 'Hij is erg aardig en een tien jaar oudere zwerver zonder veel nuttige vooruitzichten, maar daar hadden we het al over. Heb je huiswerk?'

Ze bleef afgewend. 'Waarom?'

'De frambozen moeten geplukt. We hebben nog een uurtje voor Roelof thuis is. Ik wil morgen jam maken.'

'Ik kom zo.'

Op de zijdeel nam ze haar tas van haar fiets en ze liep door naar het zijhuis. Ze vroeg zich af of Dennis de douche al had gebruikt.

Rob zat in de armstoel in de benedenkamer aan de computer. Toen ze binnenkwam klikte hij het scherm leeg voordat ze kon zien wat erop stond, maar het telefoonteken knipperde in de linkerbovenhoek. Naast het toetsenbord lagen opengeslagen studieboeken en een schrift. 'Hoi,' zei ze. 'Naar wie mail je?'

'Niemand, ik keek alleen maar.'

'Is er iets voor mij?'

'Nee.' Rob bewoog de muis naar teletoegang en schakelde de verbinding uit. 'Ik word gek van die biologie.'

Ze boog zich over hem heen. Hij had een schema getekend met pijlen en figuren en krabbels in zijn moeilijk leesbare handschrift, Rob was geen student en al helemaal geen schrijver.

'Wat is dat?' vroeg ze.

'De regulering van de enzymsynthese. Als het eindproduct E wordt opgehoopt kan het met E een verbinding aangaan en het inactiveren. Ik snap niet wat ze bedoelen.'

Ze keek naar het boek. 'Het is E met een komma, het eerste enzym uit de keten,' zei ze. 'Het gaat om het eindproduct van A en alles wat daarachter zit.' Ze wees op het eerste in een reeks symbolen. 'De bedoeling is dat A niet meer afgebroken kan worden.'

'Hoe weet je dat?'

'Het staat daar. Het is een negatieve feedback.'

Rob zuchtte en leunde achteruit. 'Ik wou dat ik jouw hersens had. In het begin gaven ze plaatjes van een cirkelzaag en een splijtmachine om twee verschillende enzymen uit te leggen. Hele en halve blokken hout, dat kon ik nog volgen. Ik weet niet waar ik dit allemaal voor nodig heb.'

'Nergens voor. Tenzij je ingenieur wil worden om niet voor Elena onder te doen.'

'Val dood,' zei hij.

'Mag ik niet zeggen wat ik denk?'

'Laten we maar gaan pingpongen.'

'Ik moet frambozen plukken. Het is niks voor jou, dat wou ik alleen maar zeggen. Onze badkamer een curiositeit?'

Hij keek op. 'Hoe kom je daaraan?'

Ze flapte er te vaak dingen uit zonder eerst na te denken. 'Ik ben niet doof,' zei ze.

Hij fronste zijn voorhoofd maar vroeg gelukkig niet verder. 'Ik wil er niet over praten,' zei hij.

Ze zakte op de kruk naast hem. 'We praten altijd over alles. Ik luister naar jou en jij luistert naar mij.'

Hij draaide zich naar zijn boeken. 'Jij weet niks van liefde.'

Ze voelde haar wangen warm worden. 'Meer dan je denkt.'

Rob gaf een schamper geluid. 'Gaan we het over die knul in z'n camper hebben?'

'Ik weet niet waar je het over hebt. Ik heb het over jou.'

'Ik zit nergens mee.' Hij liet plotseling z'n schouders zakken en probeerde zijn ogen te verbergen. Ze kwam van haar kruk en sloeg haar armen om hem heen.

'Stomme Boeba,' zei ze.

Hij schudde zijn hoofd tegen haar aan. 'Ik los het wel op,' zei hij gesmoord.

Misschien. Maar het deed pijn, dat wist ze ook wel.

Ze lag op haar zij in haar bed met de lavendel van Dennis tegen haar neus op het kussen. Het rook donker en stekelig, nogal stoffig eigenlijk, en ze viel er niet van in slaap. Ze keek naar de lichtgevende wijzers van haar wekker. Halftwee.

Ze vond haar slippers in het donker en sloeg haar jack over haar schouders, ging op de tast de houten trap af en ontstak pas een licht in de toiletruimte. Ze dacht aan Elena toen ze de houten douche zag, dat zou waarschijnlijk eeuwig zo blijven, herinneringen plakten zich aan dingen vast, ook al hadden ze niks met elkaar te maken.

Lukas begon te blaffen. Ze vergat dat ze naar de wc moest. Het licht stierf achter haar weg toen ze door de zijdeel naar het achterterras sloop. Er was een halve maan. Ze siste naar de hond maar hij bleef grommen. Haar ogen wenden aan het licht en ze zag Lukas voor z'n luik, met witte tanden en zijn nekharen overeind. Ze ging naar hem toe en klopte hem op de kop.

'In je hok,' zei ze. 'Vooruit.'

Lukas gehoorzaamde, zoals altijd. Rebecca bleef op het terras staan. Het was een zachte juninacht, met een maan voor pianomuziek. Ze rook de kruiden op de terrashelling. Ze ging de tegeltreden af en liep naar het hekje. Er brandde licht in de camper. De schapen lagen dicht bij de stal, behalve een ooi, die midden op de wei met haar poot in het gras stond te krabben.

Rebecca lichtte de haak van het hekje, sloot het achter zich en liep over het gras. Haar voeten werden nat in de badstof slippers. Ze hoorde stemmen in de camper. Misschien stond zijn radio aan, maar het klonk als ruzie. Ze kon niets verstaan en sloop dichterbij, tot aan de geïmproviseerde afrastering. Ze durfde er niet overheen te stappen en bleef staan, haar hand op het gaas.

Ze herkende de stem van Dennis en dacht dat ze haar naam hoorde, maar misschien waren het alleen maar de klinkers ervan, in een onverstaanbare zin. Toen kwam er een honend geluid van een andere, diepere stem: 'En dat was het voor mij?'

Ze stond doodstil. 'Natuurlijk niet,' zei Dennis. Hij praatte luider, ze hoorde ergernis. 'Ik vergeet je heus niet.' En nog iets, maar hij had zijn stem weer gedempt en ze kon hem niet verstaan.

'Behalve dat ik kan oprotten.' De andere man deed geen moeite om zacht te praten. 'En waarom?'

Een schaduw bewoog achter het raampje. Misschien was het Dennis want zijn stem klonk dichterbij. 'Drink je pils op, dan breng ik je erheen,' zei hij.

'Als het maar niet voor eeuwig is.'

Rebecca hoorde gestommel. Ze kreeg een gevoel van onrust dat ze niet kon verklaren. Ze vluchtte langs de groenwal en de afrastering en voorbij de dam. Achter haar hoorde ze geluiden, de schuifdeur van de camper, iemand die eruit sprong. Rebecca duwde het prikkeldraad omlaag, stapte er snel overheen en verborg zich in de groenwal, onder de populieren. Ze werkte zich voorzichtig door de struiken om dichter bij de greppel te komen, zodat ze de Achterweg kon zien. Er stond een auto in de berm, voorbij de dam.

Dennis had laat bezoek, wat dan nog? Waarom zou hij alleen op de wereld moeten zijn? Niemand was alleen op de wereld en elk gesprek was raar als je niet wist hoe het begon en eindigde of waar het over ging.

Ze zag het tweetal over de dam gaan. Ze waren even groot, maar Dennis was magerder en hij had zijn fiets aan de hand. De rook van een sigaret wolkte om zijn hoofd. Er was een rechthoek van licht toen de kofferbak van de auto werd geopend. Hun gezicht bleef afgewend, ze zag alleen donkere gedaanten en het blonde haar van Dennis en de rug van de andere man. De fiets werd met het achterwiel in de kofferbak gestoken, het stuur en het voorwiel hingen eruit toen ze het deksel erop drukten en vastzetten met een stuk touw. Ze zag het boogje gloeiend rood toen Dennis zijn sigaret wegwierp en uittrapte en het portier aan de passagierskant opende.

Rebecca stapte over de afrastering, sloop door het gras langs de groenwal en keerde over de inrit terug naar de boerderij. Lukas stond voor z'n luik, met z'n nekharen overeind. Ze hoorde de auto starten en wegrijden.

De nacht werd weer stil, maar het was niet meer de romantische stilte van daarstraks. Haar voeten waren nat en ze voelde zich erg teleurgesteld. Aanstellerij. Eigen schuld, dikke bult, dacht ze.

Later in de nacht begon het te regenen. Het water liep in dikke stralen van het rieten dak op de kruidentuin toen Rebecca 's morgens op
het achterterras kwam om Lukas te voeren, zoals ze altijd deed voordat ze naar school ging. Ze vulde zijn bak met brokken, klopte hem
op z'n rug terwijl hij begon te eten en keek de regen in. De camper
was een wazige vlek achter de struiken. Ze vroeg zich af of Dennis
was teruggekomen. Ze trok de plastic kap van haar regenjack over
haar hoofd en holde naar het hekje om te kijken of zijn fiets er stond.

De fiets stond tegen de houtstapel. Dennis was thuis en zij moest
maken dat ze de trein haalde, het was al erg genoeg dat ze geen oog
had dichtgedaan en dat ze door de regen moest. De regen gutste op
haar kap.

Er lag een zwart lam in de wei. Ze dacht eerst dat het een verse
molshoop was, mollen waren een plaag die Roelof met vergiftigde
wormen te lijf ging omdat niets anders hielp, maar ze zag het bewegen en het was een lam. Alle schapen waren binnen.

Het maakte haar woedend. Ze opende het hek en vloog erheen.
Het lam was een paar uur oud en kletsnat van slijm en regen. Ze tilde het op, opende haar jack en drukte het tegen zich aan. Het was
nog warm en spartelde zwakjes. Ze sloeg de panden van haar jack
over het lam, holde ermee naar de stal en kwam gebukt door de lage opening. De schapen vluchtten naar de andere kant van de stal en
bleven op een kluitje naar haar staan staren toen ze het lam om-
hooghield.

'Wie z'n kind is dit?' riep ze nijdig.

Ze schudde het lam en het blaatte zwakjes. Al voordat de jonge
ooi haar kop ophief zag Rebecca het rode vlies onder haar staart hangen. Iemand begon gesmoord te lachen.

'Wat?' snauwde ze, en ze draaide zich met een ruk naar het geluid.
'Wie is daar?'

Dennis zat op de hooibalen achter in de stal een boterham te eten.
Hij had er een thermosfles bij. Hij klom kauwend van het hooi. 'Ik
wou je niet laten schrikken.'

'Wat doe je hier?'

Hij bleef aan de andere kant van de lage muur. 'Ik dacht de stal is
droog en warm. Een camper is alleen leuk als het niet regent.'

'Heb je dit lam niet zien liggen?'

64

'Het is mij niet opgevallen.'

Ze slikte haar verontwaardiging in. 'Help maar even, die ooi moet apart.'

Dennis klom meteen over het stalmuurtje. 'Welke?'

'Die met de witte vlek op de kop. Bizet.'

'Heet hij zo?'

'Het is een ras, ze is de enige, daarom heet ze ook zo.'

Zodra Dennis in hun buurt kwam begonnen de schapen rond te rennen en over hun lammeren te struikelen, en Rebecca holde geërgerd naar het buitendeurtje om hen te beletten de wei op te vluchten. Ze hield het lam met een hand tegen zich aan en schoof met de andere de grendel voor het deurtje. Achter haar graaide Dennis vergeefs naar Bizet. De schapen vluchtten naar de verste uithoek, maar Harry bleef staan, bracht z'n zware horens omlaag en stootte Dennis omver. Dennis trapte naar hem en krabbelde vloekend overeind.

'Harry, blijf staan!' riep Rebecca.

Regen kletterde op de eterniet golfplaten. Harry loerde met gebogen kop naar Dennis, de kudde op een kluitje achter hem, lammeren ertussen. De ooien stampten hun voorpoten en de paniek dampte uit hun neusgaten.

'Ga d'r maar uit,' zei ze.

'Graag.'

Dennis zette een voet op de voerbak, stapte op het middenpad en wreef over zijn heup.

'Hou even vast,' zei ze. Haar regenjack viel open toen ze hem het lam over de muur heen aanreikte.

Hij hield het met twee handen van zich af en knikte naar haar T-shirt. 'Dat is een smeerboel.'

'Ik dacht dat jij op een boerderij had gewerkt.'

'Niet met schapen, daar weet ik niks van.'

'Leg het maar even neer en hou dat deurtje aan de overkant voor me open als ik Bizet heb.'

Rebecca liep langzaam naar de schapen, mompelde kalmerende woordjes en dreef ze met gespreide handen in een hoek. Ze wachtte tot ze stilstonden en stapte dichterbij. Toen ze langs haar heen dromden greep ze Bizet met een snelle beweging in haar nekwol en in de rug, hield haar een paar seconden stil om over de schrik te raken en trok haar toen de stal uit en het middenpad op. Dennis sloot het deurtje achter haar en schoof de grendel dicht Rebecca keerde de ooi op haar achterste om de tepels te controleren. Het lam had nog niet gedronken. Ze krabde de korstjes van de tepels en zette ze aan.

Dennis keek toe. 'Het lijkt net alsof je er verstand van hebt,' zei hij.

'Dat leer je vanzelf,' zei ze, rood van het bukken. Ze zette Bizet terug op haar poten.

Dennis tilde het lam op. 'Moeten we het verloren kind niet warm wrijven?'

'Nee.' Ze hoorde dat ze bits en kortaf klonk en bedacht dat hij alleen maar een grapje probeerde te maken en het verder ook niet kon helpen. 'Ze is niet koud,' zei ze vriendelijker. 'Hoe minder we eraan komen hoe beter. Wacht nog even.'

Ze trok Bizet naar de kleinere stal, waar nog het hok was dat ze met losse schotten hadden afgezet voor Katrien. Voordat ze Bizet erin liet drukte ze de ooi met haar knie tegen het hout en tastte met haar vrije hand onder de staart om de resten van de nageboorte los te trekken.

'Geef maar,' zei ze. 'Het lám.'

Ze nam het lam van hem over en hield het tegen zich aan terwijl ze de nageboorte over de natte vacht smeerde.

'Krijg nou wat,' zei Dennis. 'Waarom doe je dat?'

Ze legde het lam bij Bizet in het hokje. Bizet snoof onrustig en krabde met haar poot in het stro. Het gebaar herinnerde haar aan de ooi die ze die nacht in de wei had zien staan krabben. Dat was natuurlijk Bizet geweest, en ze had haar in de stal moeten brengen in plaats van als een verliefde gans bij de camper rond te sluipen. Het was haar schuld als het lam het niet haalde.

Dennis liep achter haar aan naar de kraan bij de deur. Ze schudde haar regenjack af, waste haar handen en veegde met een natte punt van de handdoek het ergste van het slijm en de modder van haar T-shirt. Ze voelde haar borsten eronder nat worden. Dennis stond naar de kraan gebukt zijn handen te wassen. Zijn haar was zo blond als stro.

'Het is haar eerste keer,' zei Rebecca tegen zijn rug. 'Dan weten ze het nog niet zo goed. Toen het begon te regenen ging ze met de anderen mee naar binnen. Soms vergeten ze hun lam. Je hebt goeie moeders en slechte.'

Ze zag zijn rug verstrakken. 'Dat weet ik.' Hij richtte zich op en glimlachte. 'Jij zou een goeie moeder zijn.'

'Ze moeten het leren, dat is alles,' zei ze, in de war. Ze zette een emmer onder de kraan en liet hem vollopen. 'Het lam is haar geur misschien kwijtgeraakt, door de regen. Daarom wrijf ik het in met de nageboorte, dat helpt soms. We zetten ze ook in een klein hokje, dan kunnen ze niet om elkaar heen.'

Dennis nam met een overdreven galant gebaar de emmer van haar over en ze schepte een bakje schapenbrokken uit een zak voordat ze terugkeerden naar het hok. Ze dacht aan Atie, die allang weg was, net zoals de trein.

Bizet snuffelde aan het lam en begon aarzelend te likken. Het lam rilde en probeerde z'n kopje op te tillen. Ze liet Dennis wat hooi halen, hij schudde het in de ruif en kwam naast haar staan kijken, z'n armen op de muur.

'Lammeren kunnen tegen een stootje, maar ze moeten binnen vierentwintig uur die biest hebben,' zei Rebecca. 'Weet je wat dat is?'

'Misschien moet je haar helpen drinken,' zei hij. 'Dat heb ik ze wel es met een kalf zien doen.'

'Alleen als het niet anders kan, hoe minder mensenhanden eraan komen hoe beter, bij schapen tenminste. Ik zeg wel tegen Suzan dat ze straks even komt kijken.'

'Moet je niet naar school?'

'Ik heb m'n trein al gemist.' Het ergerde haar dat ze nog maar een schoolkind was en dat hij haar daaraan herinnerde. 'Waarom zat je hier eigenlijk?'

'Omdat m'n huis begon te lekken.'

Misschien was hij over de inrit gegaan om niet door het natte gras te hoeven, en had hij daarom het lam niet zien liggen. Hij kon er niks aan doen. 'Lekt het op je bed?' vroeg ze, en ze bloosde.

'Nee, boven het gas. Druppels op de pan. Peng, peng. Ik werd er wakker van.'

Hij hield die spottende toon en ze vroeg abrupt: 'Had je vannacht bezoek?'

'Bezoek?'

'Ik hoorde Lukas blaffen.'

'Niet voor mij.'

Rebecca begreep niet waarom hij het ontkende, het stelde haar zonderling teleur en ze staarde verward naar Bizet. 'Ik ging kijken,' zei ze. 'Hij blaft nooit. Ik zag een auto en jou met nog iemand.'

Even hing er een verkeerde stilte en toen begon hij te lachen. 'O, dat.' Een kleinigheid die hem te binnen schoot. 'Dat was Klaas. Hij kwam horen hoe het ging.'

Het luchtte haar op. Hij had haar gewoon niet goed begrepen. 'Is dat een vriend van je?'

'Ik heb hem in Leerdam ontmoet. Hij gaf me die tip over de glas-fabriek, wat dus niks werd.'

Ze moest allerlei dingen verkeerd verstaan hebben. 'Hoe wist hij dat je was verhuisd?'

'Van Veldhuis, denk ik.'

'Werkt hij in de glasfabriek?'

Dennis grinnikte weer. 'Dacht je dat we drugs aan het smokkelen waren?'

Ze vond het niet leuk dat hij haar vragen ontweek om haar te pla-gen. 'Het was nogal laat,' zei ze.

Zijn hand kwam op haar schouder en kneep erin. 'Ja, moeder,' zei hij. 'Kom es hier.' Hij trok haar tegen zich aan. 'Misschien had ik een beschermengel nodig en moest ik je daarom redden?'

Rebecca liet zich gaan, leunde een paar kostbare seconden tegen zijn warmte. Toen hoorde ze de staldeur en ze stapte ijlings bij hem vandaan. Suzan kwam verbaasd naar hen toe. 'Becky? Moet je niet naar school?'

'Er lag een lam in de regen,' stamelde ze. 'Het is van Bizet. Den-nis heeft me geholpen.' Rebecca schoof haar buik over de stalmuur, graaide in de ruif en schudde hooi dat niet geschud hoefde te wor-den.

'Veel hulp had ze niet nodig,' zei Dennis. 'Goeiemorgen, Suzan.' Zijn stem klonk ontspannen alsof er niets was gebeurd.

'Dag Dennis.' Suzan keek naar Bizet, die druk aan het likken was. Het lam probeerde overeind te komen.

Rebecca kwam overeind en veegde over haar vuile T-shirt. 'Ik denk dat ze het redt, maar kijk over een uur nog even?'

Ze ontweek Suzans blik en haastte zich de grote stal in om de buitendeur weer open te zetten. De paniek was voorbij en de schapen toonden weinig animo om de regen in te gaan. Harry lag in het stro te herkauwen en de lammeren van Bella en Katrien waren aan het drinken, zoals lammeren altijd deden na een verstoring, alsof ze de veiligheid van de moeder zochten.

'Ze zou veearts moeten worden,' hoorde ze Dennis zeggen.

'Ik denk dat ze andere ideeën heeft.' Suzan sloot de staldeur achter Rebecca. 'Trek gauw schone kleren aan, dan rij ik je naar het station. Als we opschieten haal je de volgende trein.'

Ze liep naar de uitgang, pakte Rebecca's regenjack van de vloer en draaide zich om. 'Dennis?' zei ze. 'Als je thuis blijft kom dan straks binnen koffiedrinken, dit is geen weer om in een camper te zitten.'

'Tot vanavond,' zei Rebecca tegen hem.

Dennis glimlachte en zei zachtjes: 'Ik let wel een beetje op je kind.' Hij klopte op de muur en gaf haar een knipoog.

Rebecca knikte. Ze bedacht dat zij en Dennis al allerlei dingen hadden waar de anderen niets van wisten. Geheimen.

Ze holde achter Suzan aan.

Roelof trok een gezicht van: *zie je wel, wat heb ik je gezegd?* toen Suzan Dennis weer uitnodigde voor het avondeten. Dennis kon dat onmogelijk hebben gezien, maar misschien had hij iets gevoeld, want zodra hij binnenkwam zei hij met veel nadruk dat hij graag kwam eten, vooral omdat z'n camper was gaan lekken, maar dat hij hier beslist geen gewoonte van wilde maken. Voor het eten was Rob met hem gaan kijken waar het lek zat en ze hadden voorlopig een dekzeil over het dak van de camper gebonden.

Ditmaal was er geen gevulde parelhoen maar een alledaagser menu van lamskoteletten en gebakken aardappels en sla. Dennis vond alles heerlijk en luisterde geïnteresseerd toen Roelof en Rob weer over hun plannen voor een eigen kwekerij begonnen. 'Hebben jullie daar genoeg grond voor?' vroeg hij.

'Dat hangt ervan af wat je gaat doen,' zei Rob. 'Geen bomen dus. We denken aan kleingoed. Dat moeten we nog uitzoeken. Als we meer grond nodig hebben kunnen we er een hectare bij pachten van een boer aan de Kerkweg.'

'Denk je aan zo'n tuincentrum?'

'Natuurlijk niet,' zei Rob. 'Dat is veel te ingewikkeld en kost te veel geld. Als we gaan kweken is het voor andere tuincentra en voor de groothandel.'

'Ik zou niet graag in een tuincentrum wonen,' zei Rebecca. 'En de schapen kwijtraken.' Ze keek naar Dennis, die haar weer een glimlachje van verstandhouding gaf.

Roelof grinnikte. 'Rob moet uitzoeken wat in de mode is, kruiden, plantgoed, dingen waar vraag naar is, iets gespecialiseerds.'

'Is het niet riskant?' vroeg Dennis.

'Alles is riskant,' zei Roelof. 'Maar er is telkens wel een nieuwe reden om terug te schrikken voor dat risico en het uit te stellen. Het zou mooi zijn als we dit najaar een keer konden starten, en in het voorjaar gaan leveren. Wat jij, Rob?'

Rob knikte. Hij had dit vaker gehoord.

'Ik kan m'n baan niet meteen opgeven,' zei Roelof, alsof hij net zo lief een slag om de arm hield. 'Dat kan pas als het goed gaat. Rob zou voorlopig het meeste werk moeten doen.'

Dennis keek naar Rob. 'Jij zit toch nog op school?'

'Ik heb twee jaar mbo-groen,' antwoordde Rob. 'Ik kan de rest parttime doen, een of twee dagen per week, dat gaat per vak. Het duurt wat langer, maar dat zou ik er graag voor over hebben.'

'De heren hebben het voor elkaar,' zei Suzan met iets van spot.

'Waarom niet?' zei Roelof overmoedig. 'Elke beetje vader droomt ervan om iets met z'n zoon te beginnen. Als ze de geschikte zoon hebben tenminste, zoals ik.'

'Maak hem niet verlegen,' zei Suzan.

Rob was gewend aan Roelofs vadertrots, maar Rebecca zag Dennis stil worden. Hij keek naar zijn bord en begon het leeg te eten alsof hij haast kreeg om weg te komen. Ze begreep wat er in hem omging, hij dacht aan zijn vader die hij nooit had gekend, en hij was jaloers op Rob, die een vader had die ook zijn vriend was. 'Het zijn stokoude plannen, hoor,' zei ze in een poging om hem te troosten. 'Ik moet het nog zien, het kost handen vol geld. Alleen al om een kas te bouwen...'

'De ramen staan op de sloop in Spijk,' zei Roelof. 'Voor een krats.'

Rob keek verrast op. Dit was nieuw. 'Ben je er geweest?'

'Vorige week. Ze houden ze voor ons vast.'

'Waar gaan we hem zetten?'

'Ik dacht haaks op de stal, aan de achterkant? We breken die wand open voor een binnendeur, dan trekken we er een stuk van de stal bij voor opslag.'

Suzan volgde Rebecca's blik naar Dennis en stond abrupt op. 'Wie willen er koffie?'

Dennis schoof zijn bord van zich af. 'Niet voor mij,' zei hij. 'Ik heb nog dingen te doen en ik wil morgen een beetje fris zijn.' Hij stond op. 'Ik neem een vroege bus naar Culemborg, kijken of ze me kunnen gebruiken bij dat verhuisbedrijf.'

'Weet je het zeker?'

'Ja, bedankt voor de maaltijd. Welterusten.'

Hij forceerde een glimlach en ging ervandoor. Rebecca zag dat zijn glas niet eens leeg was. Ze stond ook op en begon af te ruimen.

Suzan glimlachte naar Rebecca. 'Mannen kunnen soms zo bot zijn als olifanten.'

'Kom nou,' zei Roelof.

'Wat is er aan de hand?' vroeg Rob.

'Ik snap het heus wel.' Roelof liep naar de andere kamer en zette de televisie aan voor het weerbericht. 'De dames vinden dat we als Dennis in de buurt is, moeten doen alsof we ongelukkig zijn en geen leuke plannen hebben.'

'Nee,' zei Suzan. 'Maar ik ben blij dat je het begrijpt.'

'Ik voel mee met de olifanten. Maar we zijn een gezin en we hebben plannen.' Roelof grijnsde naar Rob. 'Potje schaken?'

Ze installeerden zich aan weerskanten van het schaakbord, kozen een kleur en begonnen met snelle openingszetten. Niemand keek naar het journaal. Suzan maakte koffie en Rebecca opende de afwasmachine. De weerman zei dat ze morgen zon konden verwachten en toen kwam er een politiebericht en hoorde ze Roelof zeggen: 'Dat lijkt een beetje op die knul in het café.'

'De schaker?' vroeg Rob.

Rebecca keek opzij en zag een foto op het scherm. Er stond een telefoonnummer bij en er werden inlichtingen gevraagd. De man was zonder papieren aangetroffen in een wiel aan de Diefdijk buiten Leerdam, in een gestolen auto. Hij had platgekamd donker haar en zijn gericht had een akelige kleur. Rebecca wendde haar ogen af toen ze besefte dat ze naar een dode man keek.

Roelof zei: 'Of niet, deze lijkt ouder.' De reclame begon en hij drukte op de afstandsbediening om de tv uit te zetten.

'Misschien moet je ze bellen,' zei Suzan.

Roelof haalde zijn schouders op en bekeek zijn stelling. 'Ze hebben niks aan loze tips.'

Rebecca spoelde borden en laadde de machine en keek naar de regen die tegen het raam boven het aanrecht sloeg. Het was gaan waaien. Ze dacht aan Dennis in zijn lekke camper. De hele wereld leek triest.

6

Rotenburg is een eind weg en ik krijg toch al steeds meer een hekel aan autorijden en Europese wegen omdat er te veel auto's zijn en er elke seconde iets verkeerd kan gaan. We hebben satellieten die ons op de centimeter nauwkeurig kunnen vertellen waar we zijn, maar de onbegrijpelijke chaos van onze vervoersmethoden moet er verbijsterend uitzien voor de verkenners van Alpha Centauri 3, die onze planeet nu en dan per vliegende schotel op kosmische bruikbaarheid komen taxeren. Ik denk dat ze genoeg hebben aan een blik op ons verkeer om te begrijpen dat ons doodsverlangen nauwelijks onderdoet voor onze overlevingsinstincten, zodat ze ons nog maar even afschrijven.

Ik had misschien beter met de trein kunnen gaan, wat ook een oncomfortabele bende is, maar daar kon ik de tijd stukslaan met het boek van Sebastian Faulks dat in m'n weekendtas zat, en zonder dodelijke gevolgen naar het Noordduitse landschap kijken, dat niet spectaculair is maar wel rustgevend. Vanuit m'n doorleefde BMW zag ik voornamelijk opgebroken wegen, gehelmde wegarbeiders met gele mastodonten, vrachtwagens en Mercedessen die door versmalde rijstroken kropen. De richtingborden bevestigden dat ik Bremen kon vermijden en via het Bremer Kreuz de autobaan naar Hamburg kon volgen. Vanaf afslag nummer vijftig was het nog maar veertien kilometer naar Rotenburg, een vriendelijk stadje aan de Weidau. Dat is een rivier.

Dit stond allemaal in de e-mail van Meulendijk, die CyberNel voor me had uitgeprint en op de stoel naast me gelegd. Door het centrum heen en er weer uit, richting Visselhövede. Aan de rand van het stadje zag ik hotel Hausmann, waar de firma een kamer voor me had geboekt. Ik volgde de aanwijzingen. Twee kilometer buiten de bebouwde kom aan mijn linkerhand een landgoed met bomen en muren eromheen. Aan het eind van de muur een smalle weg tot aan de rivier. Daar rechtsaf, eerste huis links.

Het was ook het enige huis, voor zover ik kon zien toen ik op de dijk stupte. Weilanden, boomgroelen, de rivier, en aan de overkant de Lüneburger Heide, die menig infanterist zich herinnert van de feestelijke legeroefeningen. Wat Dreunt daar op de Heide. Ik wist niet of de artillerie dat nog zong, maar ik zag geen stofwolken van tanks en hoorde geen gebulder van kanonnen. Het enige dat bewoog waren een paar zeilboten op de Weidau.

De toegangsweg van platgewalste aarde, grind en baksteenpuin voerde de dijk af en na vijftig meter weer omhoog, naar een terp die even hoog was als de dijk. Het huis, onder paarse pannen die het lage zonlicht weerkaatsten, stond er midden op, met een garage, een zwartgeteerde schuur en een zorgvuldig onderhouden siertuin eromheen. Als de rivier overstroomde werd het een eiland, zoals de Mont Saint Michel.

Een tanige vrouw van in de vijftig en op klompsandalen deed open. De gespierde armen, die uit een zwarte mouwloze jurk staken, waren net zo bleek als haar benen. Haar ogen stonden ongeduldig en weinig vriendelijk. Ze liet me met een meewarig gezicht in m'n beste Duits uitleggen dat haar man me verwachtte, en toen ik daarmee klaar was meldde ze dat ze uit Drente kwam, en dat haar man ook prima Nederlands verstond. 'Komt u maar mee.'

De hal had plavuizen op de vloer, bakstenen muren, een zware houten trap en donkerhouten deuren, waarvan er een openstond op een gang, ook van donkerrode baksteen en versierd met ingelijste prenten van oude botanica. Het was een somber huis en het rook naar ziekte. De vrouw liet me in een groot vertrek met zware meubels, velours gordijnen en schilderijen in vergulde lijsten. Hier overheerste de geur van boenwas.

Ze gebaarde zwijgend naar een serre aan de rivierkant van het vertrek en liet me alleen. Ik liep naar het geluid van Duitse stemmen en kwam in een sombere glaswereld met veel hoge ficussen en weinig uitzicht op de rivier. Een man van in de zestig zat in een rotan chaise longue met een geruite plaid over zijn benen. Hij reikte naar de afstandsbediening op het glazen tafeltje naast hem en klikte de Duitse stemmen weg.

'Ik had meneer Marsman verwacht, en eerder.'

'Het verkeer zat tegen. Blijft u zitten.' Ik gaf hem een hand. 'Max Winter. Ik heb het onderzoek tijdelijk overgenomen. Lex Marsman moest naar Australië in verband met de dood van zijn vader.'

'Oh. Dat spijt me. Frederik de Bruin. Wilt u iets eten of drinken?'

'Nee, dank u. Ik ben gestopt in zo'n Rasthof.'

Ik trok een rotanstoel naast hem en legde m'n tas op m'n knieën. De rapporten van Lex Marsman zaten erin. De Bruin bestudeerde me met fletse, bruine ogen. 'Heeft u een legitimatie?' vroeg hij.

Ik gaf hem mijn Meulendijk-kaart, die hij secondenlang tussen zijn bewegende vingers hield, als een paragnost die contact zoekt met de vermiste eigenaar van een bepaald voorwerp.

Ik schraapte mijn keel. 'Bent u ziek?'

Hij keek op. 'Ik was de klimop aan het bewerken. Die moet je, hoe heet dat, in toom houden, anders groeit het huis onder. Ik viel van de ladder, been gebroken. Het gips is eraf, maar ik moet nog even kalm aan doen. De botten genezen wat langzamer.'

'Dat krijgen we. U bent de taal niet verleerd.'

Zijn Nederlands was compleet, maar je hoorde het accent van iemand die van jongsaf in Duitsland had gewoond, kliemop, haus, langsamer. 'Ik ben het weer gaan spreken sinds m'n huwelijk met Wilma. Ze komt uit Drente.'

'Uw vrouw leek niet erg ingenomen met mijn komst.'

Hij glimlachte wrang. 'Ze denkt dat uw bureau ons alleen geld kost zonder dat we er iets mee opschieten. Ze krijgt vervelende reacties van haar familie. Mensen zijn geneigd de kranten te geloven.'

'Ik hoopte eigenlijk uw vader te ontmoeten.'

De Bruin streek over zijn plaid. 'Uw bureau werkt voor mij. Zodra dit is begonnen is hij…'

'Ondergedoken?'

Zijn ogen werden onvriendelijk. 'Mijn vader is zowat negentig en niet erg gezond. Hij kan zich niet verdedigen, terwijl er bij justitie al gedacht wordt over een verzoek om uitlevering. Waarom denkt u dat ik het duurste onderzoeksbureau in Nederland heb ingeschakeld? Ik mag lijden dat u inmiddels bewijzen heeft gevonden dat hij geen oorlogsmisdadiger is. We willen zijn naam zo gauw mogelijk gezuiverd hebben.'

Zonen konden zich in hun vaders vergissen, maar Marsman had het gevoel gekregen dat deze misschien gelijk had. Een Nederlandse journalist had de verblijfplaats ontdekt van Frederiks vader, Hendrik de Bruin, voormalig NSB'er en getrouwd met een Duitse, die ervan werd verdacht in 1944 in opdracht van de Gestapo minstens zes verzetsmensen te hebben geliquideerd. De journalist had diverse oude getuigen achterhaald die Hendrik herkenden van de foto op een Duits document, waaruit bleek dat een zekere Hendrik de Bruin in 1944 voor de Gestapo werkte onder de codenaam Heinrich Brauner. Volgens Frederik was het document vals omdat zijn ouders in 1943, samen met hem als vierjarig jongetje, naar Duitsland waren uitgeweken en daar waren gebleven. Dat viel wat de laatste oorlogsjaren betrof lastig te bewijzen, omdat het gezin zich uitgerekend in Dresden had gevestigd, dat eind 1944 werd platgebombardeerd, waarbij Frederiks moeder om het leven kwam. Volgens Frederik waren zijn vader en hij daarna uitgeweken naar Rotenburg, waar Hendrik later een aannemersbedrijf begon, maar de krant suggereerde dat De Bruin zich direct na zijn aankomst in Duitsland vrijwillig bij de Gestapo had gemeld, mogelijk uit wrok over de manier waarop hij en zijn Duitse vrouw in Groningen waren behandeld, en dat de Gestapo hem begin '44 terugstuurde naar Nederland om het verzet te infiltreren.

Ik nam foto's uit m'n tas. 'Ik heb uw vader toch even nodig,' zei ik. 'Marsman kreeg deze foto van een oude vriend van hem, Wim Stoete, die bij hetzelfde aannemersbedrijf in Groningen werkte.'

Frederik de Bruin fronste naar de oude zwart-witfoto, waarop een twaalftal bouwvakkers met flesjes pils in de hand naar de camera stond te glimlachen. 'Hij is niet erg duidelijk.'

'Hij is uit 1938,' zei ik. 'We zijn al blij dat hij gemaakt is door een beroepsfotograaf en dat Stoete hem al die tijd goed heeft bewaard. Stoete staat op de achterste rij naast uw vader, maar het gaat om de man die links vooraan staat. We hebben zijn gezicht uitvergroot, dat van uw vader ook.' Ik gaf hem de vergrotingen. De grove korrel vervaagde de details, de ene man leek wat vleziger dan de andere, maar het was duidelijk dat ze van dezelfde leeftijd waren, met allebei licht, sluik haar en dezelfde vorm van gezicht.

De Bruin hield een van de foto's op. 'Dit is mijn vader. Wie is die andere man?'

'Ik hoop dat uw vader dat nog weet,' zei ik. 'Stoete herinnert zich alleen de voornaam.'

De Bruin wierp zijn plaid af. 'Wacht maar even hier,' zei hij.

'Kan ik hem zelf niet spreken?'

Zijn afwijzing klonk erg beslist. Hij hinkte met de foto's in de hand de serre uit. Ik hoorde hem in de gang roepen en even later verscheen zijn vrouw met een theeblad. 'Gebruikt u melk en suiker?' vroeg ze.

'Geen van beide.'

'Is het de bedoeling dat u blijft eten?'

'Ik ben zo weer weg.' Ik dacht aan de geur van ziekte in de gang. Misschien was ze zo slecht gehumeurd omdat ze behalve haar man ook een schoonvader moest wassen en verzorgen, die door de kranten en haar familie als een oorlogsmisdadiger werd beschouwd. 'Ik begrijp dat dit moeilijk voor u is,' zei ik.

Ze knikte stuurs. 'U heeft geen idee,' zei ze.

Ik dronk van de thee en keek tussen de ficussen door naar de rivier en wachtte tot Frederik terugkeerde met de foto's plus een omgeslagen blocnote.

'Mijn vader herinnert zich die foto,' zei hij, toen hij weer in zijn stoel zat. 'Hij is gemaakt bij de oplevering van een schoolgebouw in Groningen. Hij en Stoete waren vrienden, maar ze zijn elkaar natuurlijk totaal uit het oog verloren. Hoe heeft u hem gevonden?'

'Geen idee, dat was Marsman. Weet hij nog wie die andere man was?'

'Nou en of. Zijn naam is Johan Hasselt, een onbehouwen figuur, die als metselaar bij dat aannemersbedrijf kwam toen ze aan die school begonnen. Hij werkte er nog toen mijn vader vertrok, maar u heeft waarschijnlijk de verkeerde voor.'

'Denkt uw vader dat?'

'Hij weet het wel zeker. Hasselt was een van de redenen waarom mijn ouders uit Nederland vertrokken. Hakenkruizen op de deur, pesterijen, zogenaamde ongelukjes op het werk, dreigementen aan mijn moeder. Hij was eerder het type dat bij de BS zou gaan om NSB'ers in elkaar te slaan en vrouwen kaal te scheren.'

Het een sloot het ander niet uit, althans volgens Marsman, die na zijn gesprek met de inmiddels tachtigjarige Stoete begon te vermoeden dat de identiteit van Frederiks vader kon zijn overgenomen door iemand die wist dat De Bruin naar Duitsland was uitgeweken en niet zou terugkeren om hem te ontmaskeren. Stoete was destijds net als zijn collega bouwvakkers aan de Arbeidsdienst ontsnapt omdat de aannemer ook opdrachten voor de Wehrmacht uitvoerde.

'Volgens Stoete ging Johan Hasselt eind '43 bij de aannemer weg omdat hij meer kon verdienen met de zwarte handel,' zei ik. 'Stoete heeft hem daarna niet meer gezien, maar het gerucht ging dat hij door de Gestapo of de SD werd gearresteerd tijdens het leegroven van een huis van joodse gedeporteerden. Volgens Stoete was Hasselt wel de figuur om de Gestapo zijn diensten aan te bieden als hij daarmee z'n huid kon redden. Wist uw vader waar hij woonde?'

'Hij kwam uit Schelfhorst, dat is een dorp onder Groningen.' De Bruin scheurde het bovenste vel van z'n schrijfblok en gaf het aan me. 'Mijn vader zou trouwens graag het adres hebben van Wim Stoete, hij wil hem schrijven.'

'Hij woont bij z'n dochter in Scharmer.' Ik gaf hem het adres, stopte de foto's in m'n tas en stond op om afscheid te nemen. 'U hoort zo gauw mogelijk van ons.'

Buiten naderde het duister, vanuit het oostelijk front.

Het hotel lag aan de rand van een industriekwartier, naast een rotonde waarover auto's naar de koopavond in hypermarkten en mammoetgrote doe-het-zelfpaleizen draaiden en die veel lawaai gaf. Met Nel zou ik een romantisch restaurant met kaarsen en een mooie rijnwijn aan de rivier hebben opgezocht, maar een man alleen heeft de masochistische neiging om zijn eenzaamheid te benadrukken achter de geblindeerde ramen van een kaal hotelrestaurant, temidden van vertegenwoordigers die geen Sheratons konden declareren en verdwaalde Poolse toeristen in korte broek. We werkten ons zwijgend door het dagmenu van koolsoep, blinde kalfsvinken en mineraalwater.

Daarna zocht ik m'n kamer op, wipte mijn schoenen uit en zat op het bed, met de telefoon.

'Heb je het leuk?' vroeg CyberNel.

'Enig.'

Ze giechelde. 'Dat zeggen mensen niet meer. Kan ik al iets doen?'

'Morgen is vroeg genoeg. Ik rij hier weg zodra ik het ontbijt achter de kiezen heb.'

'Ik ben misschien met Hanna naar de controle, maar je kunt aan m'n computer als je iets wil uitzoeken. Ik ben klaar met dat programma voor de stoethaspel. Klik op het mannetje.'

'Ik wacht net zo lief op jou.'

'Voel je je goed?'

'Als de dood van een handelsreiziger.'

'Wil je telefoonseks?'

Ik keek naar de rode tijdcijfers onder op de televisie. 'Volgens mij heb je die lingerie nog niet aan.'

We dolden nog wat door en ik zag haar aan mijn bureau zitten terwijl ze een kastanjebruine lok om haar wijsvinger draaide, Corrie naar huis, Hanna in bed, buiten werd het nacht, alles was in orde.

Ik dacht aan toeval en aan geluk, en aan het gemak waarmee ik haar in de planetaire supermarkt van willekeur mis had kunnen lopen, als m'n ex-partner Bart Simons me niet had meegetroond naar dat politiefeestje. Ik had voor hetzelfde geld néé kunnen zeggen. Ik had met m'n halfdronken kop over een andere voet kunnen struikelen. Alleen God weet hoe geluk in elkaar zit, waar het vandaan komt, wie de porties uitdeelt en bepaalt hoe groot of hoe klein ze zijn. Veel later, achteraf, weet je pas zeker dat het de grootste portie was en de enige kans, dat er geen andere bestond, geen enkele zinnige reden om elkaar in de jaren erna alsnog tegen het lijf te lopen. Op die chaotische plottafel verandert elk vlaggetje voortdurend van richting, bagage en bestemming. Een Batavier trapt een vlinder dood en duizend jaar later struikel ik over CyberNel.

Ik weet niet waarom ik onrustig werd en verkeerde schaduwen begon te zien, alsof de nacht binnen probeerde te dringen. Buiten kwam het verkeer tot stilstand. De rode cijfers zeiden dat het nog steeds halftien was. M'n toilettas lag in de badkamer, waar ik m'n tanden had gepoetst. Meer hoefde ik niet terug te stoppen in m'n weekendtas.

De hotelhoudster vond dat ik natuurlijk wel m'n kamer moest betalen. Mijn brein zei dat ik er verstandig aan deed om nu te gaan, zodat ik de ochtendspits kon vermijden. Mijn hart zei dat ik ging omdat ik bij CyberNel wilde zijn en ik jakkerde als een maanzieke Romeo door de nacht, met de radio aan en een raampje open, om niet in slaap te vallen.

Het vroegste licht hing boven de boomgaarden van buurman Bokhof toen ik de BMW van de dijk en onder de carport reed. Het was doodstil, maar toen ik m'n weekendtas uit de kofferbak nam zag ik beweging achter het lage raam van onze slaapkamer. De CyberNel van de alerte zintuigen en de lichte slaap. Als ze alleen was hield ze haar kleine Jennings-pistool meestal onder bereik, maar wat ik naar me zag wuiven was haar hand.

Ik nam een kijkje bij Hanna, in haar kamer naast de onze. Ze lag vast in slaap, onschuld en blonde krullen en het gezicht van een engel, de natgezogen voet van haar lappenpop vlak bij haar mond op het kleine kussen.

Daarna hield ik Nel vast. Ik was doodmoe en viel zowat in slaap, maar seks is de oerdrang die alle andere behoeften en fysieke gebreken behalve de dood overstemt, volgens de geleerden omdat het de sleutel is tot de instandhouding van de soort, volgens Max Winter omdat het de manier is om zo dicht en zo compleet mogelijk bij degene te zijn die je leven betekenis geeft.

In mijn droom fluisterde ze dat ze met Hanna naar een controle ging en dat ik moest blijven slapen.

In een andere droom hoorde ik een stofzuiger en knokkels op glas. Mijn hand dwaalde over een vlakte, die zo koud en uitgestrekt leek als Siberië.

Corrie stak haar hoofd om de deur. 'Sorry meneer, kunt u direct komen?' Het bleef meneer, nooit Max, ook al was ze meer dan een jaar geleden gepromoveerd van babysitter tot permanente huishoudhulp. Beneden zoemde de stofzuiger zijn te hoge toon van alleen maar lucht, omdat ze hem in de steek had gelaten zonder de seconde te nemen om hem uit te schakelen. Ik wilde iets vragen, maar Corrie was al weg en even later viel de stofzuiger stil.

Ik schoot in m'n broek en bukte me in het raam. Een vrouw in politie-uniform en een man in burger stonden op het terras naar de achtertuin te kijken. Ik herkende de lange, gebogen gestalte en de grijze kop van recherche-brigadier Marcus Kemming. Hij was destijds de speciale projectagent geweest bij de moord op mijn buurvrouw, en onze relatie was nogal stroef begonnen omdat hij mij als verdachte beschouwde. Later trakteerde hij mij op koffie en ik hem op een etentje en bleken we goed met elkaar overweg te kunnen.

'Waarom heb je ze niet binnengelaten?' vroeg ik, toen ik beneden kwam. Corrie stond bij de badkamerdeur en zei niks, zelfs niet haar gebruikelijke 'sorry', alsof ze verlamd was geraakt door de aanblik van een politie-uniform.

Ik opende de deur in de glaspui. 'Goeiemorgen,' zei ik. 'Dag Marcus.'

De bliksem trof me voordat ik hun gezicht zag. Ik had duizend keer precies zoals Kemming voor deuren gestaan, met een collega, en een tekst die je niet wilde uitspreken. Het bloed trok uit mijn gezicht en ik moest de deurpost vastgrijpen omdat m'n knieën het begaven. 'O god.' Je roept naar God en hij kan je niet helpen.

'Max,' zei Marcus.

De agente pakte mijn elleboog. 'Gaat u even zitten,' zei ze.

Ik wankelde achteruit tot mijn kuiten tegen de rand van de verhoogde woonkamer botsten en ik hard op de tegels kwam te zitten. De agente hield m'n arm vast.

De deur viel dicht. Marcus hurkte voor me. Ik hoorde zijn knieën kraken. 'Max,' zei hij. 'Nel heeft een ongeluk gehad.'

Ik zag zijn ogen. Ze zouden hier niet zijn als ze alleen maar gewond was. 'Hanna?'

Hij knikte. 'Allebei.'

'Laat me even.'

De agente liet m'n arm los. Ik verborg m'n gezicht in m'n handen. Ik voelde niets, ik dacht niets, er was alleen leegte. De tijd stond stil.

Ze stonden tegen het glas. Ik moest omhoogkijken. Iemand zei: 'Oké.' Het drong tot me door dat het mijn eigen stem was.

'Ik kan straks terugkomen,' zei Marcus.

'Nee.'

Hij hielp me overeind. Ik wankelde op mijn benen. Ze zetten me op de bank, tegenover de stille televisie en de koude haard. Corrie was nergens te zien. De agente vroeg of ik water wilde. Marcus liep naar de kast en schonk een glas cognac voor me in. Ik hield het in m'n hand.

'Drink,' zei hij.

Het brandde in mijn keel, ik proefde niks. De agente stond bij de plantenbak. Marcus zat op de halfronde bank.

Ik knikte naar hem.

'Een oude man in een Mercedes kreeg een hartaanval en ging er frontaal tegenop. Niemand reed hard, maar het is tweemaal zestig of zeventig. Ze waren op slag dood.'

Het woord was eruit.

Ik had geen tranen, geen woede, niks, alleen die afstand, alsof iemand anders je hersens stuurt en je spieren beweegt.

'Waar?'

'Bij Tricht, op de weg naar Geldermalsen.'

Ze ging met Hanna naar dokter Wiechert voor een periodieke controle. 'Zijn ze in Geldermalsen?'

Hij knikte en bedoelde dat ik er nog niet bij kon.

'Dank je, Marcus,' zei ik.

Hij stond op. 'Als ik iets kan doen.'

'Ik red me wel.'

Ze losten op in het zonlicht. Ik wist hoe ze zich voelden. Het is de akeligste klus en je bent opgelucht als het achter de rug is.

Corrie kwam de keuken uit en wierp zich snikkend tegen me aan. Ik klopte op haar schouder, een verlegen veulen dat zowat familie van ons was geworden. Ik kon niks voor haar doen en ze kon niks voor mij doen. 'Ga maar naar huis,' zei ik.

Ze vluchtte weg.

Ik moest dingen doen. Haar ouders.

Meulendijk bellen om te zeggen dat ik de opdracht niet kon uitvoeren.

Ik kon Nels ouders niet bellen. Later misschien.

Ik bewoog me als een robot door de gesprekken, de telefoontjes, handelingen. Ik koos een rieten mand, voor hen samen. Ze fronsten toen ik zei dat Nel op haar zij moest liggen met Hanna in haar armen, het hoofdje onder haar kin. De thanatopracticus had gedaan wat hij kon. Ze leken niet op Cybernel en Hanna. Ik trok de linnen doek over hen heen en sloot het deksel van de mand.

Haar ouders kwamen, de fietsenmaker uit Feerwerd en zijn vrouw. Nels enige zuster was aan haar blindedarm geopereerd en lag in het ziekenhuis. Ze woonde in Duitsland, vlak bij de Tsjechische grens. De ouders logeerden in De Gentel in Geldermalsen en het waren lieve mensen, kapot van verdriet, we troostten elkaar om iets waar geen troost voor bestond. Je kon er niks aan doen, jongen, zei haar vader tegen me. Het moest zo zijn.

Ik kon alleen maar denken dat ik lag te slapen, dat ik haar vijf minuten langer had kunnen vasthouden, dat ik haar had moeten brengen, dat ze de BMW had moeten nemen in plaats van haar oude Renault bestel, zonder airbags en geen partij voor de pantserkooi van een Mercedes, waarin een gepensioneerde sportjournalist van zeventig zelfs een hartaanval kon overleven. Eén minuut later, *tien seconden* later, en Nel zou gestopt zijn om de politie te bellen en te kijken of ze iets kon doen voor de oude man, die in zijn gestrande Mercedes naar adem zat te happen.

Bart en Ria kwamen uit Amsterdam en sliepen in de logeerkamer aan de dijk. Ria hielp me door van alles te regelen, Bart door met me over de dijk te wandelen.

'Wil je dat ik iets over CyberNel zeg?' vroeg hij, toen we bleven staan bij het sluisje, dat de watertoevoer regelde tussen de rivier en de sloot aan de andere kant van de dijk, of andersom.

'Nee,' zei ik.

Een jachtje dreef voorbij, met een man met een witte kapiteinspet aan het roer en een blonde vrouw in bikini op de voorplecht. Ik stak een Gauloise in de brand. Bart bedankte. Volgens het pakje wilde een arts of een apotheker me graag helpen om net als hij te stoppen met roken.

'Ik kan chef veiligheid bij Riotec worden,' zei hij plotseling.

'Is dat niet waar Panhuis heen is gegaan?'

'Panhuis heeft daar in acht jaar meer verdiend dan in twintig jaar bij de recherche. Hij is vijfenzestig en koopt een huis in Aruba. Wat moet ik doen?'

'Je kunt Grundmeijer vragen om een andere partner dan hoe heet die punaisepisser. Er lopen betere jongens rond.'

'Het is niet alleen de partner,' zei hij. 'Het zijn de decibels, dat heb ik je al eens uitgelegd. Het worden er te veel en ik stomp af.'

Ik wist wat hij bedoelde. Elke politieman heeft die inzinkingen. We hurken op plaatsen delict bij dode mannen, vrouwen en kinderen, gangsters en hoeren om het op ons af te laten komen en na te denken: wie, wat, waar, en godzalme, waarom? Je zit bij ze, ze zeggen niks, je kunt ze niet meer leren kennen, ze zijn de doden zonder gezicht. Groentjes trekken het zich aan, oude rotten maken slechte grappen en proberen niet betrokken te raken. Ze worden statistieken, tachtig procent familiezaak, de rest executie, wreedheid, sadisme en zieke lust, de verborgen virussen van bederf die door het mensdom woekeren en je hoop aantasten. Je richt dat scherm op, maar na een tijd dringen ze erdoorheen en komen in de nacht bij je.

Bart was vijftig en hij wilde eruit voordat zijn ziel totaal versleten raakte en hij immuun werd. Elke politieman denkt dat de wereld tien jaar geleden een menselijker gezicht had, en hij heeft waarschijnlijk gelijk, telkens weer. Vroeger begonnen ze een tabakszaak, zoals uitgespeelde voetballers, of een bruin café. Bart was jaloers op me, omdat ik de depressie niet had afgewacht en met succes voor mezelf was begonnen. Wat hij eigenlijk wilde was dat ik hem verloste door hem als Amsterdams filiaal in te lijven bij Winter & Co. Hij durfde er niet over te beginnen en ik wilde er niet aan denken. Ik gooide mijn peuk in het water dat tegen het sluisje drukte.

'Je bent te goed voor achter een bureau in een bedrijf,' zei ik.

Bart knikte en keek naar de waterkipjes. Hij zag er goed uit, beter dan ik me voelde. Hij was tien kilo kwijtgeraakt en z'n gezicht was *sans* de mollige wangen en de vleesrollen onder z'n kin harder en gezaghebbender. Hij had zijn garderobe moeten vervangen, maar was nog niet toegekomen aan een nieuw donker pak. Het oude exemplaar hing op de begrafenis als een zak om hem heen.

Ik wil daar niet zijn, het is een schok, het dringt in volle omvang tot je door, ze hebben naast de hervormde kerk een gat voor je gegraven en dragen je daarheen en het is definitief.

Bokhof sluit me in zijn omvangrijke armen. Zijn zoon, die ook Harm heet, geeft me een plechtige hand. Corrie staat wit en betraand tussen haar ouders en andere buren. Nels zakenpartner Eddie is er ook, een whizzkid die samen met Nel een computerbeveiligingsfirma begon en er nog altijd verdwaald uitziet in de directeurspakken die hij sindsdien draagt. Meulendijk arriveert op het kerkhof, in een auto met chauffeur en met een bos witte anjers. Ik mompel dat Winter & Co niet meer bestaat en dat hij mij van de lijst kan schrappen. Ik hoor hem zeggen dat dit geen geschikte tijd is voor beslissingen en dat ik rustig aan moet doen. Ik zie hem met Bart in gesprek raken.

Mensen zeggen dingen. Woorden. We raken elkaar aan, familie, vrienden.

Uiteindelijk blijf je alleen achter, in een leeg huis. De zon schijnt nog. Er is te veel voedsel, drank, alles is er, behalve stemmen. De kleine stem met steeds meer woorden, het slaaplied van CyberNel. Ik trek de telefoon eruit en doe de deur op slot en ga naar boven. Ik val op het bed en laat de nacht toe.

7

Rebecca staarde naar de potloodstreep, die alleen maar van haar moeder kon zijn. Emma had er vijf Oud-Engelse regels mee gemarkeerd op een vergeelde bladzijde. Ze moesten een proefwerk maken over 'Een oude dichter in mijn boekenkast'. Atie had Vondel gekozen. Een paar aanstellers noemden Esmoreit, of de onbekende auteur van het Lied van Roland, of de Canterbury Tales, alsof ze die allemaal in hun kast hadden staan. Homerus misschien, of de Tsjechische massa-editie van Shakespeare, die de halve wereld destijds voor een tientje had gekocht en tussen de vergeten boeken gezet.

Haar moeder was een bescheiden onderwijzeres aan de lagere school geweest, maar ze had een levenslange passie gehad voor literatuur. De meeste van haar boeken zaten nog in dozen op zolder en Rebecca had er op goed geluk een geopend en een Globe-editie uit 1902 van de werken van Edmund Spenser gevonden. Het was een mooie uitgave in een klassieke band van verschoten groen met gouden opdruk. Op het voorblad had haar moeder haar naam geschreven in haar precieze, schuine handschrift, met hetzelfde voorzichtige potlood, alsof ze zichzelf te onbeduidend had gevonden om meer dan een uitvlakbaar stempel te zetten op iets dat de eeuwen doorstond: *Emma Welmoed, 1984.*

Rebecca had nog niet veel geschreven, behalve dat Spenser in 1552 was geboren en in 1599 op zijn 47e in armoede was gestorven, en dat hij de dichter der dichters werd genoemd. *Een oude dichter in mijn moeders boekenkast.* Ze was blijven steken nadat ze het boek op z'n rug had gezet en het vanzelf open viel op de sonnetten, alsof het honderd maal eerder op die plek was geopend.

Ze sloot haar ogen en zag haar moeder. Ze was de laatste jaren een beetje vergeten hoe ze eruit had gezien, maar nu zag ze haar zitten, tussen haar boeken in hun vorige huis, met haar bruine ogen en haar mooie, slanke handen, terwijl ze de vijfhonderd jaar oude tekst las en in de marge aanstreepte. Voor wie? Rebecca had het zonderlinge gevoel dat de markering voor háár was bedoeld, ook al was ze

misschien nog niet eens geboren, als een raadgeving, of een verma-
ning, *blijf zuiver*, omdat alles wat moeders deden voor hun dochters
bestemd was.

Let not one sparke of filthy lustfull fyre
Breake out, that may her sacred peace molest
No one light glance of sensual desyre
Attempt to work her gentle mindes unrest
But pure affections bred in spotless brest

Rebecca werd verdrietig, door het gedicht en vooral door de potloodstreep, of omdat ze aan haar moeder dacht, wat ze niet dikwijls
deed, of misschien gewoon omdat het zo mooi was, zo perfect, net
zoals ze droevig kon worden van muziek, of van de rivier.

Ze schrok op toen Roelof het zijhuis in kwam.

Haar vader was te opgewonden om het boek te zien of haar stemming op te merken. Hij sloeg haar op haar schouder en riep: 'Ik heb
prachtig nieuws!' Hij kwam als een samenzweerder naast haar zitten
en dempte zijn stem. 'Ik moet het aan iemand kwijt.'

Hij was zo opgetogen als een scholier die zijn naam leest op de lijst
van geslaagden. 'Hebben we de loterij gewonnen?'

'Beter. We hebben onze eerste opdracht.'

'Een opdracht? Waarvoor?' Rebecca sloot voorzichtig het boek en
draaide zich naar haar vader.

'Voor een enorme tuin, meer dan een hectare, ergens bij het spoor.
We gaan alles zelf doen, ontwerpen en aanleggen. De klant komt vanavond de zaak met me bekijken, daarna moet hij terug naar Amsterdam, hij vliegt morgen naar Buenos Aires.'

Ze kon hem niet goed volgen. 'Ik dacht dat we een kwekerij gingen beginnen.'

'We doen dit erbij.' Haar vader grinnikte. 'Rob heeft ervoor gestudeerd en ik heb de ervaring. Van de ene klant komt de andere, zo
werkt dat. Je mag nog niks aan Suzan vertellen, ik wil haar er vanavond mee verrassen, dan heb ik plattegronden en de tekeningen van
de villa die erbij wordt gebouwd.'

'Waar is Suzan?' vroeg ze.

'Naar haar moeder, maar ik zoek Rob, weet jij waar hij uithangt?'

'Ze repeteren bij Rutger,' zei ze, 'De Armada speelt vanavond in Tiel en ik denk niet dat hij daar onderuit kan. Je kunt toch morgen met hem gaan kijken?'

Roelof zuchtte. 'Ik had hem er graag bij.'

'Neem anders Dennis mee,' zei ze.

'Nee.' Hij schudde zijn hoofd. 'Da's niet goed, ik kan daar niet aankomen met iemand die er niks mee te maken heeft.' Hij dacht na. 'Misschien kunnen we hem later gebruiken.'

'Voor werk?'

'Nou, als hij niks anders vindt.' Hij knikte, als tegen zichzelf. 'Als het meezit kunnen we er de aanleg van de kwekerij en de kas mee betalen. Dan krijgen we alles tegelijk in september, die tuin en de bouw van de kas, plus het grondwerk. Als hij goed genoeg is...'

'Hij heeft bij een boer gewerkt,' zei Rebecca.

'En jij steekt je hand voor hem in het vuur.' Roelof grinnikte.

Ze probeerde niet te blozen. 'Jij niet dan?'

Hij knikte. 'Jawel. Maar we moeten eerst die opdracht binnenkrijgen. Ik ga bij Van Dam langs, die weet wat je ongeveer kunt vragen voor tuinontwerpen. We rekenen manuren voor de aanleg en we verdienen de beroepskorting op het materiaal. Ik heb al zitten cijferen. Hoe minder we hoeven te lenen hoe beter.'

'Het is dus een rijke klant?'

'Dat lijkt me wel. Hij zei dat hij bouwprojecten ontwikkelt in het buitenland. '

'Maar als hij rijk genoeg is om villa's te bouwen en naar Buenos Aires te vliegen, waarom neemt hij dan niet een landschapsarchitect en zo'n sjieke tuinfirma?'

Roelof grinnikte weer. 'Ik ga geen roet in m'n eigen eten gooien met dat soort vragen.'

'Maar je vindt het niet raar?'

'Nee, natuurlijk niet. Rijke mensen worden rijk omdat ze niet onnodig geld uitgeven. Bovendien wil hij geen tijd verliezen. Met een architect en zo'n grote firma duurt alles twee keer zo lang en ben je maar zo een plantseizoen kwijt. Wij hebben de goeie smaak en de deskundigheid en we zijn minder duur en we blijven erop tot het klaar is. Dat weet hij.'

'Hoe weet hij dat? Hoe komt hij aan jou?'

'Ik werd hem aanbevolen. Ik denk dat ik weet door wie, maar het maakt niet uit. We beginnen voor onszelf.'

'Welmoed en Zoon,' zei Rebecca.

'Je hoeft niet te spotten. Is het goed nieuws of niet?' Zijn ogen glinsterden.

'Ik ben blij voor je,' zei ze. 'Doe je groene ribfluwelen jasje aan, dan lijk je een echte tuinartiest.'

Hij kneep in haar schouder. 'Rob zal opkijken. Over tien jaar leun ik achteruit en koopt hij de boomgaarden hierachter om uit te breiden. Wedden?'

'Kalm aan maar,' zei ze.

Haar vader keek uit het raam. 'Het is allemaal voor Rob en voor jou,' zei hij. 'Iets moois.' Zijn blik versomberde. 'Ik heb er vaak geen gat meer in gezien, weet je dat?'

Nou en of ze dat wist. 'Onzin,' zei ze.

'Ik graaf gaten voor andermans bomen,' zei hij. 'Verder heb ik nooit wat voorgesteld, behalve plannen en dromen.'

'En de beste vader zijn,' zei Rebecca.

'Dank je wel.' Hij monterde op. 'Misschien gaat het nou lukken. Ik zal een beetje laat zijn met eten, maar haal maar vast zo'n fles van die Zuid-Afrikaanse bubbelwijn uit de kelder.'

Rebecca ging naar boven om haar roomkleurige vest met de diepe v-hals aan te trekken, haar haren te kammen en in de spiegel te kijken. Toen ze Roelofs auto hoorde wegrijden holde ze de trap af en door de zijstal naar buiten. De zon scheen, de tuin bloeide, blauw vlas, oranje slaapmutsjes, geraniums, rozen. De schapen waren in de stalwei, er was volop gras, meer dan ze aankonden. Ze zag Bizet met haar jonge lam, Katrien met haar grotere tweeling. De andere waren drie en vier maanden en Roelof wilde er volgende week al een slachten, omdat de diepvriezer leeg raakte.

Hun groene dekzeil lag nog over het dak van de camper. Rebecca stapte over de omheining en klopte op de zijdeur. 'Dennis? Slaap je?'

Hij kon op zo'n mooie dag niet in zijn bed liggen.

De schuifdeur zat op slot, dat stelde haar een beetje teleur. Hun huis was nooit op slot, hoogstens 's nachts, of als ze met z'n allen naar een verjaardag gingen. Misschien was Dennis bang voor inbrekers, maar inbraken kwamen hier nauwelijks voor.

Ze liep om de camper heen. Zijn fiets was weg.

Ze probeerde het stuurportier. Het piepte open. Ze stapte op de geribbelde tree en boog zich in de cabine. Ze was nog niet bij hem binnen geweest. De cabine rook naar olie en dode peuken waar de open asbak vol mee zat. De voorruit was smerig, met oude stickers en kleine ruitenwissers die halverwege waren blijven steken. Er was een lange versnellingspook, een glimmend stuurwiel en versleten pedalen en twee stoelen van gebarsten rood kunstleer. Je kon tussen de stoelen door naar achteren.

Rebecca klom erin. Het interieur rook muf en verschaald, en het zag eruit alsof het door een knutselaar in elkaar was getimmerd, met rode gordijntjes in plaats van deuren voor de kastjes en achterin twee banken tussen een smalle, lange tafel van gebeitste spaanplaat, de randen gezwollen van vocht of ouderdom. Dennis gebruikte een van de banken als bed, er lag een dunne matras op, met een slaapzak en een kussen in een vuilgroene sloop. Een tweede slaapzak was boven op een kast gestouwd, misschien voor als het koud werd in de winter, of voor een gast op de andere bank. Achter het kastgordijn zag ze broeken en een jasje, en slordig op plankjes gestouwde truien, hemden en ondergoed. Misschien moest ze een keer de was voor hem doen.

Er was geen douche en geen wc. Dennis waste zich in de rivier, en nu misschien aan het kleine aanrecht, waar een butagasstel was en een kraan die een dun straaltje water gaf uit een onzichtbare tank. Een tandenborstel en een scheerkwast stonden in een glas op de rand, naast een vuil zeepbakje. Er hingen theedoeken en een bruine handdoek. Ze zag vuile vaat, glazen, plastic borden, een koekenpan. Een steelpan en schaaltjes achter gordijntjes onderin, planken met koffie en thee en melkpoeder en blikjes doperwten en corned beef.

Ze zou het hier geen dag uithouden.

Misschien kon ze de afwas voor hem doen, als ze een kwast en afwasmiddel kon vinden. Misschien wilde hij helemaal niet dat ze dit allemaal zag en moest ze maken dat ze wegkwam, zodra ze het raam boven het bed had opengezet om de camper te luchten.

Rebecca schoof langs de tafel en boog zich over het bed naar het raam. De sluiting ging stroef en ze moest kracht zetten om het raam opzij te schuiven. Toen ze achteruit stapte zag ze een witte veter onder het bed uit steken. Ze bukte zich en trok een blauwwitte sneaker te voorschijn. Hij leek nogal nieuw en te groot voor Dennis, die kleine voeten had, hoogstens maat tweeënveertig. Ze had zijn schoenen onder in de kast gezien, en rubberlaarzen bij de zijdeur. Ze draaide de schoen om. Maat 45. Meer iets voor Roelof. Misschien had Dennis ze cadeau gekregen van iemand die z'n maat niet wist.

Ze schoot recht toen ze een bons hoorde. Iemand parkeerde een fiets tegen de camperwand. Ze schopte de sneaker terug onder het bed en ze was nauwelijks overeind toen het slot rammelde en de deur openschoof en Dennis met een plastic tas in z'n hand naar binnen klom. Hij schrok toen hij haar achter in de camper zag. 'Wat doe jij hier?'

'Sorry.' Ze stamelde. 'Ik zocht je. De cabine was open.'

'Open?'

'Nou ja. Niet op slot. Je was er niet.' Ze verdiende de prijs voor de domste opmerking van het jaar. 'Ik heb het raam opengezet om een beetje te luchten.' Ze gebaarde met haar hoofd. De paniek ebde weg. 'Ik dacht er net over om de afwas voor je te doen.'

'Dat kan ik zelf wel.' Hij was beslist nijdig. 'Dat slot is kapot, ik kan het alleen van binnen afsluiten. Ik wist niet dat dat hier nodig was.'

Hij zette de tas op het aanrecht, nam er een verpakt brood uit en stopte dat in de broodtrommel. Hij pakte de rest niet uit maar legde zijn handen op de tas en bleef met z'n rug naar haar toe staan.

Ze schoof achter hem langs, naar de deur. 'Het spijt me,' zei ze. 'Ik had niet ongevraagd binnen mogen komen. Het is wel een bende.' Het laatste ontviel haar.

'Dat hoef jij me niet te vertellen.' Dennis bleef strak voor zich uit kijken. 'Een bende is een vriendelijk woord.' Hij ging op zijn bedbank zitten en leunde zijn ellebogen op de tafel. 'Ik kan hier geen bezoek hebben.'

'En Klaas dan?' vroeg ze.

Dennis beet op zijn mond. 'Ik bedoel jou.'

Ze kreeg medelijden met hem. 'Het geeft niet,' zei ze. 'Je kunt er niks aan doen.' Weer zo'n onzinopmerking, hij was de enige die er iets aan kon doen, 'Is dat niet ongemakkelijk om op te slapen?' vroeg ze, en ze knikte naar de bank.

'De tafel kan omlaag, dan is het een breed bed,' zei hij.

'Misschien kun je binnenkort in het zijhuis komen wonen. Dan verhuis ik wel naar de andere kant.'

Hij keek haar vreemd aan. 'Waar heb je het over?'

Ze liep naar hem toe. Ze wilde haar hand op zijn hoofd leggen maar durfde het niet. 'Dat kwam ik je vertellen,' zei ze.

'Wat?'

'Of heb je al ander werk gevonden?'

Hij fronste zijn wenkbrauwen. 'Werk? Nee, nog niet. Ik kan het over een maand nog es proberen.'

'Je kunt bij ons komen werken, ik bedoel bij mijn vader en Rob,' flapte ze eruit.

Hij keek haar ongelovig aan. 'Je bedoelt op die niet-bestaande kwekerij?'

'Mijn vader heeft net een opdracht gekregen om een luxe tuin aan te leggen voor een rijke klant,' zei ze. 'Dat brengt zoveel geld op dat ze meteen met de kwekerij kunnen beginnen.'

'Da's fijn voor hem, maar…'

Ze onderbrak hem. 'Het is meer werk dan ze met z'n tweeën aan kunnen, zeker als Rob nog de halve tijd naar school moet. Ze gaan ook de kas bouwen. Ze hebben een derde man nodig.'

'En waarom zouden ze daar míj voor vragen? Er lopen genoeg geschikte kandidaten rond.'

'Ik heb het er met Roelof over gehad.' Ze wilde niet echt doen alsof het háár stem was geweest, maar ze wilde zijn dankbaarheid, zijn aandacht. Ze werd niet teleurgesteld.

'Je bedoelt dat je mij hebt aanbevolen?'

Ze trok een bescheiden gezicht, maar Dennis stak zijn hand uit en zei een beetje schor: 'Kom es hier.' Ze schoof achter hem aan op de bedbank en hij drukte haar hand tegen zijn lippen. Ze zag zijn ogen glinsteren. 'Je bent dus echt mijn beschermengel.'

Rebecca bloosde. Dennis trok haar naar zich toe om haar wang te kussen en voordat ze het goed en wel besefte waren haar lippen op de zijne en proefde ze zijn tong. Ze opende haar mond, duizelig van verliefdheid, voelde zijn hand op haar blote rug en de andere die haar

92

beha omhoog duwde en haar borst omvatte. Even leek het alsof hij de kus wilde onderbreken, maar Rebecca hield zijn hoofd met allebei haar handen stevig vast en haar lippen op de zijne. Ze duwde hem achteruit en kroop boven op hem. Ze voelde haar lichaam warm worden, en ongeduldig. Ze liet zijn hoofd los, rukte aan de rits van haar spijkerbroek en begon die omlaag te werken. Haar voeten zaten er nog in gevangen toen ze zijn hand over haar knie voelde gaan en tussen haar benen, naar waar de trapper van haar fiets haar dij had opengehaald. Zijn vingers raakten de hechtingen die er volgende week uit mochten, en toen trok hij zijn hand abrupt terug, alsof hij zich brandde aan de knopen en draadjes. Hij mompelde een vloek en duwde haar van zich af. De rand van de tafel ramde haar ribben toen ze van de bank tuimelde.

Ze krabbelde overeind, een chaos van rode wangen en verwarde haren en omhooggestroopt vest, haar enkels verstrikt in de pijpen van haar jeans. 'Wat?' Ze wist niks anders te zeggen, van teleurstelling en verwarring.

'Dit is verkeerd.' Dennis schoof achter haar aan en bleef op de rand van z'n bedbank zitten. 'Het spijt me.'

Ze bukte zich om haar broek omhoog te sjorren. 'Verkeerd? Wat is er verkeerd?' Ze werd boos en stapte bij hem vandaan, trok haar vest omlaag en plukte aan de stof om haar beha eronder terug op z'n plaats te krijgen.

'Wacht,' zei hij. 'Rebecca!'

Ze bleef staan.

Hij stond op en trok zijn kleren recht. 'Het spijt me,' zei hij weer.

'Mij ook.'

'Dat bedoel ik niet. Ik zou niks liever willen, echt waar...'

'Nou, dat merk ik.' Ze had hier geen ervaring mee, maar ze wist hoe een afwijzing klonk. Toch draalde ze bij de schuifdeur, die hij open had gelaten.

'Wacht nou even,' zei Dennis. 'Ik probeer het uit te leggen. Ik mag niet verliefd op je worden, verdomme. Ik heb me laten gaan, en dat is verkeerd. Ik wil geen misbruik van je maken.'

'Ik ben er ook nog.' Hij is verliefd op me, dacht ze. Dat zei hij. 'Is het omdat ik te jong ben? Ik ben zowat zéventien.'

Dennis schudde zijn hoofd. 'Je begrijpt het niet. Ik ben jullie gast, ik mag hier staan, je ouders zijn aardiger voor me dan ik verdien, en dit is wel de beroerdste manier om ze te bedanken. Het is niet omdat je te jong bent. Je bent...' Hij zweeg en zijn ogen dwaalden over haar lichaam. 'Ik moet m'n hersens gebruiken.'

Ze liep naar hem toe. 'Dennis, alsjeblieft...'

Hij weerde haar af. 'Bedank je vader maar voor me en zeg dat ik weg moest. Zeg maar dat ik een baan heb gevonden, en dat ik daar maandag meteen moet beginnen.'

Ze stond perplex. 'Wég?'

'Ik kan hier niet blijven, met dit tussen jou en mij... Ik kan beter vertrekken, voordat ze ervan horen.'

De wereld draaide om haar heen. 'Dat is onzin,' zei ze. 'Je hebt geen baan, en niemand krijgt iets te horen. Niet van mij.' Ze zocht naar woorden. 'Denk je dat ik geen geheim kan bewaren? Er is niks gebeurd.' Ze fluisterde. 'Niks, oké? Ga alsjeblieft niet weg.'

Ze staarde in zijn verwarrend blauwe ogen en de belofte hing secondenlang als een geheim tussen hen in.

Dennis zakte terug op het bed en zuchtte. 'Nou, oké dan.'

Rebecca was blij dat hij haar niet beledigde door het nog eens te benadrukken. Haar teleurstelling ebde weg. Ze kon hem weer aankijken en verwachtingen hebben, voor later. Hij bleef. 'En je hoeft niet meer naar een baan te zoeken,' zei ze.

Hij glimlachte terug, maar zijn ogen leken niet mee te doen. 'Je bent een engel,' zei hij.

Haar gezicht werd warm. 'Dat zeg je tegen alle meisjes.'

'Nee. Alleen tegen jou.'

Ze wilde niets liever dan hem geloven. Even bleef het stil, en toen zei ze: 'We hebben vanavond iets te vieren. Heb je geen zin om bij ons te eten?'

Zijn ogen veranderden en hij schudde zijn hoofd. 'Het is jullie feest,' zei hij. 'Daar hoor ik niet bij. Bovendien ga ik Klaas helpen met een duivenhok, hij wil postduiven gaan houden. Ik eet bij hem.'

Hij heeft gelijk, dacht ze. Hij heeft ook tijd nodig, net zoals ik. Haar gezicht zou haar verraden als ze vanavond tegenover hem zat. 'Morgen dan,' zei ze.

'Ga nou maar gauw.'

Hij raakte haar niet meer aan, maar Rebecca voelde zich wonderlijk tevreden. Ze kwam met een sprongetje uit de camper, stapte over de omheining en danste door het gras en de junigeuren terug naar huis. *But pure affections bred in spotless brest.* Het sonnet zat in haar hoofd en ze zag haar moeder voor zich, ze was blij dat ze dat weer kon. Haar moeder zou haar begrijpen.

Suzan probeerde haar uit te horen over de reden van het late eten, maar Rebecca hield zich aan haar belofte en zei dat het een verrassing moest blijven. Om halfacht was de tafel gedekt. Een van de vier flessen Zuid-Afrikaanse nepchampagne die Roelof op de bingoavond van de schaakclub had gewonnen, stond klaar in de koelkast. Rebecca had kaarsen neergezet.

Om acht uur liep ze naar de telefoon om haar vader te bellen, maar toen ze de hoorn opnam zag ze Roelofs mobiel naast de telefoon op de afscheiding liggen. Dat gebeurde wel vaker, Roelof was niet zo'n beller.

Om halfnegen zei Suzan dat alles verpieterde en dat ze aan tafel moesten gaan, verrassing of niet. 'Hij zit in de kroeg en is ons vergeten,' zei ze, maar ze stak toch de kaarsen aan.

Rebecca kon moeilijk geloven dat Roelof dit was vergeten. Hij kon hoogstens gedacht hebben dat hij geen haast had, omdat Rob ook pas laat thuis zou komen. De verrassing was tenslotte voornamelijk voor Rob. Maar waarom had hij niet even gebeld?

Ze aten met z'n tweeën. De kaarsen flakkerden tussen hen in en gaven Suzans gezicht een warme gloed. Ze had parfum opgedaan en haar lippen gestift. Buiten begon het donker te worden. Ze moesten dat perceel grond allang bekeken hebben. Ze had moeten vragen waar het precies was.

'Misschien is het uitgelopen en zitten ze ergens een begroting te maken,' zei Rebecca.

'Is het een geldschieter voor de kwekerij?' vroeg Suzan. 'Of een partner? Nee, dat geloof ik nooit.'

'Dat is het niet,' zei Rebecca. Ze keek naar de klok.

Suzan knikte. 'Roelof wil geen andere partner dan Rob, maar hij had allang thuis moeten zijn, of niet?'

Rebecca haalde haar schouders op. 'Misschien heb ik hem niet goed begrepen.'

'Ik zal doen alsof ik totaal verrast ben, oké?' zei Suzan. 'Waar is hij heen?'

'Ik wou dat ik het wist.'

Suzan fronste haar voorhoofd. 'Waarom zitten we hier dan met kaarsen en champagne?'

'Ik weet niet wáár het is,' zei Rebecca. 'Hij is vanmorgen gebeld door een klant.' Ze werd nijdig van het idee dat haar vader ergens in een kroeg zat en de kaarsen en de champagne allang was vergeten. 'Ze zijn een stuk grond gaan bekijken,' zei ze. 'Er wordt een villa gebouwd, en Roelof en Rob moeten er een grote tuin bij aanleggen. Volgens Roelof gaan ze daar zoveel mee verdienen dat ze meteen met de kwekerij kunnen beginnen.'

Suzans ogen werden groter. 'Lieve hemel,' zei ze. 'Dat zou mooi zijn. Wie is die klant?'

'Hij heeft geen naam genoemd, iemand die vakantieprojecten ontwikkelt, en...' Ze zweeg toen ze zich herinnerde dat Roelof had gezegd dat de man vanavond nog naar Amsterdam moest, en morgen naar Buenos Aires.

'En wat?'

'Meer weet ik niet.'

Suzan dacht na. 'Hoe komt die man aan Roelof?'

Rebecca haalde haar schouders op. 'Iemand had hem aanbevolen. Roelof zei dat hij wel wist wie dat was.'

'Dan is het Thijs van Beek.'

'Van Beek wil Roelof vast niet kwijt.' Misschien hoefde de klant pas laat terug naar Amsterdam en zaten ze nu ergens in een café, met de plattegronden.

'Thijs is een goeie man. Hij weet dat Roelof een eigen bedrijf wil beginnen en hij zou hem altijd helpen, ook al raakt hij hem kwijt.' Suzan begon net als Rebecca de klok achter in de woonkamer in de gaten te houden. 'Misschien zit hij in de Hoek,' zei ze. 'Als het ergens bij Leerdam is.'

Of waar dan ook in een restaurant, om het te vieren met een etentje, bedacht Rebecca wrang. En daarna de hort op. Roelof zou zich gemakkelijk laten overhalen, maar waarom belde hij niet even?

Om tien uur bliezen ze de kaarsen uit en ruimden de tafel af. Een bord voor Roelof stond in de magnetron om opgewarmd te worden als hij besloot om thuis te komen. Suzan begon ook kwaad te worden, of deed alsof om haar ongerustheid te overstemmen. Ze belde naar het café in Leerdam, maar Hoekstra, de eigenaar, had Roelof al in geen dagen gezien.

Ze hoorden Lukas blaffen en gingen allebei kijken. Een paar maanden geleden was Roelof 's avonds laat in benevelde toestand met z'n auto in de struiken naast de inrit blijven steken, maar ditmaal vonden ze alleen Lukas, die naar de maan stond te blaffen. Rebecca liep naar het hekje, vanwaar ze de camper kon zien. Er brandde licht. Misschien had Lukas Dennis thuis horen komen. De hond bleef nog altijd blaffen en grommen zodra hij Dennis zag of rook.

Ze wilde naar Dennis, en zou gegaan zijn als Suzan niet op het terras was en achter haar aan zou komen. Suzan zou het er direct mee eens zijn dat ze Dennis werk aanboden, maar ze zou zich gekwetst voelen als ze hoorde dat ze Dennis eerder dan haar over de plannen had verteld. Ze zou ook meteen merken dat er iets tussen haar en Dennis gaande was. Suzan had goeie ogen.

Rebecca liep terug naar het terras.

'Loos alarm,' zei Suzan.

'Misschien moeten we de politie bellen,' zei Rebecca.

'Ik ken Roelof,' zei Suzan. 'Hij zit in een kroeg. Laten we maar naar een film gaan kijken.'

Tegen middernacht stopte Rutgers' oude bestelauto op de dijk en ze zagen Rob uitstappen en naar Rutger zwaaien, die meteen doorreed. Rebecca haastte zich naar de voordeur, zodat hij niet om hoefde te lopen. 'Nog niet naar bed?' vroeg Rob.

Ze bleef in de deur naar het zijhuis staan terwijl hij zijn gitaar wegzette. 'Hoe was het?'

'Trackspeed en wij zaten in het voorprogramma met twee nummers.'

'Heeft Rutger gezongen?'

'Hij vroeg naar je.' Rob grinnikte omdat ze moest blozen, en zei toen: 'Ze hadden ons beter het hoofdprogramma kunnen geven, ook al zijn we maar amateurs. Metal Shift was shit.' Hij snoof. 'Alleen omdat ze een keer op de televisie zijn geweest…' Hij volgde haar naar de woonkamer. 'Waar is vader?'

Rebecca stopte de videotape, midden in de scène waar Commodus zijn vader, de keizer, vermoordde. Ze had *Gladiator* al vier keer gezien en had telkens medelijden met Commodus, die ze op Dennis vond lijken, ook al was die blond en zonder hazenlip; hij had dezelfde diepe droevigheid en die broedende onmacht.

'We zitten op hem te wachten,' zei Suzan. 'Heb je gegeten?'

Rob knikte en nam een pilsje uit de koelkast. De sfeer ontging hem niet. 'Wat is er aan de hand?'

Suzan keek naar Rebecca. 'Zeg jij het maar.'

Rebecca vertelde van de klant en de tuinopdracht waardoor ze dit najaar hun eigen bedrijf konden beginnen. Rob zat het op de bank te verwerken, z'n glas in z'n hand. 'Ik dacht dat het altijd praatjes zouden blijven,' bekende hij met iets schuldigs. 'Ik heb er nooit echt in geloofd, en ik kan het nog nauwelijks geloven.'

Hij keek naar de klok.

Rebecca volgde zijn blik. Haar hart kromp samen toen ze bedacht dat de enige begrijpelijke reden waarom haar vader zo lang in de kroeg zou blijven, was dat hij de opdracht niet had gekregen en dat de hele zaak niet doorging. Dat zou een vreselijke klap voor hem zijn. Hij zou zich nauwelijks durven vertonen.

'Misschien moeten we hem ophalen.' Rob sprak niet uit wat ze allemaal dachten, dat Roelof nu wel ongeveer te dronken zou zijn om te kunnen rijden. 'Wat zei hij nog meer? Hoe kwam die klant bij hem terecht?'

'Ik denk dat Van Beek hem heeft aanbevolen,' zei Suzan.

Rob draaide zich meteen naar de telefoon. Het nummer stond in de klapper die ernaast lag.

'Het is wel laat,' zei Rebecca.

'Hij hoeft er op zondag niet om zeven uur uit.' Rob glimlachte naar de hoorn. 'Dag mevrouw, met Rob Welmoed, is uw man daar?' Hij keek verontschuldigend naar de klok. 'Ja, dat weet ik mevrouw, het spijt me.' Hij dekte de hoorn af en fluisterde: 'Hij is al naar boven, in z'n pyjama.'

Hij drukte de speakerknop in toen Thijs van Beek mopperend aan de telefoon kwam.

'Ik ben op zoek naar m'n vader...' zei Rob.

'Dan moet je niet hier zijn.'

'Nee, hij is naar een klant. Ik weet niet wie dat is, maar u heeft hem misschien bij die man aanbevolen. Kan dat?'

'Niet dat ik weet. Wat is dat voor klant?'

'Het was voor een tuin bij een nieuwe villa,' zei Rob.

'Ik weet van niks en we kunnen zelf ook werk gebruiken. Gaat-ie onder m'n duiven schieten?'

'Hij ging alleen maar praten,' zei Rob ontwijkend. 'Hij had allang thuis moeten zijn.'

'De Blom is zaterdags tot twee uur open,' zei Van Beek. 'Ik zou daar maar es vragen. Welterusten.'

Rob legde neer en keek naar Suzan. 'Was dat jouw idee?'

'Thijs doet nou een beetje sjagrijnig, maar hij heeft er heus geen problemen mee.'

'Misschien dacht hij net als ik dat het altijd bij vage plannen zou blijven.' Rob zocht in het boek en belde de bar in Geldermalsen, maar de laatste keer dat ze Roelof daar hadden gezien, was toen hij woensdag met een collega van de kwekerij een borrel was komen halen.

'Dit heeft geen zin,' zei Rob. 'Die tuin kan net zo goed in Culemborg zijn, of in Tiel.' Hij keek verwijtend naar Rebecca. 'Je had hem minstens kunnen vragen waar ze hadden afgesproken.'

'Achteraf weten we altijd precies wat we hadden moeten doen,' zei Rebecca gepikeerd.

Suzan stond op. 'Laten we geen ruzie...'

Blauw licht flitste door de ramen en Suzan bleef stokstijf staan. Een donkere politiebus stopte voor de voordeur.

'Shit,' zei Rob. 'Ze brengen hem dronken thuis. Ik ga wel.'

Hij haastte zich door de kamer. Ze hoorden portieren. De klopper hamerde op de voordeur. Rebecca drukte haar gezicht tegen het glas. Het buitenlicht ging aan en ze zag uniformen, geen Roelof. Ze volgde Suzan, haar benen plotseling zo zwaar als lood.

Er was een oudere agent, en de agente die op haar kamer was geweest, Ria Hamel. 'Ben jij de zoon?' vroeg ze, en ze zag Suzan achter hem in de gang. 'Dag mevrouw.'

'Ik heb slecht nieuws,' zei de oudere agent.

Suzan verbleekte. 'Waar is hij?' vroeg ze.

'Mogen we binnenkomen?'

Hij slaapt z'n roes uit in de cel. Ergens tegenaan gereden, een beetje gewond geraakt. Hij zit achterin, help hem even met uitstappen. Maar dan hoefden ze niet binnen te komen. Rebecca had haar adem te lang ingehouden en liet hem ontsnappen. Ze hapte naar zuurstof. De kamer stroomde vol mensen.

'Ga maar even zitten, mevrouw,' zei de oudere agent.

'Nee,' zei Suzan. Haar stem beefde. Rob stond er grauw bij. 'Waar is mijn man?' vroeg ze.

'Hij is dood,' zei de agent. 'Het spijt me...'

Suzan maakte een geluid als van een gewond dier en vluchtte de kamer uit. De agente haastte zich achter haar aan. Rebecca voelde de vloer onder haar voeten golven, als bij een aardbeving. Rob ving haar op. Ze viel op haar buik op de bank, graaide naar een kussen en trok het over haar hoofd. *Dood.* Rob zakte op zijn knieën voor de bank en begroef zijn gezicht in Rebecca's rug. Ze kon zich niet bewegen. Suzan huilde in de bijkeuken. De sussende stem van de agente.

De agent was midden in de kamer blijven staan. Rob richtte zijn hoofd op. Zijn stem klonk raar. 'Wat is er gebeurd?'

De agent knikte naar Rebecca en gebaarde met zijn hoofd. 'Kom even mee.'

Rob hield zijn zuster vast. 'Ik kan haar niet alleen laten.'

'Je moet flink zijn,' zei de agent vaderlijk. Hij was oud genoeg om een zoon als Rob te hebben. 'Je bent hier de enige man.' Hij zag dat Rob hem niet zou volgen en de koppel van zijn uniform kraakte toen hij op de lage tafel tegenover de bank ging zitten. 'Kun je dit aan?'

'Nee,' zei Rob.

Zijn ogen bleven droog. Hij voelde geen enkele aandrang om te huilen. Dit was te groot, oneindig veel groter dan de andere soorten van teleurstelling of verdriet die hem zo gemakkelijk in tranen brachten. De enige man. Hij dacht aan zijn vader en beet op zijn lippen. Zijn vader verwachtte dat hij volwassen werd, in één klap.

De agent hield Rob in de gaten, hij wist dat de schijn van zelfbeheersing maar zo kon omslaan in hysterie. 'Hij is onder de trein gekomen,' zei hij zacht.

'De trein?' Rob keek wezenloos naar de agent. 'Dat kan niet.'

'Tussen Culemborg en Geldermalsen. Weten jullie wat hij daar deed?'

Rob begon zijn hoofd te schudden. Rebecca tilde een punt van het kussen op en stamelde: 'Die tuin was bij het spoor.'

'Een tuin?' vroeg de agent.

'Hij zou een klant ontmoeten,' zei Rob. 'Om een tuin te ontwerpen op een stuk grond waar een villa moet komen. Het was een grote opdracht.'

De agent zweeg een tijdje. Ze hoorden geen geluid meer uit de bijkeuken, misschien waren Suzan en de agente naar de deel gegaan. Het buitenlicht brandde nog. De politiewagen glom op de dijk.

'Wie was die klant?'

'Dat weten we niet.' Rob beet op zijn lippen. Hij zag Rebecca's knokkels wit worden op het kussen.

'Hoe laat was die afspraak?'

'Om zes of zeven uur, dat weten we niet precies.'

'En ook niet wáár?'

Rob schudde zijn hoofd.

'Daar schieten we weinig mee op.'

'Het was...' Rob voelde een brok in zijn keel. Hij slikte en fluisterde: 'Mijn vader wou ons ermee verrassen. Hij wilde altijd al samen met mij een eigen kwekerij beginnen, en die opdracht was precies wat we ervoor nodig hadden.'

De agent klopte Rob op de knie. Hij was opgelucht dat de jongen zich goed hield, maar de tweede schok zou nog komen. 'Dat moet dan ergens anders geweest zijn,' zei hij. 'Het terrein waar het gebeurd is hoort bij een huis aan de Parallelweg, het is niet te koop en er wordt in die buurt geen villa gebouwd, anders hadden we dat wel gehoord van de mensen die daar wonen.'

'Hoe kan hij daar dan verongelukt zijn?' vroeg Rob.

De agent aarzelde. 'Het was geen ongeluk,' zei hij toen.

Rob staarde hem aan. 'Wat dan?'

'We denken dat hij voor de trein is gaan liggen.'

Rebecca gooide het kussen van zich af. Haar gezicht was rood en nat van tranen. 'Dat zou hij nooit doen.'

Rob sloeg zijn armen om haar heen en hield haar met kracht tegen zich aan.

'Misschien had hij problemen,' zei de agent. Kinderen wisten niet altijd van de problemen van hun ouders.

'Mijn vader had geen problemen,' zei Rob koppig. 'Hij had plánnen...'

'We hadden champagne klaarstaan,' stamelde Rebecca.

Rob legde zijn hand op haar gezicht en keek in de ogen van de agent. Hij wist plotseling wat de man dacht, omdat hij dat zelf ook dacht. *Wat als de plannen weer eens op niks uitliepen omdat de opdracht niet was doorgegaan? Hoe wanhopig zou hij zijn?*

De agent zuchtte. 'Het was de trein van even na achten uit Utrecht. De machinist zag hem op de rails liggen, hij kon niet meer stoppen.' De agent was er niet bij geweest, maar hij wist wel ongeveer wat er overbleef van een menselijk lichaam dat door een remmende trein uit elkaar werd gerukt en in stukken en flarden aan de assen kleefde en langs de baan werd verspreid. 'Ze konden geen papieren vinden,' zei hij.

Rob voelde een wilde golf van hoop. 'Het kan dus iemand anders zijn?'

'Wat had hij voor kleren aan?'

'Z'n groene ribfluwelen jasje,' fluisterde Rebecca.

De agent knikte en maakte een veelzeggend gebaar. 'Ze vonden een auto, verderop in de berm. Niemand wist van wie die was, ze zijn het kenteken nagegaan en hebben hem toen opengebroken. De papieren zaten erin, op naam van je vader. De politie van Culemborg heeft ons gebeld om jullie in te lichten. Meer weet ik er niet van. Dit zijn verschrikkelijke dingen. Het spijt me heel erg voor jullie.'

Ze bleven verstomd zitten.

'Suzan,' fluisterde Rebecca toen.

De politieman stond op om hen door te laten. Rob pakte Rebecca's hand en ze liepen door de verlaten bijkeuken en over de verlichte deel. Ze zaten op het terras. De agente nam haar hand van Suzans schouder toen ze de deur hoorde. Maanlicht flonkerde in de glazen van haar bril. Suzan kwam uit haar stoel en sloeg haar armen om hen heen. Ze hielden elkaar zwijgend omklemd, de geest van Roelof tussen hen in.

8

Ze volgden de begrafenisauto over de provinciale weg van Gelder-malsen naar Rumpt. De zon fonkelde op de zilveren knoppen. Een lange stoet auto's kroop achter hen aan. Dennis reed, Rob zat naast hem, Suzan en Rebecca achterin. Niemand zei iets. Suzan dacht aan de kist, die gesloten was gebleven. Ze probeerde niet te denken aan waarom dat was. Ze hield Rebecca's hand vast.

Er wachtten veel mensen bij de open hekken en de Middenstraat kwam vol auto's te staan. Al z'n collega's waren er, buren van vroe-ger en buren van nu, de halve schaakclub. Vier mannen in donker pak zetten de kist op een wagentje en reden hem het kerkhof op. Men-sen verspreidden zich op de zijpaden en tussen de zerken om hem door te laten. Ze hadden Suzan gevraagd wat ze wilde, een bijeen-komst in de aula, toespraken of geen toespraken, muziek of stilte, advertenties, kransen, bloemen.

Het enige wat ze wilde was hier doorheen komen zonder in te stor-ten. Ze dacht aan hoe het was geweest en hoe hij had beloofd dat het altijd zou blijven. Haar moeder huilde de hele tijd. O kind, zei ze. Hoe moet het nu verder? Dat wist ze niet. Haar grootste pijn was voor Rob en Rebecca.

De grafwal lag vol bloemen toen de kist boven het gat werd gezet, en er werden nog meer bloemen en kransen aangedragen. Roelofs fa-milie stond op een kluitje aan de andere kant, met Emma's onge-trouwde zuster Thea tussen hen in. Hij werd naast Emma begraven. Hij had zielsveel van Emma gehouden. En daarna van haar. Ze vroeg zich af of ze ooit aan zijn andere kant terecht zou komen en of dat raar zou zijn, een man tussen zijn twee vrouwen. Ze had een kind van hem willen hebben.

Ze keek naar Rob en Rebecca. De storm van emoties van direct erna, die smartelijke chaos van ongeloof, onbegrip, woede en schuld leek te zijn uitgewoed, nu zag ze alleen nog twee stille weeskinderen, die elkaars hand vasthielden boven het graf. Ze wist niet wat erger was en kreeg tranen in haar ogen.

Dennis kwam naast haar. 'Gaat het?'

Suzan knikte. Ze zou niet weten hoe ze dit zonder Dennis had moeten klaarspelen. Rob deed zijn best, maar het was voornamelijk Dennis, die haar overeind had gehouden en geduldig met haar had overlegd, over de advertenties en de verzekering en de honderd andere dingen die moesten gebeuren. Hij had mensen gebeld, was met haar meegegaan naar de begrafenisondernemer en had samen met haar zuster Els de details ervoor en erna geregeld. Hij had zelfs de boodschappen voor hen gedaan, ook al sloeg hij elke uitnodiging om bij hen te eten af, hij drong zich nooit op.

'Dank je wel,' zei Suzan.

Dennis glimlachte terug. 'Ik wou dat ik meer kon doen.'

Huis en erf stroomden vol mensen. Suzan stond een halfuur lang tussen Rob en Rebecca op het terras voor de traditionele condoleances en mensen schreven hun naam in het register dat op een tafeltje lag. Buurvrouwen smeerden broodjes en schonken koffie uit grote kannen op schraagtafels op de schoongeveegde deel. Iedereen had verdriet, wenste hun sterkte en bood hulp aan, voor nu, voor later. De zomer kwam eraan, koel zonlicht hing boven de boomgaarden, waar nog late appels bloeiden.

Mensen stapten opzij toen Suzan over de deel kwam. Thijs van Beek hield haar staande. 'Ik ga zo weg,' zei hij. 'Hoor even.' Hij nam haar arm en bracht haar bij de tafels vandaan, tot voor de wastafel naast de bijkeukendeur. 'Ben je nog te weten gekomen wie die klant was?' vroeg hij.

'Nee.' Haar gezicht was oud en moe in de spiegel, daar hielp geen make-up aan.

'Wat denkt de politie?'

'Dat heb je in de krant kunnen lezen.'

'Ik kan het niet geloven,' zei hij. 'Dat-ie dat zou doen.'

'Dan ben je niet de enige.'

'Hij was een goeie man.'

Het grafschrift waarover iedereen het eens was.

'Ik zou hem altijd hebben geholpen, dat wist-ie. Het is een waardeloos verhaal.' Dat zei Thijs altijd als hij het ergens niet mee eens was. 'Hoe sta je d'r voor?'

'Hoe denk je?' Ze begreep hem niet.

'Rob kan altijd bij ons terecht,' zei hij. 'Zeg hem dat maar. Ik weet niet wat je voor pensioen of uitkering krijgt, maar dat duurt meestal even. Ik betaal Roelof z'n salaris een paar maanden door. Veel meer kan ik niet doen.'

'Dank je wel,' zei ze.

Suzan keek hem na. Ze veegde door haar kapsel en ging via de bijkeuken het voorhuis in.

Het grote vertrek was somber en rook naar de sigaar van de oude Joop. Suzan werd droevig toen ze zag dat de families weer in gescheiden groepen bij elkaar hokten, als vijandige stammen op verkeerde bruiloften, net zoals ze op háár bruiloft hadden gedaan. Suzans oudere zuster Els zat met haar man en haar moeder in de woonhelft. Haar schoonvader had zich in Roelofs armstoel aan het hoofd van de grote tafel aan de keukenkant geïnstalleerd, omringd door zijn oudste zoon Dirk, diens vrouw Lilian, hun zoon Erik, en Emma's zuster Thea. Ze dronken koffie en Dennis ging rond met broodjes.

Dennis glimlachte toen hij Suzan zag. 'Zal ik de luiken maar open doen?' vroeg hij. 'Dat kan nu misschien wel weer?'

'Alsjeblieft,' zei Suzan.

Dennis zette direct zijn blad op de tafel en verdween via de gang en de voordeur naar buiten. Even later piepte het eerste luik open en kwam het daglicht binnen. Dirk schakelde de keukenlamp uit en volgde de bewegingen van Dennis langs de ramen.

'Wie is die jongen eigenlijk?' vroeg hij.

'Niet nou, Dirk,' zei Roelofs vader, die het verhaal van Rebecca's aanranding had gehoord. 'Ze hebben al genoeg te stellen.'

Dirk ging weer zitten. 'Ik dacht alleen maar dat hij het hier aardig voor mekaar heeft,' zei hij. 'Ik zie hem de hele dag in de weer, alsof ie de heer des huizes is.'

'Het gaat ons niet aan,' zei zijn vrouw zuinig.

Suzan keek ongelovig naar haar zwager. 'Dennis staat met zijn camper bij ons tot hij werk vindt. Hij doet zijn best om ons door een moeilijke tijd te helpen.' Ze zag haar zuster tussen de planten op de afscheiding door bemoedigend naar haar kijken en glimlachte terug.

'Je had ons ook kunnen vragen om te helpen,' zei Lilian.

'Ja,' zei Suzan. 'Dat weet ik, dank je wel. Maar de kinderen en ik moeten onszelf zien te redden.' Ze wist maar al te goed dat ze voor de makelaar uit Tiel en zijn vrouw alleen maar een stiefmoeder was, en dat ze haar nauwelijks als familie beschouwden.

'Had Roelof eigenlijk een levensverzekering?' vroeg Lilian.

'Daar zal ze weinig aan hebben,' zei Dirk. 'Die betalen niet uit in geval van zelfmoord.'

Even was het stil.

Ze nemen het hem kwalijk, besefte Suzan. Haar lip trilde. Ze zag haar zuster en haar moeder in het andere kamp opstaan en naar haar toe komen.

Roelofs vader klopte zijn oude knokkels op de tafel. 'Ik hoor een boel vervelend gepraat.' Hij glimlachte naar Suzan. 'Luister er maar niet naar.'

Ze glimlachte zwakjes terug. Joop Welmoed was een lieve, oude man. Ze zocht hem soms op in het bejaardenhuis in Geldermalsen en ze wandelden samen naar de markt, hij wilde altijd dingen voor haar betalen en haar op koffie trakteren. Hij was de enige die zich nooit iets aantrok van de praatjes, maar hij was ook iemand die gemakkelijk zijn kop in het zand stak, net zoals Roelof.

'Zeg ik iets verkeerds?' Dirk keek gemelijk naar zijn vrouw. 'Zaken zijn zaken, ze zal de hypotheek toch moeten betalen. Misschien moet ze kleiner gaan wonen. Ik kan het huis in de verkoop nemen, de markt is goed, we kunnen er goed aan overhouden.'

'Het huis is niet te koop,' zei Suzan. 'En we zullen heus niet bij jullie om steun aankloppen.'

'Misschien kan je vader bij ze in gaan wonen,' zei Lilian tegen haar man. 'Dat scheelt al een boel geld.'

Suzan staarde naar haar schoonvader. Waarom maakte hij hier geen eind aan? De oude man vermeed haar blik en kwam uit zijn stoel. 'Ik hoef niet te verhuizen,' zei hij. 'En van zaken heb ik geen verstand. Ik ga maar es naar Rebecca's schaapjes kijken.'

De bijkeukendeur ging open en Dennis vroeg: 'Kan ik nog iets doen?'

'Je kan ons alleen laten, jongeman,' zei Dirk. 'Dit zijn familiezaken.'

'Pardon.' Dennis trok een overdreven gezicht. 'Ik ben al weg.' Hij liet Roelofs vader passeren en sloot de deur achter hen.

'Ga jij ook maar, Erik,' zei Dirk. 'Praat een beetje met je neef en je nicht. Je ziet ze zowat nooit, dat zal wel veranderen.'

De jongen schoof zichtbaar opgelucht van de houten bank en glipte achter Suzan langs de keuken uit. Suzan zou hem het liefst willen volgen, maar ze bleef staan toen ze de hand van haar zuster op haar schouder voelde.

Els was een vechter, meer dan zij. Ze had haar jongere zusje altijd beschermd en verdedigd. 'Waarom praten jullie over mijn zuster alsof ze er niet bij is?' vroeg ze kwaad. 'En wie zijn die "we" die er iets aan overhouden als Suzan zou besluiten om het huis te verkopen?'

'Niet dat het je aangaat,' zei Dirk, 'maar ik bedoel de kinderen van mijn broer. Het is hun huis, en zolang ze minderjarig zijn...'

'Hun vader is net begraven,' zei Suzan bitter. 'Mijn man,' voegde ze eraan toe. Ze voelde de koude ogen van Thea, de ongetrouwde wijkverpleegster, die haar altijd te min had gevonden om de plaats van haar zuster in te nemen. Ze vroeg zich af waarom het mens naar de begrafenis was gekomen. Het enige levensteken dat haar neef en nicht eens per jaar van hun tante kregen, was zo'n voorgekookte verjaardagskaart, zonder ooit zelfs maar 'de groeten aan Suzan' erbij.

'Laat mij maar.' Els knikte naar haar moeder.

Haar moeder pakte Suzans hand. 'Kom mee, kind.' Ze keek onthutst naar Dirk en Lilian. 'Het lijkt wel of jullie geen verstand hebben.'

Ze nam Suzan mee, door de woonkamer, naar de gang en het zijhuis. De man van Els wisselde een blik met zijn echtgenote en volgde de twee vrouwen.

Els bleef alleen achter, tegenover het vijandige kamp. 'Ziezo,' zei ze. 'Dat hebben jullie leuk voor elkaar. Wat is de bedoeling?'

Dirk haalde zijn schouders op. 'We zullen toch een keer met haar over de toekomst moeten praten, en ik heb niet elke dag tijd om hierheen te komen.'

'Waarom zou ze met jullie moeten praten?'

'Over de kinderen en het huis.'

Els onderdrukte haar woede. 'Je vergeet misschien dat Suzan en Roelof in gemeenschap van goederen zijn getrouwd.'

'Wat dan nog?'

'En dat zij hun wettige voogd is?'

'Hebben jullie dat bekokstoofd met die notaris in Culemborg waar jij toevallig werkt?'

'Nee, voor die dingen moet je naar de rechter, en dat heeft Roelof gedaan. Ik begrijp nu waarom hij zijn broer heeft overgeslagen. Suzan en de kinderen zijn de eigenaars en zij bepalen wat er gebeurt. Ik wil je wel uitleggen hoe dat zit, maar broers en schoonzusters komen er in geen geval aan te pas.'

'Tenzij de voogdij wordt veranderd,' merkte Thea op.

Els staarde verbijsterd naar haar. 'Ik vraag me af wat jouw zuster van zo'n opmerking zou zeggen.'

'Ik denk dat ik dat beter kan beoordelen dan jij.'

Els hield zich in, keerde Thea demonstratief de rug toe en wendde zich naar Dirk. 'Ik weet niet wat jullie plannetjes zijn, maar Suzan is al zowat vier jaar hun moeder,' zei ze. 'Als ze de voogdij nog niet had, dan zou ze die zo krijgen. Je hoeft kinderen maar één jaar te hebben verzorgd en opgevoed om als eerste in aanmerking te komen.'

'Op voorwaarde dat de rechter haar geschikt vindt,' zei Dirk. 'Dat vergeet je erbij te zeggen.'

De keuken leek plotseling kouder. Els raakte van slag, omdat ze het nauwelijks kon geloven. 'Wat jíj vergeet is te vragen wat Rob en Rebecca willen,' zei ze ten slotte.

'Dat verandert wel als ze onder haar invloed uit zijn,' zei Thea. 'Als ik jou was zou ik je zuster aanraden om zich te schikken in het onvermijdelijke.'

Els had zin om die keel met die parels te grijpen. 'Het enige onvermijdelijke is dat jullie de rechtszaal worden uitgelachen.'

Thea werd rood. 'Wacht maar tot ze onze getui…'

'Stil, Thea,' zei Dirk snel. 'Ze merken het wel.'

Els bleef een volle seconde met stomheid geslagen. Ze wist dat ze zich moest beheersen. 'Ik denk dat jullie beter kunnen vertrekken,' zei ze toen. 'Dit is een huis van verdriet, aasgieren en roddelaars zijn hier niet welkom.'

Op de deel waren ze bezig met het opruimen van de resten en het verzamelen van kopjes en servies. De meeste mensen waren al weg. Dennis vroeg of de zaken in de keuken waren afgehandeld, dan konden ze de afwasmachine gebruiken. Els knikte en liep door. Buiten klonk muziek.

Els zag haar moeder en Suzan op tuinstoelen onder de pruimen, maar ze was te overstuur om er meteen heen te gaan en liep over de inrit naar de carport, waar een paar leden van Robs band muziek maakten. Haar dochter Tanya was erbij, en ze zag Rebecca's blonde vriendin, Atie. Rebecca zat met gesloten ogen naast haar grootvader op een tuinbank, ze hielden elkaars hand vast. Erik, de zoon van Dirk was er ook. Het viel haar in dat er geen groter verschil denkbaar was dan tussen de zwaarlijvige en eeuwig ontevreden Dirk en diens twintigjarige zoon, die haar met zijn kaarsrechte gestalte en opvallend lange, vrouwelijke wimpers aan een romanfiguur herinnerde, Le Grand Meaulnes van Alain Fournier misschien.

Els had geen idee of de neven en nichten behalve familie ook vrienden waren, maar ze zag Rob naar Erik glimlachen en dat gaf haar een goed gevoel. Misschien zou de nieuwe generatie het beter doen. De zanger was een zigeunerachtig type met lang, gitzwart haar. Hij had een nogal ongepolijste countrystem en zong een melancholieke versie van een nummer dat ze op de radio had gehoord, 'Someday'. De drummer en de bassist waren niet op de begrafenis gekomen, zodat ze alleen de gitaren hadden van Rob en een jonge Surinamer, die de solo's voor de saxofoon improviseerde.

Els bleef staan. Er was iets in het tafereel dat haar fascineerde, niet zozeer de muziek, besefte ze, maar vooral de wonderlijke sfeer van vriendschap die over het groepje hing. Haar woede over het gedoe in de keuken zakte weg. Deze jonge mensen stoorden zich niet aan het geïntrigeer van ooms en tantes of aan familievetes, ze communiceerden op een andere golflengte en hielpen elkaar verdriet te verwerken en evenwicht terug te vinden zonder er woorden bij nodig te hebben.

Els wachtte tot het nummer uit was. Toen liep ze over het gras naar de tuinstoelen en gaf Suzan een vrolijke knipoog. 'Laat de makelaar uit Tiel en die verdorde Thea maar doodvallen. Volgens mij hoef je je geen zorgen te maken over Rob en Rebecca.'

Suzan zuchtte. 'Makkelijk gezegd,' zei ze. 'Misschien had ik ze erbij moeten halen.'

Els schudde haar hoofd.

Hun moeder zei: 'Is dat eigenlijk wel zoals het hoort, van die muziek maken op een begrafenis?'

'Moeder, dat is prima,' zei Els. Ze dacht aan het Jiddische gezegde dat een bruiloft hetzelfde was als een begrafenis, maar dan met muziek erbij. Ze grinnikte zachtjes. Bij de carport begon de zanger een nieuw nummer, 'It's a Heartache', en nu wist ze aan wie zijn stem haar deed denken: Bonnie Tyler na haar keeloperatie.

'Soms zijn ze volwassener dan wij,' zei Suzan. 'Dirk is te dom om dat te begrijpen.'

'Die man denkt alleen aan zichzelf,' zei hun moeder. 'Het is een raadsel dat twee broers zo verschillend kunnen zijn. Roelof was een door en door goed mens.' Ze keek naar haar dochter en kreeg weer tranen in haar ogen. 'Ik heb nog nachtmerries over waar je zou zijn als Onze-Lieve-Heer hem niet op je weg had gestuurd.'

Suzan legde haar hand op de hare. 'Moeder, dat weet ik maar al te goed.'

Ze zwegen, terwijl ze alle drie aan hetzelfde dachten. Toen vroeg Els: 'Heb je ooit nog contact met die man?'

Suzan beet op haar lippen. 'Nee,' zei ze kortaf. 'Ik heb niks meer met hem te maken.'

'Laten we dat zo houden,' zei haar zuster.

Ze luisterden naar de muziek. Els nam Suzans hand in de hare. 'Is er iets dat ik voor je kan doen?'

'De klok terugdraaien.' Suzan glimlachte wrang. 'Maar niet te ver.'

Dirk en Lilian liepen haastig met Thea over de oprit naar de Achterweg, waar de auto's stonden. Ze keken niet eenmaal naar de vrouwen onder de pruimen. Dirk bleef ter hoogte van de carport staan en riep luid naar zijn vader dat ze gingen vertrekken. De muziek viel stil.

De oude Joop kwam met tegenzin van zijn bank. 'Ik mag niet roken in de auto van je oom.' Hij trapte zijn sigaar uit in het gras. 'Hou je maar goed, meisje,' zei hij. 'En kom me gauw opzoeken.'

Rebecca kuste hem op de wangen. 'Van de week.' Ze hield zijn hand vast en liep een eindje met hem mee. Hij stak zijn duim op naar Rob, die een hand van zijn gitaar nam om naar zijn oom en tantes te wuiven.

'Kom mee, Erik,' riep Dirk ongeduldig.

Rebecca bleef bij het hek staan. Ze voelde de gespannen sfeer.

'Moeten jullie Suzan niet gedag zeggen?' vroeg ze. 'Ze zit daar.'

Lilian glimlachte stroef en zei: 'Het komt allemaal wel goed.'

Dirk gaf haar een schouderklopje. 'Je hoort binnenkort van ons.'

Thea gaf haar alleen een knikje. Toen verdwenen ze naar de auto's.

Suzan zat in de hoge stoel voor het raam, waar Roelof dikwijls de krant las omdat hij er goed licht had. De laatste tijd had ze hem zien knipperen en in zijn ogen wrijven. Ze had al een paar keer tegen hem gezegd dat hij naar de oogarts moest omdat hij een leesbril nodig had. Buiten was het donker geworden. Ze had de gordijnen opengelaten, ze had behoefte aan die illusie van ruimte al was hij donker, met alleen een vage gloed waar de maan opkwam. Ze had pijn in haar hoofd van het denken.

Ze hadden de begrafenis overleefd, iedereen was weg, ze waren met z'n drieën. Zo was hun gezin, meer zouden er niet zijn. Ze hadden het avondeten overgeslagen, na alle broodjes en hapjes waar de koelkast nog vol mee stond.

Suzan kon niet ophouden aan Roelof te denken, ze probeerde het te begrijpen. 'Wat *dacht* hij nou?' vroeg ze. 'Wat kan hij *in godsnaam* hebben gedacht? Dat we beter af waren zonder hem?'

'Natuurlijk niet.' Rob zat aan het schaaktafeltje en vingerde aan de stukken. Elke dag zouden ze aan dingen beginnen waarbij een partner nodig was en ophouden ze te doen, omdat de partner ontbrak.

Suzan aarzelde. Dit waren zijn kinderen. Ze kon zelf nauwelijks iets negatiefs over Roelof verdragen, niet nu. 'Hij kon van die buien hebben,' zei ze. 'Dat hij zichzelf niet goed genoeg vond, omdat er nooit iets terecht kwam van zijn plannen.' Ze bedacht dat hij zelfs de boerderij nooit gekocht zou hebben als zij hem niet had aangespoord en gestimuleerd, omdat hij terugschrok voor de hypotheek.

'Dat is waar,' zei Rebecca.

'Misschien was hij te gretig, te gespannen. Hij kon zenuwachtig worden als er veel van afhing, en niet uit zijn woorden komen en in de war raken, net zoals jij, Rob.'

'Niet als het over tuinen ging,' zei Rob stroef.

'Wat als die klant hem heeft uitgelachen?' Suzan omklemde een vuist met de andere en bonkte ze op haar schoot. 'Die man doet internationale bouwprojecten en daar komt Roelof aan met z'n schoolschrift.'

'Wat een onzin,' zei Rob.

'Ze mag zeggen wat ze wil,' zei Rebecca. 'Misschien heeft ze gelijk.'

Suzan glimlachte vermoeid naar haar. 'Ik probeer een verklaring te vinden. De enige die ik kan bedenken, is dat ze het niet eens zijn geworden, dat het project is afgeketst en dat hij ons niet onder ogen durfde te komen. Ik kan het niet geloven.'

'Je moet naar bed,' zei Rebecca. 'Je bent moe. We zijn allemaal moe. We kunnen niet goed denken.' Haar hoofd voelde als een baal katoen. Het glas rode port waarmee ze bij de dode haard zat, hielp geen steek.

Suzan verroerde zich niet. 'Er is nog iets anders,' zei ze. 'Ik denk niet dat ik een oog dicht kan doen voordat ik er met jullie over heb gepraat. Het gaat over je oom Dirk. Heeft hij iets tegen jullie gezegd over het huis?'

Rebecca keek verbaasd op. 'Wat zou hij over ons huis moeten zeggen?'

'Hij vindt dat we het moeten verkopen.'

'Wat een onzin,' zei Rob weer. 'Waar bemoeit die man zich mee?'

Rebecca keek in haar glas. 'Misschien is hij bang dat we de hypotheek niet kunnen betalen,' zei ze. 'En dat hij ervoor moet opdraaien?'

'Heeft hij dat gezegd?' vroeg Rob.

'Nee,' zei Rebecca. 'Maar dat kan ik wel raden.'

'Ik hoef alleen maar te weten wat jullie willen,' zei Suzan. 'Je moet het eerlijk zeggen, je hoeft mij niet te ontzien.'

'Bedoel je of we het huis willen verkopen?' vroeg Rebecca.

'Nee. Ja, dat ook, maar er is meer.' Suzan keek naar de nacht. 'Els heeft me uitgelegd hoe het wettelijk zit met de percentages, het komt erop neer dat wij met z'n drieën eigenaar zijn van het huis, maar het grootste deel is van jullie. Zolang ik jullie voogd ben is er niks aan de hand, als wij het eens zijn tenminste, maar Dirk gaat misschien proberen om mij de voogdij af te nemen. Als hij voogd is, kan hij bepalen dat het huis verkocht moet worden.'

Ze keken haar allebei verbluft aan. 'Dirk onze voogd?' vroeg Rebecca ten slotte. 'En wij bij hem en Lilian wonen? Ik moet er niet aan denken.'

'Wat een flauwekul,' zei Rob. 'En jij dan?'

'Ik sta dan overal buiten.'

'Die man is krankzinnig,' zei Rebecca. 'We houden het huis en we blijven bij jou, jij bent onze moeder. Dat zou mijn vader willen.'

Suzan voelde een brok in haar keel. 'Dat denk ik ook,' zei ze.

'Ik begrijp het niet,' zei Rob. 'Waarom zouden ze jou de voogdij afnemen?'

Ze probeerde niet te gaan huilen. 'Hij zal misschien proberen om mij ongeschikt te laten verklaren.'

Rob gaf een verontwaardigd geluid. 'Dat zullen ze dan toch eerst aan ons moeten vragen,' zei hij, en hij keek naar zijn zuster. 'Dat is toch zo? Ik ben trouwens zowat achttien.'

'Daarom zal hij het misschien zo snel mogelijk willen doen,' zei Suzan. Ze was blij dat ze niet hoefden te praten over de redenen die Dirk voor haar ongeschiktheid wilde aanvoeren. Als er een rechtszaak kwam, zou haar gezin zich te verdedigen krijgen tegen een circus van laster en roddel en verdraaide flarden van de waarheid. Ze huiverde. 'Ik ga in elk geval een baan zoeken,' zei ze.

'Ik kan ook gaan werken,' zei Rob.

'Ik wil dat je je school afmaakt.'

'Van Beek neemt me wel voor vier dagen in de week.'

Rebecca keek naar haar broer. 'Wat Suzan wil horen, is of we achter haar staan met die voogdij,' zei ze.

'Ik denk daar net zo over als jij,' zei Rob.

Rebecca glimlachte naar hem. Haar vader zou willen dat ze doorgingen met hun leven en dat ze hun huis en elkaar zouden verdedigen, alles wat ze nog hadden. Misschien hielp het om verdriet te vergeten, als je iets omhanden had, een gevecht. Ze dacht, ridicuul, aan de Musketiers en giechelde hulpeloos. 'Door dik en dun met z'n drieën,' zei ze.

'Dank je,' zei Suzan. 'Dank jullie allebei.'

Ze hadden besloten om alles op te ruimen voordat ze naar bed gingen, alsof ze de begrafenis achter de rug wilden hebben en de sporen uitgewist. Ze waren de vaatwasser aan het uitladen toen ze de klopper op de voordeur hoorden. Ze keken naar de klok. Rob was op de deel om de schraagtafels op te bergen.

'Laat mij maar,' zei Rebecca. 'Jij hebt genoeg gehad voor vandaag.' Ze liep naar de gang, ontstak het buitenlicht, opende de voordeur en deed een onwillekeurige stap achteruit.

'Hallo,' zei Elena. 'Het spijt me dat ik zo laat ben, ik kon vanmorgen onmogelijk komen.'

Rebecca staarde haar aan.

'Is Rob er?' vroeg Elena.

Ze zag er cool uit onder de buitenlamp, in leren rok en fluwelen jack met een groen truitje eronder, maar haar gezicht stond strak van de zenuwen. 'Het spijt me van je vader,' zei ze, toen Rebecca bleef zwijgen. 'Ik weet wel dat je daar weinig aan hebt, maar hij was erg aardig voor mij. Hij leek me niet het type...' Ze zweeg.

'Voor zelfmoord?' vroeg Rebecca.

'Zo heet dat niet meer,' zei Elena, met haar journalistieke precisie. 'Moord veronderstelt onvrijwilligheid, kwade wil. Kun je een misdaad tegen jezelf begaan?'

'Ik denk het wel,' zei Rebecca, nog steeds perplex.

Elena knikte. 'Ja, ik eigenlijk ook. Maar het heet nu zelfdoding.'

'Dank je voor de informatie.'

Elena beet op haar lippen, met iets van wroeging. 'Ik snap dat je een hekel aan me hebt. We zijn verkeerd begonnen, dat spijt me.'

'Waarom ben je hier?'

'Voor Rob.'

'Hij heeft niks aan medelijden.'

Ze zag woede in Elena's ogen, heel even. 'Dat is een cliché,' zei ze. 'Iedereen heeft soms behoefte aan medelijden, denk maar aan wat het woord betekent. Je weet niks van Rob en mij. Denk je dat ik hierheen kom om me te vermaken met jullie verdriet?'

Rebecca zag dat Elena het meende. Ze was altijd te gauw met oordelen, ze had gelezen dat ze daar eigenlijk niks aan kon doen, omdat ze een tienerbrein had waarin sommige delen langzamer groeiden dan andere. 'Het spijt me,' zei ze. 'Ik ben in de war.'

Elena glimlachte verzoenend. 'Ik ook. Mag ik binnenkomen?'

'Ja, sorry.' Rebecca stapte opzij.

Suzan deed het veel beter. Ze begon te stralen, nam Elena in haar armen en kuste haar op de wangen. 'Wat lief dat je bent gekomen.'

'Het spijt me zo van uw man,' zei Elena.

'Ja,' zei Suzan. 'Zeg maar niks. Heeft iemand je gebracht?'

'Er stond een taxi bij het station.'

Suzan liet haar los. 'Rob zal blij zijn. Hij is op de deel, loop maar door.'

Dat deed ze. Suzan en Rebecca keken elkaar aan. 'Ik denk dat ik maar naar bed ga,' zei Rebecca.

'Ik ook,' zei Suzan.

Rebecca aarzelde. 'Er staat geen wachtende taxi op de dijk,' zei ze toen.

Suzan glimlachte. 'Het is goed,' zei ze. 'Ze helpt hem. Hij heeft haar nodig.'

Rebecca lag in bed. Ze deed haar ogen dicht. Haar vader was weg, ze zou hem nooit meer zien. Alles was veranderd. Wie helpt mij? dacht ze.

Ze droomde over mannen die door het donker liepen en elkaar vasthielden alsof ze dronken waren. Ze zag de nacht en de sterren, en een trein. Ze werd wakker van het lawaai.

Ze hoorde geluiden in Robs kamer, door de houten wand. Geen stemmen, alleen gestommel en gekraak, het bed, ze probeerden stil te zijn. Ze besloot morgen naar de andere kant te verhuizen, in de lege kamer naast die van Suzan, die geen geluiden meer maakte.

Weduwe en wezen. Het water was te diep.

Rebecca kwam uit haar bed, nam haar blauwe badjas van de deur en stapte in haar slippers. Ze hield de deur met twee handen vast terwijl ze hem opende en sloot, en vermeed het midden van de trap om de treden niet te laten kraken.

Beneden was het stil, Suzan was allang naar bed. Rebecca had haar geweten gesust met de smoes dat ze op de bank ging slapen. Ze wist dat het een smoes was. Ze sloop door de zijdeel. Lukas lag op zijn mat naast z'n luik. De maan was in z'n laatste kwartier en ze zag het licht ervan in Lukas' ogen, hij was wakker maar hield zich koest. Ze liep naar het hekje en door het weiland, ze concentreerde zich op het gras om niet in verse schapenkeutels te trappen.

Ze raakte in paniek toen ze voor de camper stond.

Hij wilde haar niet, hij zou er niks van begrijpen. Je hebt je vader begraven.

Daarom juist, mompelde ze.

De schuifdeur was niet op slot. Hij piepte. Er ging een lampje aan bij het bed. 'Kom maar,' zei Dennis.

Ze schoof de deur dicht. De tafel was omlaag en vormde met de twee banken een breed bed, de andere matras en de extra slaapzak en kussens lagen erop alsof hij haar had verwacht.

Rebecca legde haar badjas op het voeteneind, ze hield haar nachthemd aan. Haar slippers vielen op de vloer toen ze over het bed kroop. Hij lichtte zijn slaapzak op zodat ze eronder kon en wierp hem over hen heen. Haar hoofd kwam hoog op het kussen en ze voelde er een hard obstakel onder, iets van ijzer, dat tegen de camperwand aan lag. Ze schoof een hand onder het kussen en trok het te voorschijn.

Dennis fronste. 'Dat is voor inbrekers,' zei hij. 'Niet voor jou.'

'Je hebt een pistool,' fluisterde ze.

Hij grinnikte, alsof het hem niet kon schelen dat ze het wapen had ontdekt. 'Een pistool is plat. Dit is een revolver, die hebben een cylinder.'

'Dat is illegaal,' zei ze. 'Je mag geen vuurwapens hebben.'

'Deze wel hoor.' Hij nam het wapen uit haar hand. 'Dit ding is totaal onschadelijk, je kunt er niet mee schieten. Kijk maar, er zit geen haan op.'

Hij hield het wapen in het licht van het lampje. Het zei haar niks, alleen dat het nogal klein was en niet op de pistolen leek die ze op de televisie zag. Dennis bewoog zijn duim boven de cilinder, waar blijkbaar iets ontbrak. 'Hier hoort de haan te zitten,' zei hij, 'met een slagpin. Zonder dat heb je er niks aan, je kunt er hoogstens een beetje mee dreigen. Tevreden?'

Rebecca knikte, gerustgesteld. Hij legde het ding op de plank onder de bedlamp, waar ook een wekker en de radio stonden.

Ze voelde zijn hand op haar heup en fluisterde: 'Ik wou alleen...'

'Stil maar.' Hij kneedde haar heup.

'Heb je geen meisje?' vroeg ze zenuwachtig.

'Nee. Niet op dit moment. Ik heb meisjes gehad.'

Het diamantje in zijn oor glinsterde. Ze raakte het aan. 'Hoe kom je daaraan?'

'Van een van die meisjes.'

Het was anders dan ze had gedacht, misschien kwam dat door dat kapotte wapen. Ze wilde het uitstellen. Praten hielp. 'Was je verliefd op haar?'

'Nee. Dat was in dat tehuis, ze was verkikkerd op mij, dat kon ik niet helpen, jij bent leuker. Je hebt vast veel aanbidders.'

Ze dacht aan Rutger die haar nauwelijks zag staan, en toen aan Bertram. 'Ik had een vriendje.' Ze wilde het zeggen. 'Ik ben nog nooit met iemand naar bed geweest,' fluisterde ze. 'Dat komt... ik dacht altijd dat het bijzonder moest zijn, de eerste keer.'

'Dat is ook zo.'

'Ik weet er niks van, ik bedoel wat je...'

'Het gaat vanzelf.' Hij trok haar nachthemd omhoog en zijn hand gleed over haar buik, begon haar borsten te kneden en vingerde aan haar tepels. Ze huiverde. 'Je hebt lekkere borsten,' zei hij schor.

Hij werkte zijn pyjamabroek omlaag en trapte hem van zijn benen en ze voelde dat hij opgewonden raakte en veel te ongeduldig werd. Ze wilde hem kussen, tijd nemen, maar hij verdween onder de slaapzak, wreef zijn gezicht hard over haar borsten en zoog aan de tepels, en toen schoof hij hoger op haar en dwong met z'n knie haar benen uit elkaar.

Ze duwde tegen zijn schouders. 'Wacht,' zei ze.

Hij keek op, ze zag zijn verhitte gezicht. 'Wat?'

Haar hersens. 'Een condoom,' zei ze. 'Heb je...'

'Christus. Je maakt me in de war.' Dennis werkte zich omhoog om bij de plank te komen. Ze vroeg zich af of het eigenlijk wel klopte dat haar hersens nog konden denken aan de ramp van zwanger worden, of aan het feit dat hij blijkbaar condooms bij de hand had en voor wie die bestemd waren, en dat het bed te hard was met alleen maar die dunne matras op hout, alsof een deel van haar weer die eeuwige rol van toeschouwer vervulde in het leven van iemand anders. Haar gezicht werd warm van verlegenheid toen ze dit bedacht en ze kneep haar ogen dicht.

'Het licht,' zei ze. 'Mag het uit?'

Ze hoorde het deksel van een kistje dichtvallen en hij reikte naar de knop onder de lamp. Meteen daarna waren zijn handen weer tussen hen in. Alles ging veel te snel. Zijn vingers duwden haar uiteen en ze gaf een kreetje van pijn toen hij abrupt in haar kwam. Dennis gromde en viel op haar, zijn hoofd hoger dan het hare, zijn handen zwaar op haar borsten. Het was verdrietig dat hij zo'n haast had, alsof hij het verschrikkelijk lang zonder vrouw had moeten stellen en niet kon wachten, instantbevrediging zocht zonder haar tijd te geven, of zelfs maar op haar te letten. Ze wilde liefde maar kon niet bij zijn mond, haar benen lagen gespreid in de klem van zijn knieën en voeten, er was vocht, bloed, het enige dat ze kon doen was zijn rug omklemd houden terwijl haar lichaam een halve minuut schudde tot er een gesmoorde janktoon kwam en hij nog twee of drie harde stoten gaf en ten slotte zijn volle gewicht op haar uitstrekte.

Alles werd stil.

De pijn ebde weg, maar ze kon nauwelijks ademen. Door het raam boven het bed zag ze maanverlichte takken en bladeren van de hoge wilgen langs de Achterweg. Het beeld was troebel en ze vroeg zich af hoe dat kwam, tot ze de tranen op haar wangen koud voelde worden.

Dennis rolde van haar af en ze zoog de bedompte lucht van de camper in. Hij lag naar haar te kijken, zijn gezicht een grijs ovaal zonder uitdrukking. Hij steunde op een elleboog en veegde de haren van haar voorhoofd.

'De eerste keer is nooit goed,' zei hij, en hij gaf haar een kus op haar lippen, alsof hij zich iets herinnerde. 'Dat is altijd zo. Je moet aan elkaar wennen.'

Rebecca knikte.

Hij klopte op haar wang. 'Het komt wel goed.' Hij trok ergens een handdoek vandaan, veegde zichzelf ermee af en duwde hem tussen haar benen.

'Ik moet weg,' zei ze.

'Waarom?'

Ze ging overeind zitten. 'Daarom. Suzan... ze komt vast kijken of ik slaap.'

Ze duwde de slaapzak van zich af. Hij hield haar tegen. 'Wacht, ik wou nog iets zeggen.'

'Wat?'

'Is Rob morgen thuis?'

Ze wist niet precies waar ze op had gehoopt, niet dat hij het over Rob zou hebben. 'Rob? Waarom?'

'Ik heb een idee. Als Rob er is kom ik koffiedrinken, ja?'

'Ja,' zei ze verward.

Hij pakte haar borst. 'En dit blijft ons geheim, ja?'

Ze knikte. Hij trok haar naar zich toe, kneep in haar buik. Ze voelde dat hij weer opgewonden raakte en weerde hem af. 'Ik moet weg,' zei ze. 'Laat me gaan.'

Ze was opgelucht dat hij haar losliet. Hij knipte het lampje aan en tastte naar zijn sigaretten op de plank. Ze nam haar badjas, vond haar slippers. Dennis stak een sigaret aan en lag naar haar te kijken.

'Dag,' zei ze.

Ze vluchtte de camper uit, schoof de deur dicht. Ze liep stijf door het gras, een beetje wijdbeens van de pijn. De pijn was niks, zei ze tegen zichzelf. Ze nam een lange douche en zag een beetje bloed en wittig slijm, van haar of van hem, en ze vroeg zich af of hij echt een condoom had gebruikt of alleen maar had gedaan alsof.

Ze ging door het stille huis naar de woonkamer, nam een plaid en installeerde zich op de bank. Ze kon niet boven slapen, naast de kamer waar liefde was. Ze voelde geen schuld. Ze was niemand ontrouw geweest, alleen zichzelf. Ze was iets kwijtgeraakt maar ze had het vage besef dat er iets anders voor in de plaats was gekomen. Ze probeerde te bedenken wat, maar het bleef alleen een vluchtig idee, dat ze niet kon grijpen.

Ze lag in het donker en keek naar de maan boven de dijk en dacht aan haar vader.

9

'Ik lag vannacht te denken,' zei Dennis, toen ze aan de koffie zaten. Hij wendde zich naar Rob. 'Aan de plannen van je vader, en dat hij zo aardig was om aan mij te denken.'

Rebecca durfde nauwelijks naar hem te kijken. Toen Suzan haar op de bank aantrof had ze gezegd dat ze hier was gaan slapen omdat het boven zo gehorig was, en gevraagd of ze naar de kamer naast Suzan mocht verhuizen. Ze was blij dat ze Rob en Elena kon gebruiken als oorzaak van haar verwarring, en haar stijfheid kon wijten aan de ongemakkelijke bank. Voor zover ze kon zien had Suzan geen enkele argwaan gekoesterd, ze was zonder commentaar aan het ontbijt begonnen en daarna had ze, samen met Rob, Elena naar het station gebracht.

'Aan jou?' vroeg Rob. Zijn gezicht had nog steeds een roze gloed van verliefde gelukzaligheid.

'Hij dacht dat de kwekerij zoveel werk zou zijn dat hij mij er goed bij kon gebruiken en dat ik wat hem betrof niet meer naar een andere baan hoefde te zoeken.'

Rob keek verwonderd naar hem. 'Wanneer heeft hij dat gezegd?'

'Hij heeft daar met mij over gepraat,' zei Rebecca.

'Oké.' Haar broer haalde zijn schouders op. Het deed er niet meer toe.

'Mag ik vragen wat jouw plannen zijn?' vroeg Dennis.

'Daar is niks geheim aan. Ik ga twee dagen per week naar school en vier dagen werken in de kwekerij van Van Beek. Dat zal wel moeten.'

Dennis knikte en keek vluchtig naar Rebecca. 'Ik bedacht vannacht dat je vader waarschijnlijk liever zou willen dat we doorgingen met zijn plan voor een eigen kwekerij.'

Rebecca zag dat haar broer geïrriteerd raakte door het idee dat iemand anders beter dan hij zou weten wat zijn vader wilde. 'Hoe bedoel je, *we*?'

'Jij en ik,' zei Dennis. 'Jij weet hoe het moet, we kunnen allebei hard werken, en Suzan en Rebecca willen vast wel een handje helpen, als ze tijd hebben.'

Suzan zuchtte. 'Wat ik ga doen is een baan zoeken. Je kunt geen kwekerij beginnen met niks.'

'Hebben jullie helemaal niks?'

'We redden ons heus wel,' zei Suzan gepikeerd. 'We kunnen alleen geen grote investeringen doen.'

Dennis trok een verontschuldigend gezicht. 'Ik wou je niet beledigen. Ik dacht alleen dat ik het fijn zou vinden om hier te blijven en met jullie een eigen bedrijf te beginnen en dat ik daar wel geld in wil steken.'

Suzan fronste haar voorhoofd. 'Geld?'

'Ik zei toch dat ik van m'n tante heb geërfd?'

Even was het stil. Rob raakte zichtbaar geïnteresseerd, maar hij schudde zijn hoofd. 'Dan zou alles van jou komen en is het jouw kwekerij. Daar klopt niks van, dan kan ik net zo goed bij Van Beek gaan werken.'

'Zo zie ik het helemaal niet,' zei Dennis. 'We leveren allebei evenveel. Jullie de grond en de kennis, ik alleen maar een beetje beginkapitaal. Met een ton eigen geld leent elke bank ons de rest.'

Rebecca bloosde toen ze de ogen van Suzan op zich voelde. Ze besefte dat Dennis tijdens of na haar bezoek op dit idee moest zijn gekomen en ze vroeg zich af wat hij met háár van plan was. Ze zag Rob aarzelen, maar hij zou zich gemakkelijk laten overhalen, net zoals zijn vader zou doen. 'Ja, als je het zo bekijkt…' zei Rob.

Dennis knikte voldaan. Hij stak een sigaret op. 'Hoeveel hebben we in totaal nodig?'

'Dat weet ik niet precies.'

Suzan haalde een asbak voor Dennis en zei: 'Roelof heeft het vaak genoeg uitgerekend, dat kunnen we opzoeken.'

'Dit is dus mijn voorstel,' zei Dennis. 'Misschien willen jullie erover nadenken, maar ik moet het wel gauw weten, anders verdwijn ik in de internationale verhuizingen.' Het klonk als een grap, maar hij glimlachte niet. Hij tikte de as van zijn sigaret, dronk koffie en wachtte af.

Rob schraapte zijn keel. 'Nou, als je het meent van dat geld. Ik zou dat honderd keer liever doen dan bij Van Beek werken.' Hij keek naar Suzan. 'Gaten voor andermans bomen graven.'

Suzan glimlachte ongelukkig. 'Hadden we dit maar kunnen doen met hem erbij.'

Dennis zette zijn kopje neer. 'Ik weet heus wel dat ik niet in zijn schaduw kan staan,' zei hij met een ernstig gezicht. 'Maar ik wil graag proberen hem voor zijn goedheid te bedanken door m'n best te doen en samen met jullie dat bedrijf te beginnen, omdat dat zijn liefste wens was.'

Rob klemde zijn vuisten in elkaar en Suzan knikte dankbaar naar Dennis. Rebecca zag dat het haar moeite kostte om haar ontroering te verbergen.

Haar grootvader woonde in een groot bejaardencomplex. Hij had daar zijn eigen flatje op de tweede verdieping, met een slaapkamer en een woonkamer met keukenhoek en televisie en een balkon met uitzicht op een park en een stukje rivier. Hij zorgde zelf voor zijn ontbijt en lunch, maar kreeg elke avond een warme maaltijd in aluminium pannetjes aan de deur bezorgd, en eens per week kwam een van de verzorgsters stofzuigen en z'n bed verschonen. Toen ze naar Acquoy verhuisden hadden Roelof en Suzan hem aangeboden bij hen te komen wonen, maar Joop had daar niks voor gevoeld.

'Wat moet ik bij jullie?' had hij gezegd. 'Dank je voor het aanbod, maar ik blijf net zo lief op mezelf. Ik heb hier m'n vrienden en een aardige vriendin.' Daar hoorde een knipoog bij. Ze hadden kaartclubs en biljartclubs en maakten rare excursies, zoals hij ze noemde, met een bus naar de Efteling en de Hoge Veluwe en het stedelijk museum in Utrecht, en als er niks anders te doen viel ging hij vissen met Gerard Huizinga, een oude collega van de plantsoendienst.

Rebecca maakte thee. Ze wist de weg in zijn flat, waar alles die typische geur had van massakeuken en desinfecteermiddelen en oude mensen, zo rook het hele complex. Alles was klein, koelkastje, kookstel, koekenpannetje waar hij z'n eitje in bakte.

'Gaat het een beetje?' vroeg haar grootvader.

'Jawel,' zei ze.

Ze was van plan om morgen weer naar school te gaan, ze had niks aan haar huiswerk gedaan, maar ze nam aan dat ze dat wel door de vingers zouden zien.

'We zullen er allemaal aan moeten wennen,' zei hij. 'Het zijn de akelige verrassingen die op je weg komen. Het is niet anders. Je moet doorgaan. Dat kun je wel, je bent een sterke meid, dat was je moeder ook.'

Hij zat in z'n versleten leunstoel bij het raam. Ze bracht de thee. 'Rob gaat een eigen kwekerij beginnen,' zei ze. 'Samen met Dennis, die wil er geld in steken.'

'Oh? De koene redder? Hoe komt hij aan geld?'

Ze bloosde en schonk thee in, hij had er een rol koekjes bij. 'Hij heeft van een tante geërfd.'

'Ik kon weinig peil op die jongen trekken.'

'Hij is geen jongen, hij is vierentwintig.'

'Als je zo oud bent als ik is zelfs de minister-president een jongen. Waarom steekt-ie z'n geld in jullie kwekerij?'

'Ik weet niet, het bevalt hem bij ons. Hij zegt dat hij altijd al zoiets heeft gewild.'

Ze probeerde zijn blik te doorstaan. Die oude ogen konden zo onderzoekend kijken, en altijd een beetje argwanend, maar hij ging er niet op door. Hij beet in een koekje. 'Ze zijn een beetje belegen,' zei hij, 'zoals alles hier.' Hij knikte in zichzelf. 'Het zou wel mooi zijn als jullie meteen laten zien dat je jezelf kunt bedruipen. Dan heeft Dirk niks meer in te brengen.'

Rebecca glimlachte naar hem.

'Jammer dat het Roelof nooit gelukt is,' zei hij toen. 'Als dat joch een paar dagen eerder met dat voorstel was gekomen... Waarom heeft hij dat niet gedaan?'

Ze wilde dit niet horen. 'Ik weet het niet,' zei ze.

Haar grootvader keek uit het raam. 'Hij zou nog hebben geleefd als er geld was geweest voor dat eigen bedrijf, ook al was die klant afgesprongen, dan kwam er wel een andere. Het is akelig toeval.'

'Dennis had er ook helemaal níét kunnen zijn,' zei ze.

Hij keek naar haar, verwonderd over haar toon. 'Maar hij wás er.'

'Dennis wist er nauwelijks van.' Ze wist niet waarom ze Dennis verdedigde. *Het had gekund*, dacht ze. Dennis had zijn aanbod kunnen doen. Toen hij die eerste avond kwam eten hadden ze al volop over hun plannen gepraat, en daarna nog een paar keer. Maar misschien vond hij het te vroeg, wilde hij hen beter leren kennen. Misschien was er eerst de afgelopen nacht nodig.

'Ik heb zo'n medelijden met dat jochie,' mompelde de oude man. Rebecca raakte in de war omdat ze dacht dat hij Dennis bedoelde, maar toen zei hij: 'Je moeder hield hem op het rechte spoor, en daarna Suzan. Ik zie hem nog voor me, achttien jaar oud, hij was net als Rob, altijd onzeker, op zoek naar een anker, houvast. Als je oud wordt komt alles van vroeger terug, ook al blijven sommige dingen een raadsel. Heeft hij jou of Rob ooit iets verteld over zijn carrière bij de spoorwegen?'

Ze keek hem verbluft aan. 'Mijn váder?'

Haar grootvader grinnikte. 'Dat dacht ik wel.' Hij kwam uit zijn stoel en liep naar zijn slaapkamer. Hij liet de deur open en ze zag hem moeizaam voor zijn klerenkast knielen. Ze stond op om hem te helpen, maar toen ze hem bereikte had hij al een kartonnen doos onder uit de kast getild. Ze nam de doos en hij greep haar arm om overeind te komen. 'Dat is alles wat ervan over is,' zei hij.

Rebecca zette de doos op het bed, ging ernaast zitten en nam het deksel eraf. Ze keek verbaasd naar een verzameling rails, treinwagons, locomotieven, seinpalen, een transformator, losse onderdelen van een station, een tunnel in camouflagekleuren. 'Was dat van mijn vader?'

'Een cadeau van z'n moeder en mij, voor z'n zevende verjaardag. Roelof speelde er altijd mee. Hij knutselde er van alles bij, dat is er niet meer. Toen-ie terugkwam wou hij er niks meer van weten. Hij gooide alles in die doos en zette hem bij de vuilnis. Ik heb hem 's nachts stiekem van straat gehaald en op zolder gezet omdat ik het zonde vond. Zo rijk waren we nou ook weer niet dat we elektrische treinen weggooiden. Later dacht ik dat Rob hem leuk zou vinden, maar Roelof wist niet dat ik hem had bewaard en hij zou misschien kwaad zijn geworden als ik hem aan Rob gaf.'

'Ik begrijp het niet,' zei ze. 'Waarom zou hij kwaad worden?'

'Omdat er een verkeerde herinnering aan zat.'

'Aan die trein?' Ze deed het deksel op de doos en volgde hem naar de zitkamer. 'Waarom heb je hem dan niet weggegooid?'

'Omdat het z'n droom was. Dromen gooi je niet weg.'

De oude man bleef voor het raam staan. Ze zag een motorbootje voorbijvaren op de rivier. Een vrouw wandelde met een kinderwagen over het pad langs de dijk. Haar grootvader knikte naar jongetjes die op het gras voetbalden.

'Jochies dromen,' zei hij. 'Ze willen een beroemd voetballer worden, of piloot. Plantsoenarbeider zoals hun vader komt meestal niet bij ze op. Treinrangeerder ook niet, volgens mij. Behalve Roelof, het joch was gek van treinen. Die kolossen van rails naar rails en van baan naar baan verplaatsen, dat vond hij het mooiste. Zodra hij van de mavo kwam, ging hij die speciale opleiding doen, acht maanden geloof ik, en toen z'n stage, die jongens lopen een halfjaar mee met een ervaren rangeerder, ze beginnen dan ook wat te verdienen. Hij kwam nu en dan een weekend thuis en ik zag al na twee keer dat er iets met hem aan de hand was. Hij wou er nooit over praten, maar ik zag hem veranderen, hij was totaal afwezig, alsof hij aan de drugs was of zo, maar dat kon het niet zijn. Ik was blij dat hij al voordat z'n halve jaar om was met hangende pootjes terug naar huis kwam.'

Rebecca zat ongelovig naar hem te kijken. 'Daar heeft hij nooit iets over gezegd,' zei ze.

Haar grootvader knikte. 'Ik weet niet wat er gebeurd is, maar hij was voorgoed genezen van treinen. Gelukkig kon ik hem een baantje bij de plantsoendienst bezorgen. Soms dacht ik dat het allemaal mijn schuld was, omdat ik z'n leven op een verkeerd spoor had gezet door hem die trein te geven.'

'Dat lijkt me nogal onzin,' zei ze. Ze dacht aan wat haar vader had gezegd toen Dennis kwam eten, dat iedereen wel iets verkeerds deed in zijn leven. *Karma*.

'Misschien was hij alleen maar zo van slag omdat hij al die tijd had verknoeid aan een verkeerde obsessie. Ik weet het niet. Hij was altijd nogal onzeker, dat heeft hij van mij.' De oude man zweeg even. 'Het is er misschien erger van geworden. Ik heb als Brugman moeten praten om hem ervan te overtuigen dat hij het best aankon om de boerderij in Acquoy te kopen. Zonder Suzan had hij het nooit gedaan. Hij was bang voor het donker.'

Rebecca vroeg zich af wat haar grootvader haar probeerde te vertellen. Dat alles anders was gelopen als hij geen trein cadeau had gekregen? Dat het niet voor niks een trein was? Dat hij er met opzet de trein voor uitkoos, in plaats van een brug of een hoge flat? Dat haar vader voor de trein was gaan liggen omdat de laatste tegenslag er een te veel was en hij bang was voor het donker? 'Onzin,' zei ze koppig. 'Hij was sterk genoeg.'

'Ja, als er geen problemen waren. Hij heeft in zijn leven twee keer echt geluk gehad. De eerste keer was toen hij Emma ontmoette, hij kreeg toen ook een goeie baan bij Van Beek. Z'n eerste geluk was Emma, het tweede Suzan.' Hij zweeg en keek naar zijn kleindochter. 'Maar het was net niet genoeg.'

Ze huilde zachtjes. Ze begreep het nog steeds niet.

'Je zei een keer dat je je soms voelt alsof je in een verhaal leeft,' zei haar grootvader. 'Maar een verhaal is wat iemand verzint, een sprookje, om je te vermaken. Het echte leven is gewoon de chaos van elke dag. Iemand schreef dat het begint met de geboorte en eindigt met de dood, en dat we in het hele middenstuk niks anders doen dan blindelings de ene voet voor de andere zetten.'

Ze liet haar fiets langs de oprit vallen toen ze Lukas als een razende tekeer hoorde gaan, voor de gesloten stal. Ze holde erheen en rukte de deur open. De hond vloog voor haar uit over het middenpad en sprong blaffend heen en weer voor de schapenstal, waar Dennis tierend en vloekend naar Harry stond te slaan met een hooivork. De ram sprong opzij, boog z'n horens en viel weer aan.

'Dennis! Niet doen!'

Dennis schrok en werd een ogenblik afgeleid, en Harry ramde meteen zijn horens in zijn heup. Dennis stortte schreeuwend opzij, maar hij krabbelde bliksemsnel overeind, draaide de hooivork om en richtte de stalen punten op de ram, die met gebogen kop klaar stond voor een nieuwe aanval.

'Hou op!' gilde Rebecca. Ze gooide het staldeurtje open. 'Kom eruit!' De hond wilde de stal in, maar ze kreeg zijn nekvel te pakken. 'Lukas ga weg.' Ze schreeuwde: 'Koest!'

'Klerebeest.' Dennis hield de hooivork op Harry gericht terwijl hij achterwaarts naar het deurtje kwam. De ram stond te snuiven en te stampen van woede.

Rebecca trok Dennis bij z'n hemd de stal uit en gooide woedend het deurtje dicht. 'Ben je gek geworden? Wat doe je hier?'

'Hoezo, wat doe je hier?' Ze schrok van zijn ogen. 'Ik wil die stal opmeten, dat is wat ik doe. De schapen waren er zo uit, maar dat klerebeest verdomt het om te gehoorzamen. Hij moet voelen wie de baas is. Hij of ik.'

Rebecca keek verbijsterd naar hem. 'Hier is niemand de baas,' zei ze.

'Dat merk ik,' snauwde hij. 'Maar dat zal toch moeten, zo kan ik niet werken.'

'Je had Rob kunnen roepen, of Suzan.'

'Ze zijn er niet, ze is boodschappen doen, weet ik veel.'

Lukas stond naar hem te grommen. Ze voelde zich te beroerd om te kunnen denken. Dennis hield de vork in zijn vuist, zijn knokkels wit, hij wreef over zijn heup waar Harry hem had geraakt, zijn woede hing tussen hen in. Haar oog viel op een meetlint en een omgeslagen blocnote op het betonnen muurtje, met rechthoeken en cijfers, de balpen erop. Misschien vergis ik me, dacht ze, maar Dennis zei: 'Hij gaat eruit,' en hij hief de hooivork en wilde de stal weer in.

Zijn schouder was een blok onder haar hand. 'Blijf hier,' zei ze. 'Ik doe het wel.' Ze snauwde naar de hond: 'Lukas, weg!'

Lukas gehoorzaamde, maar hij bleef halverwege het middenpad naar Dennis zitten loeren. Rebecca ging de stal in, duwde het deurtje achter zich dicht, bleef staan.

'Ik zou maar uitkijken, hij is gemeen,' zei Dennis.

Ze beet op haar kaken toen ze het bloed op Harry's kop zag, boven zijn oog waar de hooivork hem had geraakt. De ram stond te draaien en zijn horens te buigen, klaar om haar aan te vallen, alsof ze een vreemde was. Het maakte haar verdrietig. Dennis had geen benul. Je kon de ooien strelen en stukjes brood voeren, maar als je dat bij een ram deed werd z'n speelse gedrag na een tijd vanzelf agressief, en dat kreeg je nauwelijks meer goed. Het dier kon daar niks aan doen. De manier om een ram mak te houden was door hem zoveel mogelijk te negeren.

Harry had pijn, hij hield ook een achterpoot van de vloer. Ze bleef naar hem kijken en dwong zichzelf om kalm te blijven. 'In het kastje bij de kraan staat een spuitbus, bovenin rechts,' zei ze, zonder haar stem te verheffen. 'Haal dat even voor me.'

Dennis gaf een schamper geluid, maar ze hoorde zijn voetstappen en het onderdrukte grommen van Lukas toen hij langs de hond hinkte. Ze wachtte tot hij terugkwam en de spuitbus in haar hand drukte.

'Dank je,' zei ze kalm.

'Je mag mijn heup ook verzorgen,' zei hij.

Ze negeerde hem en zakte op haar hurken. Ze had geleerd dat het dieren op hun gemak stelde als je jezelf even groot maakte als zij, en niet te veel handen liet zien, omdat voor een in het nauw gebracht dier een hand hetzelfde was als een kop, en een mens die met zijn handen zwaaide een bedreigend monster met drie koppen. Je moest ook vermijden hem aan te kijken. Alles overnieuw doen, dacht ze kwaad. Verdomme.

Rebecca schoof langzaam naar voren. De ram stond nerveus te snuiven, met zijn bovenlip te trekken en te stampen. Ze hield haar gezicht naar de vloer en stak een voorzichtige hand uit. 'Harry, kalm, kalm, Harry, kom maar.' Ze bleef dat herhalen, om hem te kalmeren met haar stem. Haar hand raakte zijn kaak, haar vingers schoven eronder. 'Blijf staan,' zei ze. 'Harry, kalm.'

Ze had zijn kop vast, en nu liet de ram haar begaan. Hij deinsde terug toen haar andere hand omhoogkwam met de spuitbus en de koude wolk desinfecteermiddel zijn kop raakte, maar ze kreeg er genoeg op. Ze bleef in gebogen houding staan. 'Ga maar.' Ze gaf hem een klap op zijn rug. 'Naar buiten, vooruit.'

Ze volgde hem door de opening. Buiten bleef ze even staan. De schapen waren achter in de wei, in de buurt van de camper, en Harry liep naar hen toe, hij trok met een achterpoot, maar halverwege de wei bleef hij staan en begon te grazen, alsof hij het hele incident alweer was vergeten.

Beesten vergaten, ze hadden geen geheugen, alleen associaties. Hij zou Dennis blijven associëren met stok, pijn, vijand. Ze wist niet of ze Dennis die dingen kon leren, en of ze dat wilde.

Ze keerde terug in de stal. Dennis stond op het middenpad met z'n balpen op het blocnote te krassen, ook alsof er niks was gebeurd. Ze sloot het buitendeurtje en zei: 'We slaan geen beesten, daar schiet je niks mee op. Dat mag je nooit meer doen.'

Even zag ze een kwade glinstering in zijn ogen, alsof hij niet kon verdragen dat ze hem de les las, of iets verbood. De blauwe kilte maakte haar bang, maar het duurde maar een seconde. Toen was het weg en begon hij verzoenend te glimlachen. 'Oké,' zei hij. 'Het spijt me. Wil je zien wat ik aan het doen ben?'

'Een andere keer.'

Hij stapte naar haar toe, nam haar schouder en wilde haar naar zich toe trekken. 'Kom es hier.'

Ze schudde zich los en stapte achteruit. 'Ik heb geen tijd,' zei ze. 'Ik ga morgen naar school, een proefwerk moet af.'

Hij hield z'n blocnote op. 'Het is voor de kwekerij,' zei hij. 'We kunnen de stal...'

Ze schudde haar hoofd. 'Ik moet echt weg.'

Dennis bleef staan. 'Oké,' zei hij. 'Je bent boos op me.'

'Ik ben geschrokken, dat is alles.'

Hij knikte. 'Zie ik je vanavond?'

Ze gaf geen antwoord, draaide zich verward om en riep Lukas mee. De hond volgde haar de stal uit. Ze sloot de deur en leunde ertegenaan, haar knieën trilden, het licht leek vreemd, zwartgroen. Ze bleef zijn ogen zien, die van een vreemde.

Dennis had Suzans auto geleend om met iemand over het vrijmaken van zijn erfenis te gaan praten, hij wilde later op de avond langskomen om zaken af te handelen.

Het was kwart voor elf en ze zaten met Roelofs schetsen en plannen aan de keukentafel toen hij via de bijkeuken binnenkwam, met z'n schrijfblok in de hand. Suzan maakte nieuwe koffie voor hem. Rob dronk een pilsje. Rob had voorgesteld om als Dennis terug was de Zuid-Afrikaanse champagne open te trekken, maar Suzan had geaarzeld en Rebecca vond het een totaal verkeerd idee.

'Waarom?' had Rob gevraagd. 'Denk je dat Roelof niet blij zou zijn geweest?'

Rebecca had niks over Harry gezegd en hier had ze ook geen goed antwoord op. 'Misschien. Maar hij is er niet bij.' *Het was te speciaal*, zoiets had ze willen zeggen.

Nu zat Dennis tevreden om zich heen te kijken en in zijn koffie te roeren. 'Ik ga morgen naar de bank,' zei hij. 'Ik open een speciale bedrijfsrekening, dat is in orde. We moeten een soort contract maken en ons inschrijven bij de Kamer van Koophandel, volgens mijn adviseur is het wettelijk een stuk eenvoudiger geworden om een bedrijf te starten.'

'Denk je dat we in september kunnen beginnen?' vroeg Rob.

Rebecca keek naar haar broer. Rob zat te glimmen van opwinding. Dit komt precies op tijd, bedacht ze. Het is precies wat hij nodig heeft om zich over de dood van Roelof te zetten. Afleiding, iets omhanden, hoop.

'Wacht even.' Dennis wees naar Rob. 'Jij en ik zijn de partners, maar zolang je geen achttien bent zullen de papieren op naam van mij en Suzan moeten, die is toch jullie voogd?'

'Ik ben volgende week achttien.'

'Des te beter.' Dennis glimlachte geruststellend. 'Wij zijn de partners, de rest is alleen maar papier, en we worden het wel eens over de percentages.'

Rob fronste. 'De percentages?'

'Ik weet er nog niet genoeg van, maar iemand zei dat het eenenvijftig en negenenveertig moet zijn, dat heeft te maken met de wettelijke aansprakelijkheid.'

'Mijn zuster werkt bij een notaris,' zei Suzan. 'Ze kan die dingen uitzoeken.'

Dennis bewoog zijn schouders. 'Ik heb ook met die aannemer in het dorp gepraat. We kunnen een gespecialiseerde kassenbouwer nemen, maar ik denk dat hij het goedkoper kan.' Hij legde z'n blocnote voor zich en sloeg hem open.

'De ramen staan in Spijk, voor een krats,' zei Rob. 'Dat zei Roelof.' Zijn gezicht betrok bij de herinnering en hij beet op zijn mond. 'Die moeten we gebruiken,' zei hij toen.

'Oké,' zei Dennis. 'Als ze er nog zijn.' Hij raadpleegde zijn noties. 'Dan de grond. Ik weet niet of we nu al die hectare kunnen pachten van die man hierachter?'

'Van Dam,' zei Rob. 'Niet meteen, denk ik.'

'Wat we van de zomer al kunnen doen is de schapenwei door zo'n grondbedrijf laten omploegen,' zei Dennis.

'Moeten de schapen weg?' vroeg Rebecca. Ze had de hele tijd zitten zwijgen, met weer dat rare gevoel. Ze dacht aan haar grootvader.

Dennis haalde zijn schouders op. Rob zei: 'Het zijn Rebecca's schapen.'

Dennis keek verbaasd naar haar.

'Het maakt niet uit.' Rebecca gaf Rob een nijdige blik.

'Je kunt er altijd een paar op de dijkwei aan de voorkant houden,' zei Rob verzoenend. 'Daar kunnen we toch niks anders mee doen.'

'Wat was er trouwens met Harry?' vroeg Suzan. 'Ik zag hem mank lopen.'

'Ja, sorry,' zei Dennis, voordat Rebecca iets kon zeggen. 'Ik had een beetje ruzie met hem. Ik wou de boel opmeten en hij ging de stal niet uit. Gelukkig kwam Rebecca net thuis.' Hij glimlachte spottend naar Rebecca. 'Ze zal me nog leren hoe ik met haar schapen moet omgaan.'

Rebecca zag dat Suzan haar voorhoofd fronste maar de sfeer niet wilde bederven door erop door te gaan. In plaats daarvan stond ze op en zei: 'Ik moet de wasmachine aanzetten.'

Rob was in een stemming om alles van Dennis te accepteren en door de vingers te zien. 'Misschien moeten we Harry toch kwijt,' zei hij, toen Suzan weg was. 'Als we maar twee of drie ooien houden kun je die net zo goed in het najaar een maand bij de kudde van Wilmink laten lopen.'

Arme Harry, dacht Rebecca. Alles ging veranderen.

'Dat beslissen jullie maar,' zei Dennis. 'En ook waar de kippen heen moeten, als de kas daar komt. Ik ben het eens met je vader dat we die ruimte nodig hebben voor opslag.'

Rob keek naar Rebecca. 'De kippen zijn nauwelijks rendabel, voor die paar eieren.'

Ze beet op haar kaken. 'We houden weinig over,' zei ze.

'Maar je krijgt er veel méér voor terug.' Dennis boog zich naar haar toe en klopte op haar hand. 'Ik zou trouwens wel een drankje lusten, om het te vieren. Jullie niet?'

Rebecca stond op. Ze las in boeken hoe mensen een zware klap kregen, hun gezin verloren, hun vader, hun geliefden, hoe ze die schok verwerkten, of in hun binnenste begroeven, zodat ze een hoofdstuk later weer gewone gesprekken met elkaar konden voeren. Een week geleden zou ze niet hebben kunnen geloven dat dat ook in het echt kon, maar nu overkwam het hun allemaal. Het was wat mensen deden om te overleven, er was geen andere weg.

Toen ze de kast opende kwam Suzan de keuken in. 'Weet iemand waar Lukas is?'

'Lukas?' vroeg Rebecca. 'Hoezo?'

'Ik heb geroepen, hij is weg.' Ze keek naar Dennis. 'Heb jij hem gezien toen je thuiskwam?'

Dennis haalde zijn schouders op. 'Hij lag gewoon op z'n mat.'

'Ik heb hem brokken gegeven,' zei Rebecca.

'Hij komt wel terug,' zei Rob.

Dennis grinnikte. 'Misschien is hij op het kerkhof, net als het paard van Napoleon.'

'Doe niet zo stom,' viel Rebecca uit.

'Becky,' zei Suzan.

De grijns van Dennis verdween en hij trok een berouwvol gezicht. 'Hij komt heus wel terug, zoals Rob zegt. Het is een lief beest en dat is maar goed ook, anders zou hij onze klanten afschrikken.'

'Ik weet niet wat je bedoelt,' zei Rebecca.

'Mensen zijn altijd bang als ze een vreemde hond zien. Ze kunnen niet weten of hij bijt of niet. Ze durven je erf niet op. Dat bedoel ik. Een hond maakt dat ze zich niet welkom voelen.'

'Iedereen is hier gewend aan honden,' zei Suzan.

'Ik dacht aan klanten die van ergens anders komen, uit de stad bijvoorbeeld,' zei Dennis vriendelijk tegen haar. 'Maar het is nog geen probleem, en als het dat wel wordt kunnen we hem altijd in een hok doen, of aan de ketting.'

'Daar worden ze juist agressief van,' zei Rob.

Het werd Rebecca te veel. De schapen weg, de kippen weg, Lukas aan een ketting? Ze liep naar de deur. 'Ik ga hem zoeken.'

Toen ze in de bijkeuken was hoorde ze Rob vragen of Dennis iets voelde voor een glas champagne, en Dennis, die ergens om lachte. Rebecca holde naar buiten. Ze keek naar het dunne licht. Van de maan was nog maar een kleine sikkel over. Het luik van Lukas hing stil. Ze opende de kalverdeur en knipte het licht aan. Suzan had daar natuurlijk ook al gekeken. Ze deed het licht weer uit en wachtte tot haar ogen de vormen van de tuin en de bomen en de carport konden onderscheiden.

'Lukas?'

De hond ging nooit zomaar aan de zwerf, hij scharrelde hoogstens een keer om het huis heen, hij bleef op zijn terrein. Hij blafte zelden en beet nooit. De enige die zijn tanden te zien kreeg was Dennis.

'Lukas!'

Ze stapte terug de deel op, pakte de zaklamp die altijd aan een spijker naast de grote deur hing, en ging op zoek. Lukas was niet in de schapenstal. Ze liep over de oprit en scheen met haar lamp in de struiken, misschien lag hij ergens ziek te zijn. Hij ging allang niet meer achter de konijnen aan in de boomgaarden van Van Dam, hij was een oude hond. Haar vader had hem op een dag thuisgebracht, voor haar en Rob, toen ze nog in Rumpt woonden. Een pup met aandoenlijke ogen, hij beet in je hand en wilde alleen maar dollen en hij had een halfjaar nodig om een beetje zindelijk te worden en een jaar om te leren dat hij niet zomaar de straat moest oprennen.

Ze riep zijn naam en zocht langs de Achterweg, waar hij niks te zoeken had tenzij hij was aangereden en in de berm geslingerd, maar ze kon geen reden bedenken waarom Lukas over de Achterweg zou dwalen en zich laten aanrijden. Als ze ziek waren zochten dieren soms een afgelegen plek op om dood te gaan. Maar Lukas was niet ziek en waarom zou hij dood willen gaan?

Alles voelde verkeerd.

Ze bleef staan aan het begin van de inrit, en toen liep ze naar de carport. Rob had Roelofs Volvo achterin tegen de zijwand geparkeerd, direct nadat de politie hem op de maandag na het ongeluk had teruggebracht. Rebecca dacht er nog altijd aan als 'het ongeluk', alsof haar hersens het woord zelfmoord weigerden.

Ze bleef staan bij Suzans oude Polo en voelde de motorkap. Hij was nog warm. Vanuit de carport kon ze een stukje van de camper zien, vaalwit in het magere licht. Sinds die onredelijke impuls in de nacht na de begrafenis was ze blijven zoeken naar wat ze erna had gevoeld, naar een balans tussen winst en verlies, alsof het een kwestie was van boekhouden. Ze had gelezen dat de eerste keer, in de dagen erna als je erop terugkeek, beter of mooier zou gaan lijken dan hij misschien was geweest. Haar eerste keer bleef een akelige vergissing die nooit beter of mooier kon worden, maar die haar wel voorgoed had veranderd, dat wist ze nu. Ze had iets afgelegd, een oude huid, en een volgende fase bereikt, waarin ze misschien lichter en sterker kon zijn, en volwassener.

Ze zou Dennis nooit meer aanraken.

Rebecca liep om Suzans auto heen, scheen met haar lamp door de raampjes en trok de achterklep omhoog. De korte laadvloer was tot aan de achterbank bedekt met oud vilttapijt. De grote kartonnen doos waar Suzan haar boodschappen in zette om te voorkomen dat zo tijdens het rijden in het rond vlogen, stond erop, en haar rieten boodschappentas lag ernaast. Rebecca's lamp ging over de jerrycan en de gevarendriehoek en de holte naast het reservewiel, waarin de schoonmaakspullen zaten. Het afgedankte flanellen nachthemd dat Suzan als poetslap gebruikte, lag er los bovenop en Rebecca propte het werktuiglijk terug op zijn plaats, achter de spuitbusjes.

Ze liet de klep zachtjes dichtvallen, ging de carport uit en bleef bij de witte tuinbank staan. Het was doodstil. Ze zouden zich afvragen waar ze bleef. Of niet. Ze dronken champagne en waren druk met schetsen en berekeningen en vergaten Lukas. Toen dacht ze aan de poetslap.

Ze liep terug naar de Polo en maakte de klep weer open. Ze trok de poetslap te voorschijn, hield hem omhoog en scheen erop met de lamp. Er viel niks vanaf, alsof de doek was uitgeklopt. Ze zag alleen vlekken van vuil en olie, en twee of drie dunne, grijsbruine haartjes, die aan de katoen waren blijven kleven.

Ze stopte de doek terug, tilde de kartonnen doos op en zette hem over de rugleuning heen op de achterbank. De gedachte viel haar in dat Dennis misschien hetzelfde had gedaan. Ze doorzocht de ontstane ruimte met haar lamp, schoof dingen opzij en bleef koppig zoeken, net zolang tot ze nog een paar haren vond, die de schoonmaker waren ontgaan.

Suzan nam Lukas nooit mee in haar auto.

Rebecca zette de doos op z'n plaats, propte de poetslap terug in het vak en sloot de klep.

Het is allemaal een leugen, dacht ze. Alles.

Ik woonde in een niemandsland van dode geesten. Elke ochtend was er een halve fles cognac minder, omdat ik m'n hoofd niet bij een boek kon houden en gek werd van het zappen door de leeghoofdige onzin die miljoenen kijkers in staat waren te absorberen. Ik hing op de grijze bank of achter m'n bureau, soms dommelde ik in slaap en schrok weer wakker, totaal gedesoriënteerd: *waar zijn ze?*

Ik hoefde de desperate vrienden en bemoeizieke tantes niet te horen over zelfmedelijden, dat je jezelf bij mekaar moet rapen en niet mag verslonzen, omdat het leven doorgaat, leuk of niet. In mijn niemandsland woonden alleen schuld en verdriet.

Ik plukte bloemen uit het op hol geslagen onkruid in de tuin en legde ze op het graf. Ik zat op de steen ernaast en praatte maar wat, dat ik 's avonds de prins van Hanna hoorde en dat ik een blik tonijn had gegeten, dat ik de stroom in de hooiberg had uitgeschakeld om van die levende schermen en de lichtjes af te raken. Iemand bleef naast me staan en vroeg of ik hulp nodig had, en ik zag de donkere ogen van een meisje en zei tegen Nel dat ik niet wist wat ik met het huis moest aanvangen, ik hield van het huis, maar ik wist niet wat beter was, misschien een huis zonder herinneringen ook al hield ik van deze herinneringen, ze waren m'n enige bezit, ik kon ze niet missen en ik kon ze niet verdragen.

Bart belde en vroeg hoe het met me ging.

Ik had m'n glas meegenomen naar de rinkelende telefoon op mijn bureau. Ik nam een slokje cognac en keek naar buiten. Boomtoppen staken uit de avondnevel als het tuigage van gestrande schepen in een verdronken land.

'Heel goed,' zei ik.

Bart zei dat hij per oktober ontslag had genomen en voor zichzelf ging werken, temeer omdat Meulendijk hem een freelance contract had aangeboden. Hij vroeg hoe ik daartegenover stond.

'Je hebt groot gelijk,' zei ik.

Hij zei dat hij z'n vakantiedagen had opgenomen.

'Dat is echt niet nodig, ik ben liever alleen, ik red me best.'

'Dat bedoel ik niet,' zei Bart, een tikje aangeslagen. 'Ik had nog zowat drie weken te goed, ik wou vast iets doen, Meulendijk zei dat er haast bij was en dat jij er even tussenuit wou...'

Even? Ik kon nauwelijks denken, laat staan aan tijd, of het verschil tussen even en voorgoed. Het idee dat in een abstracte dimensie van Amsterdamse kantoren agenda's voor me werden uitgestippeld leek vagelijk grotesk. Ik keek in de schemering. 'Je bedoelt die klant in Duitsland.'

'Ik hoop dat je dat niet eh...'

'Nee, ben je mal.'

Ik voelde z'n opluchting. 'Ik heb kopieën van die foto's, en het rapport van die...'

'Lex Marsman.'

'Ja, hij is in Australië, en blijft daar waarschijnlijk, hij erft van zijn vader. Ook een reden waarom Meulendijk me wil hebben. Mijn vraag is of ik ook naar die man in Duitsland moet, jij bent er toch geweest? Misschien is dat dubbel werk?'

'Natuurlijk,' zei ik. 'Ik schrijf het voor je op en fax het je.'

'Niet naar het bureau,' zei hij snel. 'Fax het naar m'n huis.'

'Geen probleem.'

Ik dacht dat hij had opgehangen, maar toen herhaalde hij zijn vraag, alsof de eerste keer alleen maar dat cliché was geweest waar de halve wereld gesprekken mee opende. 'Hoe gaat het nou?'

'Goed,' zei ik.

'Ik ben je vriend,' zei hij. 'Ik wou dat ik iets kon doen.'

'Je kunt niks doen. Ik leef. Ik moet het zelf uitzoeken.'

De man in Duitsland kon er niks aan doen, maar ik kon niet aan hem denken zonder hem en mezelf te verwijten dat ik die rit had gemaakt en 's nachts was thuisgekomen en 's morgens lag te slapen, in plaats van CyberNel langer vast te houden, of vroeger op te zijn, zodat ze eerder was gegaan, of samen met mij in mijn auto. Ik zocht m'n boekje op en schreef er de concrete gegevens en adressen uit over, alles bij elkaar nog geen half vel. Het handschrift leek op dat van een oude man en Bart zou er moeite mee hebben, maar ik kon de energie niet opbrengen om het over te typen en uit te printen en ik draaide me naar de fax op de lage plank in de afscheiding naast m'n bureau.

Het vel kroop door de machine toen er op het glas werd geklopt. Ik zag mensen op het terras. Ik ontstak de buitenlamp en opende de deur.

Corrie en haar moeder keken verontrust naar me.

'Kom binnen,' zei ik.

'Nee, nee, dat is niet nodig, we zijn zo weer weg.' Corries moeder struikelde over haar woorden in haar haast om dit achter de rug te krijgen. 'Het gaat over Corrie, het spijt me dat we u hiermee lastig moeten vallen, maar u zult haar wel niet meer nodig hebben en ze kan een andere baan krijgen.'

'Goed zo,' zei ik.

Corrie keek opstandig naar haar moeder en zei: 'Sorry, het is geen hele baan. Ik kan best een of twee ochtenden per week komen schoonmaken.'

'Nou, dat weet je nog niet,' zei haar moeder. 'Dat moet je nog horen.'

'Dat heb ik al gehoord. Dit hadden we afgesproken.' Corrie glimlachte naar mij. Ze was niet bang voor me, hoe ik er ook uitzag, en ook niet meer zo onderdanig als in het begin, toen haar ouders ons officieel kwamen keuren om te bepalen of we wel de geschikte werkgevers waren die hun dochter niet zouden aanranden of naar Casablanca verkopen. 'Ik kan de dinsdag en de vrijdag,' zei ze.

Ze bracht een stukje wereld aan m'n deur, iets van waarde. 'Dank je wel,' zei ik.

Haar moeder bleef vol tegenzin naar me kijken, maar Corrie liet zich niet van haar stuk brengen. 'Heeft u eigenlijk wel gegeten?' vroeg ze.

'Maak je geen zorgen.'

Corrie knikte, niet erg overtuigd. 'Ik kom volgende week langs,' beloofde ze. 'Dan moet u het maar zeggen.'

'Dank je wel.'

'Ik vraag acht euro per uur,' zei ze toen.

Ze kreeg me zelfs aan het glimlachen.

Ik denk aan de weduwe, die haar huis geluiddicht timmerde en in stilte woonde om de stem van haar dode dochter beter te kunnen horen. Ik luister en hoor niets. *Praat tegen me, Cornelia,* zeg ik na m'n vierde glas.

Ze komt naar me toe, in een wolk van licht. Ik zie haar gezicht, de sproeten, de ogen, ze heeft een speciale manier van lopen, een beetje zwaaiend en met iets van argwaan, als een hert dat niet altijd weet waarheen het op weg is, of wat zich aan dodelijk ijzer achter de koplampen schuilhoudt, maar ditmaal is haar gang doelbewust en elegant, als een model op een catwalk. Ze weet precies waarheen ze op weg is, maar ze bereikt me nooit, alsof de catwalk onder haar voeten verandert in een lopende band die de tegengestelde kant opgaat, en ten slotte is er alleen nog maar een illusie van beweging.

Ze komt niet.

Er is te veel verkeerd gedaan en nu is de tijd van de vergelding, een kosmisch principe waar geen sterveling aan ontkomt.

We liggen op de vloer met de weekendkrant in een chaos van katernen tussen ons in, Hanna oefent woordjes en sorteert aandachtig dertig zijden linten op kleur en Nels haren kriebelen in mijn gezicht. Ik ruik haar adem, de automaat pruttelt stoom en koffie, het is zondagochtend op het platteland, zo voorspelbaar en onbeschrijfelijk saai en alledaags, en van een zo volmaakt geluk dat je niet durft te ademen, omdat het bij de kleinste verstoring zal oplossen en voorgoed verdwijnen. Ze installeert Hanna in haar stoeltje en vergeet haar veiligheidsriem. Ze vergeet hem niet, maar doet hem niet om omdat ze dan gemakkelijker bij Hanna kan.

Je brein is een verrader, een kwelgeest. Ze rijden weg en de dijk af en alles explodeert in verblindend licht.

Ik voel haar lichaam op het mijne, en weer die Siberische stilte onder mijn hand. Het is tien uur 's morgens, er wordt op de deur gebonsd. Ik kom uit bed, mijn ogen zijn nat. Het raam is open. Buiten staat een meisje, Corries leeftijd, een vriendin denk ik.

'Corrie is niet hier.'

'Corrie?' Het meisje stapt achteruit. Ze knijpt haar ogen samen als ze omhoogkijkt.

'Probeer het maar bij haar thuis,' roep ik. 'Dat is drie huizen terug.'

'Meneer Winter?'

'Ik heb niets nodig.'

'Ik wil u alleen even spreken. Ik heb uw naam van mijn vriendin, haar vader werkt bij de veiling in Geldermalsen.'

Het is geen droom, anders zou ik die pijn in mijn nek niet hebben van het bukken in het lage raam.

Ik bedacht dat ik me toch een keer moest aankleden en ik schoot in de broek van gisteren, nam een schoon overhemd uit de kast en ging onvast de trap af en naar de badkamer. In de spiegel stond een ongeschoren zwerver, die geen mens vrijwillig zou opzoeken voor een gesprek.

Ik nam een douche en dacht aan Nel, onder de douche, of met z'n drieën in het bad. *Ik moet al die dingen opruimen.* Haar flesjes en potjes en de haardroger, de femaspirin die ze innam omdat ze de dag voor haar regels dikwijls pijn had, de plastic drijfeenden die Hanna meenam in het bad. Misschien kon ik het beter door Corrie laten doen en zelf zo'n meerdaags arrangement naar Londen boeken, met excursies naar de Tower en Buckingham Palace en de Beefeaters en *Chicago!* en terugkomen in het huis van een vrijgezel.

Ik was het meisje vergeten, maar op weg naar de keuken om thee te maken zag ik haar aan de andere kant van het glas in een terrasstoel zitten. Ik opende de deur.

Ze stond meteen op. Haar gezicht vertoonde die mengeling van aarzeling en onrust waaraan ik gewend begon te raken, en een flard van koppigheid. 'Ik ben Rebecca Welmoed,' zei ze. 'Uit Acquoy.'

Ik knikte. 'Ja?'

'Mijn vriendin dacht dat u me misschien kon helpen.'

'Waarmee?'

We bleven staan, zij buiten, ik binnen. Ze had een roze mapje in haar hand. 'Mijn vader is overleden,' zei ze. 'Hij is onder een trein gekomen. De politie denkt dat het zelfmoord was.' Ze had moeite met het woord, en toen herinnerde ik me waar ik die ogen eerder had gezien, op het kerkhof.

'Dat spijt me,' zei ik.

'Ik kan het niet geloven. Er zijn rare dingen gebeurd.'

'Het is altijd moeilijk om zoiets te accepteren,' zei ik. 'Maar ik kan je niet helpen.'

'U bent toch privédetective?'

'Ik werk momenteel niet.'

'Bent u ziek?' vroeg ze.

Ik schudde m'n hoofd. Ik zag dat ze zich net als ik het kerkhof herinnerde en dat de koppigheid terugkwam, alsof ze een ingeving kreeg dat mensen die mensen verloren, speciale rechten op elkaar konden doen gelden. Haar gezicht was een open boek, ze was te jong om ermee te manipuleren, een tiener met donkere krullen en een hoog, ongerept voorhoofd, sterke kaken onder restjes puberaal vet en met aan weerskanten van een brede mond de stevige lijnen die temperament aankondigden.

'Ik kan u heus wel betalen,' zei ze. 'Mijn moeder heeft me wat geld nagelaten op een speciale rekening, die mag ik gebruiken als ik achttien ben.'

Moeder dood, vader dood. Ze wekte medelijden, en de vergeten prikkeling van nieuwsgierigheid. 'Als je denkt dat er iets niet in orde is kun je beter naar de politie gaan.'

Ze schudde haar hoofd. 'Ik heb alles voor u opgeschreven.' Ze hield het mapje omhoog en legde het demonstratief op de terrastafel. 'Ik laat het hier, ik weet niet wat ik er anders mee kan doen. Wilt u het alstublieft bekijken?'

Ik mompelde dat ik haar niet kon helpen, maar ze was het terras al af, alsof ze me geen kans wilde geven om haar af te wijzen. Ik nam het mapje mee naar binnen en legde het op m'n bureau. Ze fietste langs de halfronde stalramen aan de dijkkant, stevige benen, driftige voeten op de trappers, met die onverzoenlijk eenkennige vastberadenheid van de jeugd.

Ik scharrel door het huis. Het lijkt leger, alsof er steeds meer ontbreekt. Niemand belt en ik raak mijn bureau niet aan.

11

Rob had niks aan zijn verjaardag willen doen, maar iedereen wilde een normaal leven, of iets terug van een vorig normaal leven. Hij kreeg cadeautjes en Suzan maakte een verjaardagsmaaltijd, met ijs en de Zuid-Afrikaanse champagne als dessert. Dennis had een leren portefeuille voor hem gekocht, met speciale vakken voor zijn rijbewijs en autopapieren en toekomstige creditcards, waar ze vrolijke grappen over maakten. Elena was er ook, met een trui voor Rob en bloemen voor Suzan. Rob had haar al verteld hoe Dennis bij hen terecht was gekomen en dat ze samen een kwekerij gingen beginnen, maar dit was de eerste keer dat ze hem ontmoette. Dennis sloofde zich volgens Rebecca nogal overdreven uit met zijn bewondering voor Elena's studie en toekomstige journalistieke carrière, maar Rob zat te glimmen van trots omdat zijn vriendin zoveel indruk maakte op zijn toekomstige partner.

Elena reageerde nogal terughoudend op Dennis. 'Hij lijkt een aardige jongen,' zei ze later tegen Rebecca, alsof ze haar niet voor het hoofd wilde stoten. 'Maar vind je hem niet een beetje glad?'

Rebecca kon zich nog steeds geen langdurige relatie voorstellen tussen haar broer en de Utrechtse studente, maar ze was veel van haar vooroordelen kwijtgeraakt sinds Elena geregeld in Acquoy kwam. Het grote voordeel daarvan was dat ze alleen maar de privacy van haar broer als bezwaar hoefde aan te voeren toen Suzan, op een avond zonder Dennis, het idee opperde om hem Rebecca's oude kamer in het zijhuis aan te bieden.

Rob was het gelukkig met haar eens. 'Dan had Becky daar net zo goed kunnen blijven zitten,' zei hij meteen.

'Hij kan toch wel iets in het dorp huren?' vroeg Rebecca.

Suzan keek eigenaardig naar haar. 'Misschien rekent hij er een beetje op dat wij hem ruimte aanbieden.'

'Dat heb je hem toch niet voorgesteld?'

'Niet zonder eerst met jullie te overleggen, waar zie je me voor aan?' protesteerde Suzan verontwaardigd. 'Ik denk alleen dat híj dat verwacht. Hij wordt Robs partner, we hebben de ruimte...'

'Daarom hoeven we hem nog niet dag en nacht in huis te hebben,' zei Rebecca, agressiever dan ze zich had voorgenomen.

'We kunnen altijd later zien, van de winter of zo, als het koud wordt.' Rob schoof problemen graag voor zich uit.

Ze hadden het onderwerp laten rusten, maar Rebecca merkte dat Suzan haar soms met iets van argwaan opnam, en toen ze de volgende middag na school op het achterterras pruimen zaten te ontpitten, vroeg Suzan plotseling: 'Is er iets?'

Rebecca begon te blozen. Ze was hier niet goed in. Ze voelde zich schuldig omdat ze haar vermoedens over Dennis geheimhield en nu al dat verbond verbrak dat ze na de begrafenis met elkaar hadden gesloten. Soms wenste ze dat ze gewoon hard kon zijn, met meer eelt op haar ziel dan er al zat.

'Hoezo?' zei ze, ontwijkend.

Ze beet in een pruim en keek naar de kalverdeur. De mat lag er nog voor, alsof iemand nog hoopte Lukas er op een ochtend aan te zullen treffen. Ze had zich nauwelijks goed kunnen houden toen Dennis de dag na Lukas' verdwijning het idee opperde dat ze het misschien bij de politie moesten aangeven.

Rebecca had dat gedaan, hoe onverdraaglijk cynisch het ook was geweest. Ze wilde zijn argwaan niet wekken, en de politie zou met haar beschrijving op zo'n formulier van Weggelopen Hond tenminste iets hebben om Lukas te identificeren als er ergens een dode hond werd gevonden.

Suzan legde haar mesje neer en schudde het bergje pitten en vellen van haar krant in de afvalemmer. 'Ik hoop dat wij met z'n drieën altijd eerlijk tegen elkaar kunnen zijn,' zei ze. 'Anders redden we het nooit.'

'Dat weet ik heus wel,' zei Rebecca.

'Is er iets met jou en Dennis?'

'Nee,' zei Rebecca. 'Wat zou er moeten zijn?'

'Ik weet niet. Je lijkt een beetje anders.'

'Ik ben anders omdat alles anders is,' zei Rebecca stug. 'Mijn vader is dood.' Het was een wrede afwijzing en ze had er meteen spijt van. 'Sorry,' zei ze.

Ze had haar instinct gevolgd, haar woede opgekropt, niks gezegd en Dennis niets laten merken. Als ze hem confronteerde zou hij misschien met de noorderzon verdwijnen en die gedachte kon ze niet verdragen. Zelfs Atie had ze niets verteld, alleen dat ze niet kon geloven dat haar vader zelfmoord had gepleegd en dat ze niet wist wat ze daarmee aan moest. Atie had haar het adres gegeven van de privédetective, die volgens haar vader een voormalig rechercheur was met lange ervaring bij moordzaken in Amsterdam, en die vorig jaar in een handomdraai een zwendelaffaire bij de fruitveiling had opgelost. Ze had een halve nacht aan haar bureautje gezeten om alles op te schrijven.

Zodra ze de detective uit zijn huis zag komen, herkende ze de man die met een bosje bloemen in de hand op een graf had zitten mompelen. Hij had er met zijn ongeschoren kop en uitgebluste ogen nog steeds uitgezien alsof hij in een ravijn was gevallen waar hij nooit meer uit zou komen, ongeveer zoals ze zichzelf voelde, en achteraf begon ze veel twijfels te krijgen over haar impuls om haar schrijfwerk bij hem achter te laten. Ze had geen kopie gemaakt en nu kreeg ze het wanhopige gevoel dat ze evengoed een brief in een fles in de zee had kunnen gooien.

'Wat vind je eigenlijk van Dennis?' vroeg Suzan.

'Nou...' Rebecca zweeg omdat er een auto door het open hek kwam. Hij stopte tien meter voor het terras op de inrit. Een vrouw stapte eruit en stak een dunne aktetas onder haar arm. Hoge hakken, een duifgrijs mantelpakje. Ze bleef staan voor het terras, nam een bril uit haar borstzak, zette die op een puntig gezicht en glimlachte.

'Dat is een vredig tafereeltje,' zei ze. 'Gaat u ze wecken?'

Suzan stond op en nam de theedoek om haar handen schoon te wrijven. 'Wecken doen we nauwelijks meer,' zei ze. 'We maken er jam van en de rest gaat in de diepvries.'

'Laat u door mij niet storen,' zei de vrouw. 'Ik kom alleen de stand van zaken nagaan. Mag ik erbij komen zitten?'

'De stand van zaken?' vroeg Suzan.

Rebecca staarde naar de vrouw en raakte in paniek toen ze aan haar brief in de fles dacht, ook al moest de man behalve droevig ook wel erg ongevoelig en tactloos zijn om de zaak over te dragen aan iemand die er als een olifant zonder hersens op afkwam. Maar de vrouw stak een hand uit naar Suzan en zei: 'Ik ben Jetta Blok, van de Raad voor de Kinderbescherming.'

Suzan werd wit. Ze bleef de theedoek wrijven. 'Mijn handen kleven van de pruimen.'

'Dat geeft niet.' De vrouw trok haar hand terug. 'U bent toch mevrouw Welmoed?'

'Waar gaat dit over?' vroeg Rebecca.

De vrouw nam een papier uit haar tas. 'U bent de stiefdochter, of mag ik jij zeggen? Rebecca? Is je broer Robert er ook?'

Suzan keek naar Rebecca. 'Ze zijn in het dorp. Waar is dit voor?'

'Er is een verzoek ingediend bij de kantonrechter in Tiel tot wijziging van de voogdijbeschikking,' zei Jetta Blok. 'In zo'n geval doen wij altijd eerst een voorlopig onderzoek.'

Rebecca zag Suzans handen trillen en ze wilde zeggen dat hun oom en tante in Tiel konden doodvallen, maar ze realiseerde zich bijtijds dat ze een goede indruk moest maken. 'Onze lieve oom Dirk,' zei ze.

'Jullie weten er dus van?'

Ze moest zich goedhouden, volwassen zijn, de vrouw gewoon strak aankijken. 'Suzan is onze moeder,' zei ze. 'Mijn vader heeft haar als voogdes benoemd. Mijn broer en ik willen dat in geen geval veranderen. We kunnen ons met z'n drieën prima redden.'

'De kantonrechter stelt het belang van de kinderen altijd voorop,' zei Jetta Blok. Ze keek eigenaardig naar Rebecca en wendde zich naar Suzan. 'De kantonrechter kan u oproepen ter verhoor,' zei ze, met iets van medelijden in haar stem. 'Een van de aangevoerde argumenten is artikel 327, dat gaat over de gronden voor ontzetting.'

Suzan staarde in de rode afwasbak vol blauwe pruimen. Rebecca wilde iets zeggen maar hoorde de vrolijke stemmen van Rob en Dennis, die hun fiets bij de carport stalden en over de oprit naar hen toe kwamen. 'We kunnen daar straks misschien nog even apart over praten,' zei Jetta Blok op gedempte toon tegen Suzan.

'Er valt nergens over te praten,' zei Rebecca boos. 'Het enige dat wij willen is hier blijven wonen.'

De vrouw gaf haar een glimlachje. 'Ik geloof dat je oom zich ook zorgen maakt over dat jullie het financieel niet kunnen redden. Is dat je broer?'

'Hallo,' zei Rob. 'Bezoek?'

Jetta Blok stond op. Ze gaf Rob een hand en legde uit wie ze was en wat ze kwam doen.

'Kinderbescherming?' Rob trok een gezicht. 'Val ik daar nog onder? Ik ben achttien.'

'Dat hangt ervan af,' zei Jetta Blok. Ze keek naar Dennis, die zich achteraf hield. 'En wie is deze meneer?'

Rebecca zag haar broer kwaad worden. 'Dit komt zeker van oom Dirk?'

'Hij denkt dat we failliet gaan.' Rebecca probeerde hem met haar ogen te waarschuwen.

Rob sloeg er geen acht op. 'Dat is oud nieuws,' zei hij nijdig. 'Die man hoopt dat we het niet redden, dan kan hij geld verdienen aan de verkoop van ons huis, hij is makelaar. Hij wil dat we Suzan in de steek laten en naar zijn lullige doorzonwoning in Tiel verhuizen, dan mag ik de tuin aanharken en mijn zuster gratis het huishouden doen. Het maakt hem niet uit wat wij ervan vinden, of wat mijn vader zou willen...'

'Het spijt me van je vader,' zei Jetta Blok.

Dennis kuchte. 'Ik zie jullie straks wel weer?'

'Wacht,' zei Rob. 'Je kunt helpen uitleggen dat niemand zich met ons hoeft te bemoeien.' Dennis bleef staan en Rob zei: 'Dit is mijn partner, Dennis Galman. We beginnen dit najaar een eigen bedrijf, een kwekerij. We hebben afnemers en de Kamer van Koophandel heeft uitgerekend dat we genoeg winst zullen maken om de hypotheek te betalen en onszelf te bedruipen. We komen net bij de aannemer vandaan, hij begint in augustus met de bouw van de grote kas.'

Rebecca luisterde verbaasd naar haar broer. Sinds de dood van hun vader was ze zo in beslag genomen door haar eigen problemen dat ze nauwelijks had opgemerkt hoezeer Rob was veranderd. Hij klonk als de man in huis, die voor alles ging zorgen. Hij moest wel. Hij liet zich nog steeds overheersen door Dennis, maar misschien zou hij sterk genoeg zijn om de klap te kunnen verwerken als de hele zaak niet doorging. *Sterker dan Roelof*, dacht ze. Misschien had hun moeder hem dat gegeven.

'Je legt het zelf al aardig goed uit.' Dennis stak een hand uit. 'Dag mevrouw.'

Jetta Blok gaf hem een werktuiglijke hand. 'Nou,' zei ze. 'Dat zou iets kunnen veranderen.' Ze keek vragend naar Rob. 'Maar jij zit toch nog op school?'

'Mbo-groen,' zei Rob. 'Dat kan ik in twee dagen per week afmaken, dat is een regeling.'

'En waar komt het geld voor die onderneming vandaan?' vroeg ze met ironie. 'Moet een bank dat gaan lenen?'

'Nee mevrouw,' zei Dennis. 'Dat lever ik.'

'Oh?' Ze monsterde Dennis. Hij zag er niet erg rijk uit in z'n oude jeans en geblokte overhemd.

'Ik heb wat geërfd,' zei Dennis. 'Moet ik dat aantonen?'

'Ik hoor eerst liever wat uw reden is om hier geld in te steken.'

'Omdat ik denk dat we winst zullen maken.' Dennis glimlachte. 'Ik was bevriend met hun vader. De kwekerij was zijn plan. We wilden het met z'n drieën doen. Nu doen we het met z'n tweeën, of eigenlijk met z'n vieren.'

Rebecca keek verbaasd naar hem. Er was niets gelogen, dacht ze, en er klopt niks van. Het bleef een tijdje stil. Jetta Blok nam haar bril af en wreef de glazen met een zakdoek. Ze keek terloops naar Suzan, die weer bezig was gegaan met de pruimen, en fronste naar Dennis.

'Woont u hier in huis?' vroeg ze.

'Nee mevrouw. Ik heb m'n eigen onderkomen.'

Ze zette haar bril weer op. 'Ik begrijp het niet goed,' zei ze. 'Wist die meneer uit Tiel van die plannen?'

'De meneer uit Tiel heeft er niets mee te maken,' zei Rob.

'En de Kamer van Koophandel heeft een prognose gemaakt?'

'We willen u graag rondleiden en de tekeningen laten zien,' zei Dennis beleefd. 'Als dat kan helpen?'

Ze bekeek hem weer en stopte het papier terug in haar tas. 'Dat is goed,' zei ze. 'Laten we dat eerst maar doen.' Ze klopte Suzan op de schouder. 'Ik zie u straks nog.'

Rob liet haar beleefd voorgaan en ze verdwenen gedrieën naast het huis. Rebecca keek verwonderd naar Suzan.

'Waarom moet ze met jou apart praten?' vroeg ze.

Suzan veegde haar pols over haar voorhoofd. 'Het geeft niet.' Ze beet op haar lippen. 'Nou ja, Els waarschuwde me daar al voor. Als het om voogdij gaat willen ze alles van je weten. Laten we maar hopen dat het overwaait als ze zien dat we onszelf kunnen bedruipen en niemand nodig hebben.'

'Behalve Dennis dan,' mompelde Rebecca.

Suzan glimlachte flauwtjes.

'Hij helpt ons in elk geval uit de brand,' zei Rebecca, als om een eerdere vraag te beantwoorden.

Rob moest afrijden in Leerdam en Rebecca en Suzan wilden mee om hem aan te moedigen en boodschappen te doen. Rob had moeite gehad met het idee dat de Volvo van zijn vader zijn auto zou worden, maar Suzan had gezegd dat ze hun verstand moesten gebruiken en dat Roelof ook liever zou zien dat zijn zoon erin reed dan een Poolse ambtenaar. Ze hadden de auto uit de carport gehaald en hem gewassen en gepoetst. Rebecca had gehoopt dat ze met z'n drieën gingen, maar haar broer en Dennis waren een soort Siamese tweeling geworden en Dennis stapte meteen achter het stuur. 'Ik rij erheen,' zei hij. 'En Rob rijdt terug.'

'Als ik slaag,' zei Rob. Hij was zenuwachtig, ook al had Roelof hem al sinds z'n zestiende in de Volvo laten rijden. Hij had maar tien lessen nodig gehad. 'Het is nog markt ook...'

'Onzin,' zei Dennis. 'Je slaagt.' Hij gaf Rob een speelse stomp in z'n zij. 'Ik ben niet van plan om chauffeur te gaan spelen voor mijn mededirecteur.'

Mededirecteur, dacht Rebecca. Ze vroeg zich af of zij de enige was die merkte dat Dennis zich steeds meer als de enige directeur begon te gedragen. Alle besluiten leken van hem te komen. Hij had een speciale techniek, waarbij hij eerst geduldig naar Suzan of Rob luisterde en vervolgens de beslissing uitsprak, vlak voordat iemand anders de kans kreeg om dat te doen. Toen Suzan een keer over het onderlinge contract begon dat ze nog moesten maken, zei Dennis luchtig dat daar eigenlijk totaal geen haast bij was, aangezien ze toch praktisch familie waren geworden en elkaar volledig vertrouwden. Dennis had ook het bestek van de aannemer getekend en de man beloofd dat hij de aanbetaling van achtduizend euro binnen twee weken zou overmaken. 'Ik had mijn erfenis op dat moment niet nodig, daarom heeft de zaakwaarnemer van mijn tante het geld voor me belegd,' verklaarde hij 's avonds. 'Maar hij zal zorgen dat er op tijd genoeg vrijkomt.'

Ze parkeerden de Volvo bij de Zuidwal, waar vier auto's van rijscholen stonden. Ze bleven zitten kijken toen Rob naar het groepje rij-instructeurs en nerveuze kandidaten slenterde. Twee examinatoren stonden met klemborden voor het café.

'Het komt wel goed,' zei Dennis.

'Laten we maar gaan,' zei Suzan. 'Anders wordt hij nog zenuwachtiger.'

Leerdam had een levendige markt, met kramen van Turken en Marokkanen en een Vietnamees, die gepaneerde visballetjes verkocht in zakjes van een dozijn. Dennis nam Rebecca's arm. 'Kom op, ik trakteer.'

Ze liet zich meevoeren. Dennis bestelde de visballetjes. Suzan was bij een kraam verderop om werksokken voor Rob te kopen.

Dennis hield haar de papieren zak voor. 'Ik heb weinig kans om met je alleen te zijn,' zei hij.

Ze blies op een balletje, olie kleefde aan haar vingers. 'Veel werk voor school,' zei ze. 'Ik heb examens.'

'Hier.' Hij gaf haar een papieren servet en hield haar vingers even vast. 'Ik dacht ze komt me wel weer opzoeken. Ik bedoel in de camper. Ik mis je heel erg.'

Ze keek in zijn blauwe ogen en stak het balletje in haar mond, het was heet en ze drukte het servet tegen haar lippen. Hij kon er zo oprecht en onschuldig uitzien, en ze begon te blozen toen ze voor de zoveelste keer bedacht dat ze zich totaal kon vergissen en dat ze alleen maar een domme puber was, overstuur geraakt omdat die beroemde eerste keer niet de totale vervoering was geweest waarvan ze als een onnozel kuiken had gedroomd, met violen en engelenkoren. Misschien zag ze spoken omdat ze teleurgesteld en gefrustreerd was. Misschien was Lukas gewoon weggelopen. Haar blozen kwam van de hete bal en ze deed haar best op een glimlach.

'Ben je bang dat Suzan het merkt?' vroeg Dennis.

'Nee.' Ze keek naar Suzan, die vijf meter verderop bundels sokken inspecteerde.

'Wat dan?'

'Het voelt verkeerd,' fluisterde ze.

Hij lachte zachtjes. 'Seks is nooit verkeerd. Seks is wat iedereen nodig heeft. Je houdt toch van me?'

Haar hoofd bewoog, iets tussen ja en nee in.

'Ik zal voorzichtiger met je zijn.' Hij legde een steelse hand op haar heup. 'Ik zag een advertentie van iemand die een nest jonge bouviers kwijt moet,' zei hij toen. 'Zal ik er een voor je kopen?'

Ze kon hem niet aankijken. 'Je had toch zo'n hekel aan honden?'

Hij kneep in haar heup. 'Hoe kom je daarbij? Ik wil je alleen maar blij maken.'

'Ik hoef geen hond meer,' zei ze.

Haar wangen waren warm en ze stapte achteruit. Ze hoorde luid roepen: 'Hé, Molly!' en ze draaide zich om. Een man kwam opgetogen op Suzan af, die heftig met haar hoofd schudde en in verwarring leek te raken. Rebecca liep naar haar toe.

'Ik dacht dat ik je nooit meer zou zien. Ben je ergens anders gaan werken?' De man zag eruit als een veehandelaar. 'Of voor mij op de loop?' Hij grinnikte en legde een vlezige hand op Suzans rug.

'Ik denk dat u zich vergist,' zei Suzan stijf, en ze reikte de verkoper een pakje sokken aan. 'Deze, graag.'

'Wat wilt u van mijn moeder?' vroeg Rebecca.

De man keek verbaasd van haar naar Suzan. 'Oh,' zei hij. 'Ik snap het al. Geen malheur.' Hij hief zijn handen in een verzoenend gebaar en verdween langs de kramen naar de kop van de markt.

Suzan telde geld uit. Haar vingers trilden. Dennis was erbij gekomen en vroeg: 'Viel die man je lastig?'

'Nee hoor,' zei Suzan. 'Gewoon een vergissing.' Ze stopte de sokken in haar rieten tas en glimlachte geforceerd naar Rebecca. 'We moeten kaas kopen.'

Dennis duwde de visballen en de servetten in Rebecca's hand. 'Ik heb ook nog wat nodig,' zei hij. 'Ik zie jullie bij de auto.'

Hij verdween in het gewoel. Rebecca en Suzan liepen de andere kant uit, naar de kaas- en viskramen. 'Wie was dat?' vroeg Rebecca.

'Geen idee. Hij zag me voor iemand anders aan.'

Suzan vermeed naar haar te kijken en Rebecca drong niet aan. Ze gaf haar het vettige zakje. 'Hier,' zei ze. 'Dennis trakteert. Ik neem die tas wel.'

Suzan proefde een bal en trok een gezicht. 'Als we opschieten kunnen we nog koffie drinken.'

Ze kochten kaas en Zeeuwse mosselen voor 's avonds. Café de

Hoek lag vlak voorbij de viskramen. Het was er druk, maar ze vonden een tafeltje achterin dat net werd ontruimd. De eigenaar bracht zelf de koffie en kwam even bij hen zitten. 'Het spijt me van je man.' Hij knikte naar Rebecca. 'En je vader. We missen hem allemaal.'

'Dank je,' zei Suzan.

'De politie is zeker niet meer bij jullie geweest?'

'Nee, hoezo?' vroeg Rebecca.

Hoekstra haalde zijn schouders op. 'Ze waren hier voor die dode man. Ik had ze gebeld toen ik die foto op de tv zag.'

'Die man die met z'n auto in een wiel is gereden?' vroeg Rebecca.

Hoekstra knikte. 'Hij zat hier een keer tot sluitingstijd met je vader te schaken, dat is alles. Ze gingen samen weg. Ik dacht dat Roelof misschien zou weten hoe hij heette…' Hij zweeg en haalde zijn schouders op. 'Ze zullen jullie er nou niet meer mee lastig vallen.'

'Weten ze al wie het was?'

'Het enige wat ze toen wisten was dat de auto in Den Bosch was gestolen. Ik heb een beetje gevraagd bij m'n klanten. Hij was hier nog een paar keer geweest, maar niemand wist z'n naam.'

Suzan keek op haar horloge en dronk haar koffie op. 'We moeten weg,' zei ze. 'Rob is vast klaar.' Ze pakte haar portemonnee. 'Hij doet z'n rijexamen,' zei ze.

'Mooi.' Hoekstra grijnsde. 'Als hij een autootje zoekt weet ik wel wat voor hem.'

'Hij krijgt de auto van Roelof,' zei Suzan.

'Ja, natuurlijk.' Hoekstra glimlachte ongemakkelijk. 'Laat hem maar uit de buurt van die wielen blijven.'

Rob had een papier waarmee hij voorlopig de weg op kon tot hij z'n rijbewijs op het gemeentehuis kon afhalen. Hij had blijkbaar al aan Elena beloofd dat hij haar met de Volvo zou ophalen om naar de bioscoop te gaan, en Dennis zei dat hij iemand moest opzoeken, dus bleven Suzan en Rebecca alleen achter. Ze aten de mosselen en keken naar het nieuws en daarna ging Rebecca naar boven om huiswerk te maken.

Ze had hoofdpijn en kon zich niet concentreren. Ze slikte twee paracetamols en gebruikte de beker van de wastafel om ze weg te spoelen. Haar nieuwe kamer had een eigen wastafel, en een zachter bed.

Voor de rest was er weinig veranderd, ze had eenvoudig al haar spullen oververhuisd.

Ze trok haar schoenen uit en ging met haar kleren aan op het bed liggen. Ze sloot haar ogen en probeerde na te denken over alles wat er om haar heen gebeurde. Na een tijdje trok de hoofdpijn weg en ze begon in slaap te vallen.

Ze hoorde een deur en stemmen, onder de houten vloer. Ze dacht dat Rob was thuisgekomen en keek op de klok, maar het was nog niet eens halfelf. Toen hoorde ze Suzan zeggen: 'Ik heb liever niet dat je je daarmee bemoeit.'

Rebecca kwam van het bed en sloop op haar sokken de gang op.

'Ik wil je alleen maar helpen,' hoorde ze Dennis zeggen. 'Je hebt toch wel gemerkt hoe ik over je denk?'

De deur boven aan de trap stond halfopen.

'Ik dacht dat je koffie wilde,' zei Suzan.

Rebecca knielde voor het trapgat om in de keuken te kunnen kijken. Haar haren vielen voor haar gezicht, en ze hield ze uit haar ogen en leunde op haar elleboog. Dennis stond dicht achter Suzan bij het aanrecht.

'Je hoeft me alleen maar te waarschuwen als die Halpers vervelend wordt,' zei Dennis.

'Je hebt daar niks mee te maken.'

'Natuurlijk heb ik daarmee te maken.' Dennis pakte Suzans schouder. 'Kijk me es aan.'

Suzan zou haar kunnen zien als ze zich omdraaide en Rebecca wilde haar hoofd terugtrekken, maar Suzan bleef koppig staan zoals ze stond.

'Ik zoek hem wel op,' zei Dennis. 'Waar woont hij?'

'Ik weet niet waar je het over hebt,' zei Suzan.

'Iemand op de markt legde het me uit.'

Ze zag Suzans hoofd schudden. 'Die man vergiste zich.'

Dennis gaf een schamper geluidje. 'Dat dacht ik ook, maar hij noemde de club en daar hoorde ik de rest.' Hij schoof zijn handen onder Suzans armen door en probeerde haar tegen zich aan te trekken. Rebecca wilde gillen, maar ze hield haar mond toen Dennis zei: 'Wat mij betreft hoeft niemand ervan te weten, maar Roelof is er niet meer en je hebt iemand nodig.'

Suzan verstijfde. 'Ik heb je niet nodig,' zei ze. 'Laat me met rust. Ga weg!'

Dennis stapte achteruit en hief z'n handen, net zoals die man op de markt had gedaan. 'Sorry,' zei hij. 'Ik wou het je alleen laten weten. Denk er maar over na. Ik ben al weg.'

Rebecca trok snel haar hoofd terug. De deur van de bijkeuken ging open en dicht. Suzan vloekte en sloeg de glazen koffiekan stuk op het aanrecht. Toen liep ze snikkend naar de woonkamer.

Rebecca wilde naar haar toe gaan, maar Suzan zou alleen maar ongelukkiger worden als ze merkte dat iemand had zitten luisteren. Ze keerde terug naar haar kamer, nam haar schoenen en hield ze in haar hand terwijl ze over de bovengang naar het zijhuis sloop en daar de trap af ging. Ze trok haar schoenen aan en liep snel door de zijdeel. Ze stond op het terras en probeerde de camper te onderscheiden. Ze zag geen licht. Ze wist niet wat ze wilde, of wat ze moest doen, en toen zei Dennis:

'Zoek je mij?'

Ze schrok zich een ongeluk. Dennis zat in een terrasstoel, ze had zijn sigaret niet eens geroken.

'Ga je mee naar de camper?'

'Nee.'

'Waarom niet?'

Als ze woorden nodig had kon ze ze nooit vinden. Ze kon dingen opschrijven, als ze alleen was, en tijd had om erover na te denken. Achteraf wist ze altijd precies wat ze had moeten zeggen. Dennis zat nooit om woorden verlegen. 'Je hebt mij niet nodig,' zei ze.

Hij stond op en trapte op zijn sigaret. 'Kom es hier.'

Rebecca stapte achteruit en viel zowat van het terras, haar voet vond net op tijd de bovenste trede. Haar onhandigheid maakte haar kwaad. 'Blijf uit de buurt van Suzan.'

'Suzan?' Dennis begon zachtjes te lachen. 'Wat is dat nou? Is Becky jaloers?'

Becky. Ze beet op haar kaken. 'Ik heet Rebecca. Ik ben niet jaloers. Ik wil alleen dat je haar met rust laat.'

'Suzan is je moeder niet, en ze heeft me nodig,' zei Dennis. 'Maar jij blijft altijd nummer een.'

'Je bent niet goed wijs,' zei ze.

Hij lachte weer. 'Je denkt dat Suzan een heilige is, maar ze heeft elke maand een probleempje.'

'Daar heb jij niks mee te maken,' zei Rebecca.

Ze zag hem in het donker zijn hoofd schudden. 'Je weet niet eens wat haar probleem is. Ik ben toevallig de enige die haar kan helpen. Net zoals ik jou heb geholpen.'

'Misschien moet je maar verhuizen en ons met rust laten,' zei Rebecca.

Dennis was even stil. 'Verknoei nou niet alles, *Becky*,' zei hij toen. 'Zonder mij raken jullie Suzan kwijt en kom je bij die makelaar in Tiel terecht.'

'Misschien is dat beter,' zei ze.

'Die man had je vermoord als ik er niet op tijd bij was geweest, denk je daar ook weleens aan?'

'Ja,' zei ze. 'Daar denk ik heus wel aan.' Ze was zich ook gaan afvragen waarom hij pas zo laat had gereageerd, terwijl ze meteen als een varken had gegild en zijn camper er vlak naast stond. 'Al was het maar omdat sindsdien alles verkeerd gaat.'

'Daar kan ik weinig aan doen.' Hij bleef geduldig. 'Ik probeer jullie alleen maar te helpen alles weer goed te krijgen.'

Ze bleef even stil. 'Waarom doe je dat eigenlijk?' vroeg ze toen.

'Om jou,' zei Dennis zonder te aarzelen. 'Ik dacht dat je dat wel wist.'

'Om míj?'

Ze zag zijn ogen niet, alleen het ovaal van zijn gezicht. Ze hoorden een auto. De lichten van de Volvo zwenkten de oprit in en gleden over hen heen. Dennis boog zich naar haar toe en kuste haar op de lippen en ze kon zich niet bewegen.

'Vanaf de eerste dag,' zei hij.

Hij kneep in haar schouder en liet haar alleen. De Volvo werd achteruit onder de carport gereden en in het bewegende licht zag ze Dennis door het hekje gaan en in de schapenwei verdwijnen. Ze nam de stoel die nog warm was van Dennis en wachtte op haar broer. Ze hoopte dat Suzan de scherven had opgeruimd en naar boven was gegaan.

'Boeba,' zei ze.

'Hé,' zei hij. 'Wat zit jij hier in het donker?'

'Ik kon niet slapen. Hoe was het?'

Rob zakte met een zucht in de stoel naast de hare. De stad hing nog om hem heen, sigaretten, kunstlicht, pils. 'Ik heb morgen school, ik kon het niet laat maken. Elena heeft ook nog examens.'

'Ik ben blij dat je je kop erbij houdt.'

Hij grinnikte. 'Anders zij wel.'

'Dat is tenminste iets dat goed gaat.'

'We zien wel.' Hij keek opzij. 'Wat bedoel je?'

Ze moest hem een keer in vertrouwen nemen. 'Soms twijfel ik aan alles.'

'Dat komt omdat Roelof er niet meer is. Ik mis hem net zo hard als jij, hij zou hierbij moeten zijn.' Hij zweeg even. 'Ik kan nog steeds niet geloven dat hij zo ten einde raad was.'

'Zo eenzaam,' zei Rebecca. *Alsof wij er niet waren.*

'Hij wil dat we doorgaan. Hard werken, dat is het beste. Ik heb nog een kruimel, zal ik een joint draaien?'

'Nee, dank je. Ik dacht al dat ik iets rook.'

'We hebben nog wat in de Volvo gezeten, bij haar ouders voor de deur.' Hij zweeg even. 'Ze is een schat.'

'Dat denk ik ook,' zei Rebecca.

'Meen je dat?'

'Ja. Ze is oké.'

Rob ontspande zich. Ze keken een tijdje in de nacht.

'Wat denk je eigenlijk van Dennis?' vroeg Rebecca.

Rob knikte naar het donker. 'Hij kan een beetje bazig zijn,' zei hij toen, en hij grinnikte. 'Bedoel je dat?'

'Ik vraag me soms af wat hij eigenlijk van ons wil.'

Rob legde zijn hand op de hare. 'Ik denk dat ik dat wel snap. Hij is alleen, hij heeft geen familie, niks. Daarom steekt hij zijn geld in een bedrijf met ons, ook al weet hij geen moer van kweken.' Hij lachte zachtjes. 'Hij heeft ons net zo hard nodig als wij hem, maar we hoeven hem niet te adopteren of zo.' Hij klopte op haar hand. 'Het komt wel goed. We hebben een feestelijke opening in oktober.'

Ze kon het niet doen, zijn droom stukslaan. Ze had ook niks, alleen praatjes, vermoedens. Hij zou haar uitlachen. Of in de war raken. Ze hield haar mond.

12

De oude man durfde me niet aan te kijken. 'U zult me wel haten,' zei hij.

'U kon er niks aan doen.'

Ik schoof een stoel naast zijn bed. Hij lag in een kamer met vier andere patiënten. Het was bezoekuur. Ik had niks meegebracht. Een vrouw en een jongetje zaten aan weerskanten van het bed bij de deur. De vrouw praatte zachtjes. Het jongetje vingerde aan zijn vaders gipsbeen, dat in een takel hing.

'Het spijt me vreselijk,' zei de oude man. 'Ik voelde me niet goed, ik had pillen op zak, maar ik dacht ik red het wel tot thuis. Ik kon geen lucht meer krijgen.'

'U hoeft het niet uit te leggen.'

Ik was hier niet om dingen te reconstrueren, ik wilde hem alleen een keer zien, een gezicht bij de naam hebben. Frans Vorster was een Rotterdamse sportverslaggever, die vijftien jaar geleden met pensioen was gegaan en jammer genoeg een huis buiten Leerdam had gekocht, in plaats van ergens in Zeeland. Hij was een magere man met wit haar en kleurloze lippen. Hij keek even naar me en meteen weer weg, naar de uitgeschakelde televisie aan de wand tegenover z'n bed.

'Ik zag zo'n actiefilm die ze artistiek probeerden te maken door er allerlei teksten uit het handboek van de Samurai tussendoor te zetten,' zei hij toen. 'Ik heb er een opgeschreven.' Zijn hand tastte blindelings naar het nachtkastje. Ik zag een gebruikte envelop met krabbels erop en drukte die tussen zijn vingers. Hij hield hem naar het raam en kneep zijn ogen samen, alsof hij eigenlijk een bril nodig had. 'Het leven is een opeenvolging van het ene moment na het andere,' citeerde hij. 'Als je één moment volledig begrijpt hoef je verder niets meer te doen.' Hij liet de envelop zakken. 'Iedereen lult altijd over dat ene moment en ik snap eigenlijk nooit wat ze bedoelen.'

Ik stond op. 'Ik ook niet. Welk moment?'

Het moment waarop hij besloot om hier te komen wonen, in plaats van in Zeeland? Om in zijn Mercedes te stappen en met zijn hartpillen te wachten tot hij thuis was?

'Vrijdag mag ik eruit,' zei hij.

'Mooi,' zei ik. 'Het beste dan maar.'

Toen ik bij de deur was werd die net geopend. Een oude dame kwam binnen. Zijn vrouw waarschijnlijk. Ze had een zak druiven en sinaasappels bij zich. 'Dag meneer,' zei ze, in het voorbijgaan.

'Dag mevrouw.'

Het hielp allemaal weinig, maar Corrie was om negen uur komen aanzetten om het huis te luchten en leefbaar te maken en ik had me al geschoren en schone kleren aangetrokken. Dat kwam omdat om halfnegen de wekker uit zichzelf was begonnen te rinkelen.

Ik had de wekker al dagen geleden met de wijzerplaat naar de muur gekeerd omdat ik alleen maar wilde slapen en de tijd niet wilde weten en er pas uit kwam als het goed en wel dag was. Ik sliep als een oude hond, zonder nachtmerries, met alleen maar nu en dan Cyber-Nel in een droom. Ik had beslist geen wekker gezet, of de wijzerplaat naar me toe gedraaid.

CyberNel. Ze dwaalde rond, ze bleef nog in de buurt. Vannacht had ze erg belerend geklonken, en ook nogal ongeduldig, als een Groningse onderwijzeres van een lagere school die het maar niet in die kleikoppen gehamerd krijgt. Ik wil je niet de les lezen, zei ze, maar op een gegeven moment moet je toch een beslissing nemen over wat je wil zijn, iemand die z'n leven weggooit of iemand die leeft.

Ik grinnikte in de droom: Hoe bedoel je, niet de les lezen?

Ze moet toen ook die truc met de wekker hebben gedaan. Omdat ze alles weet, ook dat het Corries eerste werkochtend was. Ze kan niet doorgaan met al die dingen voor me doen, m'n leven regelen. Ik weet dat ze uiteindelijk weggaat, om ergens uit te rusten, met Hanna.

Ik zette de BMW met twee wielen in de berm en stapte uit. Het was een vredige plek, vol goudgetint zomerlicht, bijen en vlinders en gekwaak in de sloot, alles plotseling uitgewist door het gedaver en de rukwind van een voorbijrazende trein.

Geldermalsen-Culemborg. In de verte rinkelden de bellen van een onbewaakte overweg.

De trein was nog niet voorbij of ik hoorde de kikkers en de vogels weer. Misschien waren ze niet eens opgehouden, ze woonden hier en waren afgestompt door de overdosis van om de paar minuten die herrie die altijd hetzelfde was, behalve die ene keer toen de remmen gierden en sisten, de lichten op rood sprongen en de avond vol beweging en stemmen en sirenes raakte en de machinist naast de rails stond te trillen op zijn benen. Er is zowat geen machinist die het niet heeft meegemaakt, het is het trauma van het vak.

Ik liep onder de bomen langs het hoge gras van de berm. Links van de weg stond een huis, waarvan ik alleen een spits dak en een raam op de bovenverdieping zag, de rest ging schuil achter een tuin vol struiken en een oude appelboom. Rechts was een tien meter brede strook grond tot aan de verhoogde spoordijk, met wilgentenen, riet en braamstruiken. De spoordijk was van deze kant nauwelijks bereikbaar, je zou door die wildernis heen moeten en de sloot was te breed om eroverheen te springen.

Ik bleef staan toen er weer een trein kwam, een intercity ditmaal, die een kilometer nodig heeft om normaal tot stilstand te komen, en zeshonderd meter als er aan de noodrem wordt getrokken.

Tegenover het huis was een voetpad naar een smalle loopbrug die langs een zijsloot doorliep naar een kleine werktunnel onder de spoorbaan. Het was een lage tunnel, met stenen wanden en een open dak van verspreide stalen balken, waar de rails met roestkleurige bouten op vastgeschroefd zaten. De zijsloot liep met de loopbrug mee onder de tunnel door en mondde aan de andere kant uit in een klein wiel. Je zou hier niet willen zijn als er een trein over de tunnel daverde, maar zonder de trein was het een eigenaardig romantische plek.

Een jongetje stond te vissen in het wiel aan de andere kant van de tunnel. Ik stak een geruststellende hand naar hem op, baande me een weg door het onkruid en de keien langs de voet van de spoordijk en klauterde er even verderop tegenop.

Het moest hier ergens zijn gebeurd, aan deze kant. Treinen rijden links. De stoptrein van Utrecht naar Den Bosch. Het station van Culemborg lag aan deze kant van de stad en de trein kon nauwelijks op snelheid zijn geweest. Niemand heeft spoorboekjes in zijn hoofd, maar om zeker te zijn had Roelof Welmoed beter op een intercity kunnen wachten.

Machinisten zijn vooral gespitst op de overwegen, op de auto die op het nippertje oversteekt, de te langzame boerentractor met de hooiwagen. Overdag kunnen ze op een recht baanvak kilometers rails overzien. De machinist zou nachtmerries houden en zichzelf kwellen met de vraag of hij op tijd had kunnen stoppen, maar de schemering is het moeilijkste licht, de man droeg een groen ribfluwelen jasje en een manchester broek en zou een onzekere vlek op de rails zijn geweest, een stofje dat hij uit z'n ogen probeerde te knipperen, tot hij er praktisch bovenop zat en z'n voet van de dodemansknop nam.

Het was een rare plek.

Waarom zover, en zo moeilijk? Het wemelde hier van de onbewaakte overwegen, met alleen bellen en lichten en halve bomen. Het was tien keer eenvoudiger geweest, en zekerder, door op zo'n overweg tegen de halve boom aan te gaan staan, waar de machinist van een intercity hoogstens een flits van hem zou zien, als hij zich voor de trein wierp en het te laat was.

Ik kon de drang begrijpen. Ik zat er zelf middenin. Je krijgt dat speciale geschenk, één keer in je leven. Een eenmalig, uniek, volmaakt cadeau. Als het wegvalt verdwijnt iedere zin om 's morgens op te staan, koffie te maken, brood te snijden, de dag mee te maken en 's avonds weer naar bed te gaan. Maar voor deze man was er niets van een dergelijke omvang weggenomen, hij hoefde alleen een tegenslag te incasseren. Al waren het tien tegenslagen. Hij had al zijn geschenken nog, vrouw, zoon, dochter, werk, hij woonde in een paradijs. Hij was op de rails gaan liggen. Het idee had iets onverdraaglijks, waarom hij wel en ik niet?

Hoe lang lag hij daar? Drie minuten? Wat deden zijn hersens in die eeuwigheid? Of waren ze er niet meer bij?

Verre bellen rinkelden en ik haastte me van de spoorbaan af om de machinist geen hartverlamming te bezorgen. De trein stoof voorbij en nam z'n lawaai mee. Ik liep terug naar de tunnel en bleef bij het joch staan. Hij keek opzij en gaf me een onzekere glimlach. Hij was acht of negen, met lichte, vrijmoedige ogen in een mager gezicht, stroblond haar en veegstrepen van opdrogende modder over een muggenbeet op zijn wang. Zijn hengel rustte op de ijzeren reling van de loopbrug, een bamboestok met ijzergaren door oogjes die hij er met plakband aan vast had gezet en een rood-witte dobber.

'Eten we vis vanavond?' vroeg ik.

Het joch trok met z'n benige schouders onder een geblokt hemd. Een stekelbaars zwom rond in het jampotje aan zijn voeten. Een leeg leefnet hing aan de loopbrug.

'D'r zit wel voorn,' zei hij.

Het water leek nogal troebel, met veel riet en irissen en kroos en weinig beweging. 'Moet je niet naar school?'

'Wij hebben al vakantie. We gaan volgende week naar de camping in Putten.'

'Woon je hier in de buurt?'

Hij knikte naar de tunnel. 'Aan de overkant. Komt u voor dat ongeluk?'

Zijn vraag verbaasde me niet, waarom zou ik hier anders tegen de spoorbaan op klauteren. 'Ik kijk een beetje rond.'

'Het is daar gebeurd.'

'Heb je er iets van gezien?'

Hij schudde zijn hoofd, nam een hand van zijn hengel en wreef over zijn gebeten wang. 'Ik was boven, op m'n kamer. Bent u van de politie?'

'Ik ben een detective.'

'Zoals op de tv? Dat zou ik ook wel willen worden.' Hij keek me gretig aan.

'Het is niet zo spannend als op de tv,' zei ik. 'Piloot is beter, dan kom je nog eens ergens.'

'Heeft u een pistool?'

'Niet bij me.' Ik klopte op mijn hemd.

'De politie is bij ons geweest.'

'Hebben ze met jou gepraat?'

Hij schudde zijn hoofd. 'Alleen met mijn ouders, maar die zaten naar het journaal te kijken.'

'En jij?'

'Ik was naar boven, ik moest naar bed.'

'Zo vroeg al?'

Hij trok een scheef gezicht. 'Ik had de voorband van m'n vader z'n auto laten leeglopen.'

'Was je kwaad op hem?'

'Nou…' Hij fronste. 'Een beetje, maar ik zat gewoon te pielen met een spijker, in het ventiel. Ik kon hem er weer uit krijgen maar hij bleef leeglopen. Ik moest voor straf naar bed, meteen na het eten.'

'En ben je braaf gaan slapen?'

Hij grinnikte onzeker. 'Ik heb nog wat zitten spelen, piraten, en voetbal.'

'Op je computer?'

Hij knikte.

'Niet uit het raam gekeken?'

'Hij staat voor het raam. Overdag moet het gordijn dicht, anders zie ik niks op het scherm.'

'Ik denk dat je beet hebt,' zei ik.

De dobber was onder water verdwenen. Het joch gaf een ruk aan zijn hengel en haalde een lege haak op.

'Ze zijn je te vlug af,' zei ik.

Een trein denderde achter ons over de tunnel. Ik voelde de rukwind. Het joch lette er niet op. Hij ving behendig de zwaaiende haak in zijn hand, bukte zich naar een ander potje en viste er een worm uit. Met kinderen moet je de tijd nemen. Ik had geen haast, het was hier aangenaam, afgezien van die treinen.

'Ik weet niet eens hoe je heet,' zei ik. 'Ik ben Max.'

'Oh.' Hij wurmde de worm aan de haak. 'Ik ben Casper.'

'Had je het gordijn toen ook dicht?'

'Nee, het was al een beetje donker.'

'Je keek nu en dan vast wel uit het raam.'

Hij bewoog zijn schouders weer. 'Jawel.'

'Wat heb je gezien?'

'Er was veel lawaai en toen kwam de politie met sirenes en nog meer auto's. Ik zag mijn vader naar buiten hollen en ik ben naar beneden gegaan, maar mijn moeder was in de hal en ik moest op mijn kamer blijven.'

'Ik bedoel eigenlijk ervóór,' zei ik. 'Voordat het gebeurde.'

'Niks.' Hij wierp z'n hengel weer uit.

'Je zou me er wel mee helpen,' zei ik. 'Dat bovenraam is het enige waaruit je iets kunt zien.'

'Niet de tunnel,' zei hij. 'Daar staat de appelboom voor. Alleen maar de weg. Daar liepen een paar mensen.'

'Een paar?'

160

'Twee mannen.'

'Was dat voor het ongeluk?'

'Ik weet niet precies hoe laat, ik zat aan mijn computer.'

'De tijd staat erop, rechts bovenin?'

'Daar kijk ik nooit naar.' Hij keek naar me. 'U wel?'

Ik grinnikte. 'Nee, ik ook niet. Kwamen ze in een auto?'

Hij schudde zijn hoofd. 'Ik heb geen auto gezien. Wel een fiets, dat was later. Misschien was dat een van de mannen?'

'Ook vóór het ongeluk?'

'Ja, natuurlijk. Anders was-ie wel afgestapt.'

'Je hebt gelijk, dat was een domme vraag voor een detective.' Ik trok een gezicht en Casper grinnikte terug. 'Misschien moeten we het even reconstrueren,' zei ik. 'Weet je wat dat is?'

Hij knikte. 'Zoals in *Opsporing verzocht.*'

'Oké. We zitten in jouw kamer. Kwamen die mannen van links of van rechts?'

'Van links.'

De Culemborgkant. Daar was Welmoeds auto in de berm aangetroffen, een eindje voor de tunnel en waarschijnlijk net uit het zicht van dat raam, tenzij je het opendeed en je hoofd naar buiten stak.

'Hoe zagen die mannen eruit?'

'Ik kon ze niet goed zien. Ze liepen onder de bomen en het werd al een beetje donker.'

'Maar je bleef kijken?'

Casper knikte. 'Dat kwam omdat een van de mannen bleef staan om naar ons huis te kijken.'

'Welke van de twee?'

'Misschien was hij ouder dan die andere.'

'Kon je de kleur van z'n haar zien, of wat hij aanhad?'

'Nee. Maar de andere riep iets naar hem, misschien dat hij moest opschieten of zo, want ze liepen weer door en toen zag ik ze niet meer.'

'Omdat ze achter de boom voor je raam waren?'

'Ja.'

'En ze kwamen niet rechts van de boom weer te voorschijn?'

Hij trok een spijtig gezicht. 'Ik heb er niet meer op gelet. Ik keek alleen even omdat die man naar ons huis keek.'

'Ze kunnen dus naar de tunnel zijn gegaan, dat kon je niet zien, want die zit ook achter die boom?'

'Jawel.' Hij fronste. 'Maar er was er toch maar één?'

'En de fietser dan? Je zei dat het misschien een van die mannen was. Waar kwam die vandaan?'

'Van dezelfde kant, ook van links. Ik zag hem pas toen hij al voorbij de boom was. Hij reed hard.' Hij zweeg even en ik zag hem nadenken. Hij schudde zijn hoofd. 'Het kan dus eigenlijk niet,' zei hij toen. 'Ik bedoel dat het een van die mannen was, want waar kwam die fiets dan vandaan? Ze kwamen lopen, ze hadden geen fiets bij zich.'

Het joch deed zijn best. 'Hoeveel tijd zat er tussen de mannen en de fietser?'

Casper trok weer met zijn schouders. 'Vijf minuten? Ik weet het niet, maar de fiets was een minuut of twee voor het ongeluk.'

De wind van weer een intercity zoog door zijn blonde haar. Ik keek de trein na, die richting Culemborg verdween.

'Oké,' zei ik. 'Dank je wel. Ik ga nog even kijken.'

'Langs het spoor?'

'Ja.'

'Zal ik meegaan?'

Ik keek in zijn wakkere ogen. 'Graag,' zei ik. 'Twee zien meer dan een. Ga maar voor.'

Casper kneep z'n ogen in een brede, opgetogen grijns. Hij zette z'n hengel tegen de reling. De worm bungelde boven het water in de zon. Ik volgde hem langs de spoordijk. Hij bleef staan waar ik ertegen op was geklauterd. 'Hier?'

'Misschien een eindje verder?'

'Maar het is hier gebeurd.' Hij schudde spijtig zijn hoofd. 'We zijn eigenlijk te laat. Ze zijn hier een dag bezig geweest met opruimen. We vinden niks meer.'

'Nee, daar heb je gelijk in, maar we moeten controleren of je verderop aan de andere kant over de sloot kunt komen.'

'Oh.' Zijn ogen lichtten op. 'Dat kan makkelijk, bij de volkstuinen. Kom maar.'

Hij ging opgewekt voor me uit over de kiezels en de graspollen en bleef een eind verderop staan. 'Dat is hier.'

Hij wilde de spoordijk opklauteren maar ik hoorde weer bellen en greep zijn hand. 'Een trein.'

'Die krijgt me heus niet.'

'Jou niet, maar ik ben niet zo vlug als jij.'

We wachtten op de trein. Zijn hand was kleverig. Hij deed geen poging om hem los te trekken. Kinderen vragen niet naar je legitimatie, niet op het platteland tenminste, ze hebben nog die onschuld waar je weemoedig van wordt. Toen de trein voorbij was trok Casper me tegen de dijk op en ik liet hem begaan, ik was een oude man en hij de onsterfelijke jeugd.

Boven bleef hij staan en tuurde over de spoorbaan, naar waar de rails vervormd raakten en zich oplosten in het waas van zomerwarmte. 'Waarom doet iemand dat?' vroeg hij toen.

'Wat?'

Hij knikte naar de rails.

'Ik weet het niet.' Ik wilde hem niet afschepen. 'Soms zien ze er geen gat meer in.' Ik dacht aan de statistieken, en de verontrustende percentages van jongeren onder de achttien die zich ophingen, uit flats of voor treinen sprongen. Casper zou daar niet bij horen, maar je weet het nooit. Ik vond ooit in de borstzak van een junk die al dagen lag te vergaan in zijn overdosis, een beduimelde foto van een vader, een moeder en twee kinderen, waar hij er een van was, tijdens een picknick aan het strand. 'Ik begrijp het ook niet,' zei ik. 'Sommige dingen kun je niet begrijpen.'

Casper gidste me over de spoorbaan en ik volgde hem aan de andere kant naar omlaag. Alles leek hier groener en frisser. Er waren bessenstruiken op de smalle strook tussen de spoordijk en de sloot, die hier maar twee meter breed was. Aan het eind van de bessen lag er een stevige plank overheen. In de volkstuin aan de andere kant zat een oude man met een zondoorstoofde kop onder een rieten hoed op kniebeschermers van stukken autoband tussen de sperziebonen.

'Hé! Zijn jullie verdwaald of zo?'

'Niks zeggen,' zei ik tegen Casper. 'Ik had gehoord dat hier ijsvogels zaten,' riep ik. 'Mogen we uw plank gebruiken?'

Hij plukte aan zijn opgerolde hemdsmouwen. 'IJsvogels?'

We gingen over de plank. De man leunde op zijn mand en bleef geknield zitten kijken, terwijl we over het kaarsrechte middenpad van zijn tuin kwamen.

'Wat zijn dat?'

'Dat zijn felblauwe vogeltjes, je ziet ze soms in een schicht over de sloot gaan.'

'Niet hier.'

'Ze worden zeldzaam, de club kijkt er altijd naar uit, voor de inventarisatie. Het was een loze tip, zoals meestal.' Ik stak een hand op. 'Bedankt, hè?'

Casper liep voor me uit. De tuin was niet omheind en we konden zo de Parallelweg op. Daar bleef Casper staan en vroeg: 'Wat zijn ijsvogels?'

'Je ziet ze vooral 's winters. Het is het mooiste wat er is.' Ik grinnikte naar hem. 'Weet ik veel?'

'Ik zal het onthouden,' zei hij vrolijk. 'Gaan we zó terug?'

We waren vijftig meter voor het huis. Welmoeds auto had hier in de berm gestaan. Mijn auto stond aan de andere kant, voorbij de tunnel. We liepen langs zijn huis en daar nam ik afscheid van hem.

'Oké, Casper. Je hebt me erg geholpen. Dank je wel.'

Hij gaf me een hand: 'Was dit voor die fietser?'

'Dat moet voorlopig geheim blijven,' zei ik. 'Daarom zei ik ook maar wat tegen die meneer in de tuin, van die ijsvogel.'

'Ik praat er heus niet over.'

'Het is vervelend als mensen verkeerde ideeën krijgen, daar moet je in ons vak altijd voorzichtig mee zijn.'

'Maar ik mag het toch wel weten?'

Hij was m'n vriend. We hadden samen *gereconstrueerd*. 'Als de fietser een van die twee mannen was, dan kan hij zijn fiets daar ergens voor die tuinen hebben neergezet, waar jij hem niet kon zien,' zei ik. 'Dan kan hij met de andere man zijn meegelopen, en teruggegaan zoals wij net hebben gedaan. Dat wou ik alleen even checken.'

De hulpsheriff was niet gek. 'Bedoelt u dat die andere man misschien door die fietser...' Hij kneep zijn ogen samen. 'Maar dan moet hij al dood geweest zijn, want hij kwam echt vóór het ongeluk langs, en niet erna.'

'We weten het nog niet,' zei ik. 'Jij en ik kunnen ons makkelijk vergissen. Denk je dat het je lukt om er niet over te praten?'

'Jawel, hoor.'

'Ik geef je m'n kaartje, voor als je je nog iets herinnert. Je mag me altijd opbellen.' Ik trok een kaartje uit mijn hemdzak. 'Als je maar niks verzint.'

Casper grinnikte. 'Olifanten?'

Ik klopte hem op de schouder. 'Ga maar een mooie snoek vangen.'

Ik zette de hoofdschakelaar om en wekte Nels station. In de hooiberg begon van alles te zoemen.

Ik ging achter haar grote scherm zitten. Haar mainframe. Ik keek naar de iconen. Een ervan was een raar mannetje, dat door een vergrootglas keek. Hij droeg een geruite pet. Ik klikte erop.

Dag Max. KISS.

Haar lippen. Ik kreeg een brok in m'n keel. Aan de andere kant van het raam buitelden twee roodstaartjes over elkaar heen op een dikke tak, keer op keer, alsof ze allebei rechts van de andere wilden zitten, en niet links. Gewoon echtelijke ruzie, donslijfjes tussen wippende staarten en fladderende vleugels, vogelgeflirt. Ik wist dat ze alleen maar de lijfspreuk van de hackers bedoelde: *Keep It Simple, Stupid*, en verder niets.

Bovenin verscheen een soort menubalk met Nels eigen iconen, als ik de cursor erop bracht kwamen er gele blokjes met de verklaring eronder: justitie, kentekens, telcom, medisch, belastingen, sofi, naslag, internet en van alles meer, plus het rode symbool met het sleutelteken en MQHM, dat ik me herinnerde van CyberNels geheime wapen.

Wat zoek je?

Ik typte in een geselecteerd kadertje.

Dennis Galman.

Ik klikte op justitie. De computer bleef stil.

Misschien moet je de telefoon erin doen.

Shit. De stekker lag voor de plug, die tussen stopcontacten en andere pluggen op een plank onder het raam was gemonteerd. Ik stak hem erin en de computer begon dingen te doen en e-mailsignalen te geven. Meestal wachtten ze daarmee tot je Outlook opende, maar Nels computers gingen hun eigen gang.

Inbox: 3.

De eerste was van Eddie, Nels computerbuddy. *Mag wil je CYNCAS afkopen voor £ 50.000 = ong. 2 jaar royalty's, altijd doen want binnen 2 jr is er beter. Laat weten. Ed.*

Ik keek naar de datum. Een dag na het ongeluk. Hij had nog niet geweten dat ze geen e-mails meer beantwoordde. CYN was CyberNel, CAS naar ik aannam het *conditional acces system* dat ze ooit had ontworpen voor een Londense firma. Eddie had hier op de begrafenis niets over gezegd, maar dat was normaal, hij wist welke accountant Nels zaken afhandelde. Er kwam nog steeds geld op haar bank, royalty's van haar uitvindingen, maar zoals Eddie terecht opmerkte was haar wereld er een waarin alles elk jaar antiek werd. Haar ouders vonden dat ik recht had op een aandeel in Nels erfenis, maar ik had het niet nodig, vooral omdat we de hypotheek op het huis hadden afgelost toen Nel haar helft van Eddies firma aan een bedrijf in Nijmegen verkocht.

Ik typte er een antwoord onder: *Ed, ik neem aan dat je dit al met Boekhorst hebt geregeld? Groet, Max*, en stuurde het weg.

De tweede kwam uit Duitsland. *Beste Max, ik heb alleen maar Nels e-mailadres, ik hoop dat je dit krijgt. Het spijt me zo dat ik er niet kon zijn. Nel heeft me veel verteld, over de telefoon, ook over jou. Ik mis mijn zusje, maar ik weet hoe verschrikkelijk het voor jou moet zijn, zonder haar en Hanna. Ik wens je sterkte. Ik ben in augustus in Nederland, als je het goedvindt kom ik je opzoeken. Theodora.*

De derde mail was van de vorige dag, <reb.welmoed>. *Ik kan u niet dwingen maar ik weet niet wat ik moet doen. Als u me niet kunt helpen moet ik iemand anders zoeken. Alles gaat verkeerd. Ik maak me nu ook zorgen om Suzan, hij heeft iets ontdekt uit haar verleden en ik ben bang dat hij daar misbruik van maakt. Rebecca.*

Misschien had ze Nels e-mailadres van haar vriendin Atie. Aties vader werkte bij de veiling en kon Nels factuur gezien hebben. *Winter & Van Doorn.*

Ik had Rebecca's verslag gelezen, de eerste keer met het halve oog dat alles voorbij liet gaan, krant, drukwerk, ondertitels. Er bleef niks hangen. Nu lagen de vellen naast me op Nels werkbank, die een hele wand van de hooiberg besloeg, onder ramen met rolgordijnen, die Nel meestal half omlaaghield om het licht van de schermen te weren.

Het meisje had een weinig alledaags handschrift, met eigenzinnige letters en verbindingen, zoals de a, die ze schreef als het cijfer 2 met een lus eronder, en de g, die een hoge J was met halverwege een e erdoorheen gecirkeld. Ze schreef helder en direct, een introductie van haar familie, gevolgd door een chronologisch verslag vanaf de nacht waarin ze op een haar na werd verkracht, plus een opsomming van alles wat ze aan concrete gegevens had. Ze maakte zorgvuldig onderscheid tussen feiten en vermoedens.

Ik had alleen Casper, maar ik wilde haar niet in onzekerheid laten. *Ik ben ermee bezig. Nog weinig zekers, misschien heb je gelijk. Kom zondag langs, dan weet ik meer. Als er eerder iets dringends is kun je me mobiel bereiken, ik ben op pad. Wees voorzichtig. MW.* Ik voegde m'n mobiele nummer toe en stuurde het weg.

De computer ruimde z'n scherm op. *Dennis Galman* stond nog in z'n vakje, met eronder: re just: *onvoldoende gegevens.*

De computer wilde geboortedata, geboorteplaatsen, sofinummers, volledige voornamen, als hij er meer dan een had. Ik ging door het lijstje van Rebecca. Ze gaf zijn vertelsels en schreef dat ze hem niet te veel kon uithoren zonder argwaan te wekken, maar ze had naar zijn verjaardag gevraagd: dat was 12 oktober. Hij was 26, volgens zijn bewering. 12-10-'79? Ik klikte op burgerlijke stand, de naam Dennis Galman bleef staan, ik hoefde er alleen maar de datum bij te typen. Het was een programma voor stoethaspels.

Onvoldoende gegevens.

Ik staarde daar even naar en toen kwam er een nieuwe tekst, in dezelfde afwijkende letter van Nels eerdere opmerkingen. Toen ik hem selecteerde zag ik dat het een Bradley Hand ITC TT-Bold was. Ze had mijn gestuntel voorzien en had er een extra programma met haar reacties voor ingebouwd. Ze zou me altijd blijven volgen.

God, Nel.

Je kunt alles in een keer doen. De MQHM-*schijf zit in het kluisje. Stop hem erin en tik op HackMac. Doe hem terug in de kluis als je klaar bent!*

Het woord HackMac wierp me terug in de tijd, toen ze haar geheime wapen voor het eerst gebruikte. We hadden inbraken moeten plegen om een plagiaataffaire op te lossen, maar wat ik me nu met een schokje herinnerde was de nacht waarin ze plotseling overstuur was geraakt door iets dat me abstract en onredelijk voorkwam en dat ik uit haar hoofd had proberen te vegen, zoals je spinrag uit een raam veegt. Iedereen wordt weleens overvallen door onredelijke angsten en voorgevoelens, en later bedacht ik dat het misschien kwam omdat ze net zwanger was geraakt, iets dat ze me nog niet had verteld.

Ze lag naast me in bed, toen ze onverwacht vroeg of ik altijd naar haar zou blijven kijken, ook als ze oud was. Ik dacht dat ze een grap maakte en verzekerde haar dat er niemand bestond naar wie ik liever keek, maar het was geen grap. Ze kreeg tranen in haar ogen. 'Je ziet me, dat is iets anders,' zei ze. Ik trok haar naar me toe en vroeg waarom ze zo bang was. Ze fluisterde: 'Omdat geluk niet kan duren. Het heeft nooit geduurd.'

Ik weet dat ik haar in mijn armen hield, en dat ze na een tijdje in slaap viel. Acht maanden later kwam Hanna en ze praatte er nooit meer over, alsof ze het was vergeten, maar soms zag ze tekenen van onheil, een noodlotskring om de maan, en ik weet nu dat het er altijd was. Ik begrijp het nu ook beter. Ze was gelukkig en tegelijk bang, precies zoals ik me voelde toen Hanna voor het eerst het woordje 'papa' uitsprak. Het is die wonderlijke mengeling van onmetelijk geluk en onverklaarbare angst. Niets is eeuwig en er is niemand die daar goed mee om kan gaan.

De schijf zat in een onschuldige blanco envelop met alleen de potloodletters MQHM erop. De HackMac is een geavanceerd brok inbraakgereedschap, ontworpen door een vriend van Nel, een Duits computergenie dat onder de naam MindQuest opereert. Er bestaan maar vijf of zes exemplaren van en Nel bewaarde het hare altijd in haar kluis, een brok staal van duizend kilo dat weggemoffeld zat achter een van de deurtjes onder haar werkbank.

Ik schoof hem in de computer en tikte op het symbool. Even later verscheen het vraagteken dat ik me herinnerde. Ik typte de naam Dennis Galman en zag een venster met functies en codes verschijnen. Ik klikte op *All*.

Found: 236.

1-26. Er kwam een lijst. Nederlanders, Canadezen en Australiërs. *Next Page*.

Max de stoethaspel. Ik klikte het scherm leeg en typte Nederland en de geboortedatum.

None.

Ik fronste ernaar. Als Galman z'n hele verleden uit zijn duim had gezogen kon ik lang zoeken. Maar waarom zou iemand liegen over zijn verjaardag? Misschien was het jaar verkeerd, of moest ik een geboorteplaats hebben.

Justitie, zei de computer.

Dennis Galman, Wijk-en-Aalburg, gearresteerd 02-06-93, autodiefstal, Vught, minderjarig, tbs, geplaatst GVT Lelielaan Tilburg.

Niet geboren. Wel in een gezinsvervangend tehuis.

13

De mollige jongedame in de receptie zei met een schalkse glimlach dat de directeur naar een congres voor directeuren was. Ik gaf haar mijn Meulendijk-kaart en zei dat ik informatie zocht over een pupil die hier acht jaar geleden was vertrokken. Ze begon te blozen toen ik de naam Dennis Galman noemde. 'Dennis,' zei ze. 'Oh.'

Het naambordje op haar balie zei Ineke Welling. 'U heeft hem dus gekend?' vroeg ik.

Ze zette haastig een bril op haar wipneus, boog zich over een blocnote en schreef er dingen op over van mijn kaart, voordat ze die teruggaf.

'Ik zal vragen of mevrouw Goedhart u te woord kan staan,' zei ze formeel. 'Komt u maar mee.'

Ze parkeerde me in een kleine spreekkamer.

Het complex lag aan de rand van de stad, aan het eind van een doodlopende laan. Gebouwen en een sportveld lagen verspreid tussen bomen en gazons. Ik had een twee meter hoge gaasomheining gezien, die ondanks het prikkeldraad erboven eerder bedoeld leek om de herten eruit te houden dan gevangenen erin. Het GVT was geen gevangenis, maar een verzameling units met elk tien of twaalf kinderen in diverse leeftijden, die in de stad naar school gingen en hier in een soort gezinsverband woonden, met een 'vader' en een 'moeder'.

Achter me ging de deur open. 'Dag meneer. U wilde me spreken?'

Een kleine vrouw, in een beige rok en een paars hemd met een dun vest eroverheen. Ik stelde me voor en gaf haar mijn Meulendijk-kaart. Ze knikte vriendelijk en zei dat ze Chantal Goedhart heette en de administratie deed. Ze had een rond gezicht met veel rimpels en een montuurloze bril.

Ik nam de kaart terug en hield hem op. 'Veel opdrachten komen tegenwoordig van bedrijven die achtergronden en karakterprofielen van sollicitanten willen.'

'En wie is uw opdrachtgever?'

Een in de war geraakte puber die spoken zag. 'Dat is vertrouwelijk,' zei ik. 'Maar het gaat om een voormalige pupil. Hij is hier vertrokken toen hij achttien werd. Dennis Galman.'

Haar gezicht betrok. De receptioniste had haar kennelijk niet verteld om wie het ging.

'Was hij een weeskind?' vroeg ik.

'Waarom denkt u dat?'

'Ik dacht altijd dat gezinsvervangende tehuizen vooral bedoeld waren voor wezen.'

Ze zweeg. Ik zag dat ze met zichzelf overlegde. 'Dennis is hier geplaatst op aanbeveling van de kinderrechter,' zei ze ten slotte.

Ik knikte. 'In verband met autodiefstal, in 1993?'

'Daar weet u dus van?'

'We beginnen meestal bij justitie.'

Ze zuchtte. Ze was blijven staan. Ik dus ook. 'Hij hoorde hier eigenlijk niet thuis,' zei ze toen, met een zucht. 'Maar er was een gunstig psychiatrisch rapport en de kinderrechter nam de moeilijke gezinsomstandigheden in aanmerking, anders zou hij naar een behandeltehuis zijn gegaan. Onze huiscommissie besloot om hem een kans te geven.'

'Het verbaast me dat u dat allemaal nog weet? Hij vertrok acht jaar geleden en er zal hier toch veel verloop zijn.'

Een vluchtig glimlachje. 'Ik was de enige die tegenstemde.'

'Waarom?'

'Dat doet er niet meer toe. Ik herinner me Dennis Galman, dat is alles. We hebben hier veel kinderen en sommigen zijn moeilijker dan anderen. Ik was blij dat hij vertrok. Verder kan ik u helaas niet helpen, we hebben geen contact met hem gehouden. Misschien weet Gerard er meer van, dat is de huisvader van die unit.'

'Graag.'

Ik zag dat ze al spijt had van haar opmerking, maar ik bleef gewoon staan en ten slotte liep ze naar een telefoon op een wandtafel en toetste een nummer. 'Mieke, is Gerard daar?'

Ze keek naar me terwijl ze wachtte, maar keerde zich naar de muur toen de man aan het toestel kwam. 'Gerard, ik heb hier iemand van een onderzoeksbureau. Het gaat over Dennis Galman.' Ze luisterde even en zei: 'Nee, die is er niet.' Pauze. 'Ja, je hebt gelijk. Ik stuur hem daarheen.'

Ze legde neer. 'Hij is in de moestuin. Komt u maar mee.'

Ik volgde haar door de gang. 'Waar is Galman naartoe verhuisd toen hij hier weg mocht?' vroeg ik. 'Had hij een baan?'

'Hij ging op kamers in de stad.'

'En het adres van zijn ouders, of pleegouders, dat was toch in Wijk-en-Aalburg?'

Ze knikte en opende de voordeur. 'Volgt u die weg maar, voorbij twee huizen. U ziet het vanzelf.'

Ik bedankte haar en kreeg een knikje en een snelle hand. Gerard was beslist niet in de moestuin geweest toen ze hem belde, maar in zijn unit, anders had ze niet eerst Mieke gekregen, wie dat ook was. Ik volgde een asfaltweg met bomen erlangs. Kleine kinderen speelden op schommels, een wip en een klimrek boven kaalgesleten plekken in het gazon. Grotere kinderen, jongens en meisjes door elkaar, waren aan het voetballen op het verre sportveld. Ik bedacht dat de vakantie was begonnen en vroeg me af of ze al die weken hier bleven, of met bussen naar speciale campings gingen, of zoals vroeger met Jantje Beton naar de kinderkolonie aan zee. *Heb jij dan geen huis?* Naast een van de units hingen gewassen kleren in diverse kindermaten te drogen aan een molen. Ik hoorde muziek en de luide stem van een vrouw: 'Charlie! Wat is dat nou? Kom es hier!'

Verderop zag ik bonenstaken en een kleine kas, maar voordat ik de met laag gaas tegen de konijnen beschermde moestuin bereikte, stond er een man op van een plantsoenbank. Hij kwam snel over het gras in mijn richting.

'U was op zoek naar mij?'

'Als u Gerard bent.'

'Gerard van Hool.' Hij gaf een stevige hand. Van Hool was een gedrongen man van mijn leeftijd, met vriendelijke, bruine ogen en een kortgeknipte ringbaard, die grijs begon te worden en licht afstak tegen z'n gebruinde huid. Hij knikte naar de bank, in de schaduw van een enorme beuk op tien meter van de weg. 'We kunnen daar wel even praten.'

Ik volgde hem over het gras. 'U ontvangt me liever niet in de unit?'

'Hoezo?'

Ik glimlachte en haalde m'n schouders op. Hij knikte toegevend en kwam naast me zitten. 'Oké, dat is waar. De kinderen zijn thuis, maar ik breng daar hoe dan ook geen mensen die ik niet ken. Dit gaat over Dennis Galman?'

'Ja.'

Hij zweeg een tijdje. 'Krijgt hij hier moeilijkheden mee?' En toen, als tegen zichzelf: 'Nou ja. Dennis was nogal een lastpak. Die lopen er wel meer tussendoor. We krijgen ze in alle soorten. Heeft hij iets uitgehaald?'

'Niet dat ik weet. Ik zoek alleen achtergronden.'

Van Hool leunde achteruit. 'Hij is behoorlijk slim. Heeft Chantal verteld hoe hij hier terecht is gekomen?'

'Een vriendelijke kinderrechter.'

'Eerder een in de luren gelegde psychiater. Dat bedoel ik met slim. Hij kon zich overal uitkletsen. Mieke en ik keken na een tijd wel door hem heen, maar hij is kampioen in het zich oprecht en onschuldig voordoen, en zonodig zielig. Een echte charmeur.'

'Weet u toevallig het adres van z'n ouders?'

'Dat is in Wijk-en-Aalburg, aan de Maasdijk, ik weet het nummer niet uit mijn hoofd.'

'Wat waren de problemen met Dennis?'

Hij glimlachte ongemakkelijk. 'We kunnen niet vierentwintig uur per dag controleren. Overdag gaan ze naar school in Tilburg, hij heeft de lagere technische school gedaan. Er waren allerlei dingetjes. Hij was handig.'

'In dingetjes?'

Hij keek even naar me en knikte. 'Dingetjes. We gaan hier uit van elkaar vertrouwen, dat is nodig, en we doen zo weinig mogelijk achter slot. Soms verdween er geld uit de kas en dan zat hij in het huisberaad naar je te kijken met een gezicht van bewijs het maar, je maakt me niks. Toen het een keer echt te gortig werd heb ik voorgesteld om hem naar een behandelhuis over te plaatsen, maar dat was zes maanden voordat hij weg mocht en de commissie vond dat we hem die zes maanden moesten gunnen. Ze hadden hem geaccepteerd, ik ook trouwens, en ik denk dat ze niet wilden toegeven dat ze zich hadden vergist. Wat ze deden was hem overplaatsen naar een ander huis, bij Teun en Liesbeth, die zijn een stuk strenger dan wij. Hij kreeg daar drie maanden huisarrest, dat is onder begeleiding naar school en verder thuisblijven en corvee doen.'

'Ging dat over diefstal?'

'Nee.' Van Hool fronste naar het boekje op m'n knie.

'Wat dan?'

'Hij probeerde een meisje te verkrachten.'

Ik liet m'n boekje met rust. 'In uw huis?'

Hij zweeg even. 'Tilly was veertien,' zei hij toen. 'Een lief kind. Haar kamergenote was uit logeren. Dennis sloop 's nachts haar kamer in en kroop bij haar in bed en ze begon te gillen. Ik was er snel bij en sleurde hem de kamer uit. Hij begon meteen de onschuld te spelen en ik had zin om hem in elkaar te rammen. Dat doen we dus niet.' Hij snoof, alsof hij het niet altijd eens was met die beperking. Toen zei hij: 'De meeste meisjes waren trouwens nogal onder de indruk van Dennis, hij was die zelfverzekerde charmeur en leek erg volwassen, en ze waren wel geneigd om hem te geloven toen hij bleef volhouden dat Tilly hem had uitgenodigd. Die dingen kunnen natuurlijk sowieso niet. Enfin. Hij had een krokodillenverhaal voor de commissie over hoe verliefd hij was geraakt en dat het hem vreselijk speet, en ze gaven hem die laatste kans.'

'Had hij vrienden?'

'Nee, geen jongens tenminste, behalve Jan Schreuder. Die zat in het huis van Teun en Liesbeth, maar hij was net vertrokken toen Dennis daarheen werd verplaatst.'

'Wat was Schreuder voor iemand?'

'Een wees. Een donkere jongen, niet erg opvallend. Hij heeft hier tien jaar gezeten.' Van Hool dacht na. 'Schreuder was het type van de meeloper, ik denk dat hij er erg trots op was dat de grote Dennis zijn vriend wilde zijn en dat hij zich aan hem vastklampte. Hij ging op kamers in de stad, en Dennis is toen hij hier weg mocht bij hem ingetrokken.'

'Heeft Dennis verder gestudeerd of is hij gaan werken?'

Van Hool grinnikte. 'Studeren was niks voor Dennis. Hij kreeg een baantje in een hotel aan de Heuvelpoort. Onderhoudswerk, hij was wel handig, en technisch. Ik weet niet wat er daarna van hem is geworden of waar hij nu uithangt. Schreuder werkte bij een apotheek aan de Molenstraat, hij had zo'n assistentencursus gedaan.'

Ik knikte. 'Zijn er foto's van Dennis, uit die tijd?'

'We hebben huisalbums, met groepsfoto's en van feestjes en zo.'

'Ik heb graag een foto van hem, voor bij m'n rapport. Ook van Jan Schreuder, als dat kan.'

Hij stelde er geen vragen over. 'De administratie heeft foto's van alle kinderen. Ik vraag wel of ze een kopie kunnen missen.'

Ik noteerde gegevens terwijl hij in z'n mobiel praatte. Het gesprek leek nogal stug te gaan, maar ten slotte stak hij het toestel terug in zijn borstzak en zei: 'Ze liggen bij de receptie.'

Hij liep met me mee tot aan z'n unit. Ik bedankte hem en gaf hem een hand. 'U doet hier goed werk.'

'Dat proberen we.'

Ik bestudeerde de kaart en zag dat ik er praktisch langskwam als ik binnendoor ging in plaats van over de snelweg. Het was warm en ik reed met de ramen open door dorpjes en weilanden en over een pontje. Fietsers en wandelaars, in de opgewekte stemming die toeslaat zodra het zomer wordt en de zon gaat schijnen. Oud-Heusden, een oude ijzeren brug die zo smal was dat ik moest wachten voor tegenliggers, en ten slotte Wijk-en-Aalburg, dat nogal ingewikkeld in elkaar zit omdat het uit twee aan elkaar gefrommelde dorpen bestaat. Het voordeel van een rivierdijk is dat je er altijd op terechtkomt, als je maar door blijft rijden.

Een oudere man trok zijn poedel de berm in om me te laten passeren. Ik stopte naast hem en vroeg naar het huis van de familie Galman.

Hij boog zich nieuwsgierig in m'n raampje. 'Wou je het kopen?'

'Staat het te koop?'

'Als ze er een gek voor vinden.' Hij grijnsde breed. 'Ik bedoel jou niet, hoor,' zei hij. 'Het is verderop, aan je rechterhand, je ziet vanzelf wat ik bedoel.' Hij bleef staan grinniken toen ik een hand opstak en doorreed.

Rechts stonden huizen op de dijk, en links eronder verbouwde boerderijen en een conservenfabriek die me herinnerde aan tv-spots met Martine Bijl tussen de sperziebonen. Voorbij een bocht reed ik recht op een huis af dat volledig was uitgebrand.

Ik begreep de eigenaardige reactie van de man met de hond. Ik stopte en kwam uit de auto.

Er was weinig over van wat zo'n solide dijkhuis met gebroken kap uit de jaren dertig was geweest. De muren stonden er nog, met dode raamgaten en geblakerde resten van dakbalken. Een pad voerde omlaag naar een smal perceel met een houten schuur en een verwilderde moestuin. Aan de andere kant van de sloot lag een halve kilometer uiterwaardenland tot aan de rivier. De brand was niet recent, klimop en rode wingerd waren inmiddels over de muren en via de raamgaten de ruïne in gewoekerd en de tuin stond vol onkruid en metershoge bramen.

Schuin tegenover de ruïne stond een lager huis, waarvan de benedenhelft eruitzag als een winkel, met een kleine etalage. Toen ik erheen liep begon er een alarm te loeien. Ik bleef op de verharde erfstrook staan. Leo Zeeling, juwelier, stond er op de etalage, met klokken, sieraden en horloges op glazen plateaus. Het alarm viel stil en een winkelbel rinkelde. Een oude man met een blozend gezicht onder een kale schedel kwam de winkel uit.

'Sorry,' zei hij. 'Ik zet dat alarm meestal aan als ik achterin ben.'

'Last van inbrekers?'

'Nou.' Hij haalde zijn schouders op. 'Je kan niet voorzichtig genoeg zijn. Ik ben Zeeling. Kom maar binnen, hoor.'

'Max Winter. Ik kom niks kopen. Ik ben op zoek naar de familie Galman.'

'Oh.' Hij kauwde even op zijn teleurstelling en knikte naar het verbrande huis. 'Dan bent u een jaar of zo te laat.'

'Ik dacht, misschien weet u hun nieuwe adres.'

'Dat is het kerkhof.'

Ik keek naar de ruïne. 'Zijn ze omgekomen bij die brand?'

'Alles zat op slot. We hebben een raam ingeslagen maar de boel stond in lichterlaaie en het plafond kwam al naar beneden, we konden er niet in. Mijn zoon had de tuinslang, maar wat doe je daarmee? Het was die warme zomer, kurkdroog. We zijn ons eigen huis gaan natspuiten toen er brandend spul begon rond te vliegen. De brandweer heeft ze er later uitgehaald, wat ervan over was.'

'Waren ze te laat?'

'Nou, laat. Het is vrijwillige brandweer, het was midden in de nacht en ze zitten niet om de hoek.'

'Wanneer is het gebeurd?'

'Dertien juni, vorig jaar.'

'Wat zei de politie ervan?'

Zeeling keek een tijdje naar me. 'Ze konden niks bewijzen,' zei hij toen, op een toon alsof hem dat speet. 'Niemand heeft verdachte personen gezien, iedereen lag te slapen. Ze vonden geen jerrycans met benzine of zo. Alles was op slot, ook hun slaapkamer. Ze vonden dat verdacht, maar toen hoorden ze dat veel mensen dat hier doen, ik bedoel zichzelf 's nachts insluiten, we hadden een paar vervelende inbraken op de dijk. Dus misschien hebben ze de deur van binnen op slot gedaan en de sleutel ergens neergelegd waar ze hem niet konden vinden toen ze eruit wilden.' Het laatste klonk onverholen ironisch.

Ik keek naar de bovenramen. Een gebroken been was beter dan levend verbrand. 'Konden ze niet uit een raam springen?'

'Wij hebben ze niet gezien. Toen we een ladder hadden knalden de ramen eruit. Misschien zijn ze niet eens wakker geworden, waren ze al bewusteloos van de rook.'

'Is er een autopsie gedaan?'

Hij fronste naar me. 'Bent u van de politie?'

Ik trok mijn Meulendijk-kaart. 'Van een onderzoeksbureau. Ik wilde met de Galmans praten over hun pleegzoon.'

Hij keek nauwelijks naar de kaart. Plattelanders zijn gemakkelijker dan stedelingen. Ze hebben niet die automatische argwaan en minder aan hun kop en meer tijd. Ze vertellen graag wat ze weten, en als ze het niet weten krijg je de dorpsroddel. 'Heeft Dennis weer wat uitgehaald?'

'Dat weet ik niet. Wat waren de Galmans voor mensen?'

'Een stel met pech, nou ja, dat is duidelijk.' Hij knikte naar de ruïne. Er kwam een bestelbus over de dijk en Zeeling stak een hand op naar de bestuurder. 'Jos heeft in een meubelfabriek gewerkt maar die ging op de fles. Hij leefde van z'n uitkering en hij had beneden een werkplaatsje waar hij stoelen en kastjes repareerde voor mensen uit de buurt. Het was een somber stel. Volgens mij hadden ze vooral pech met Dennis. Ze kregen hem als baby en ik heb hem zien uitgroeien tot een onbetrouwbaar klootzakje van veertien, toen liep hij eindelijk een keer tegen de lamp voor autodiefstal en ging hij in een inrichting.'

Hij werd onderbroken door de winkelbel. We draaiden ons om. Een grijze vrouw stond in de deuropening. 'Leo? Is er wat?'

'Nee, niks.' Hij wuifde haar weg. 'Ik kom zo.'

'Ik heb thee.'

Zeeling keek vragend naar mij. Ik schudde mijn hoofd, ik hield hem net zo lief hier, en alleen. 'We zijn zo klaar,' zei Zeeling.

Ze verdween humeurig en Zeeling grijnsde. 'Behalve als je bij haar op de thee gaat,' voegde hij er voor mij aan toe.

Ik glimlachte terug. 'Ik ben zo weg.'

'Thee is er altijd. Vraag maar op.'

'Weet u waar Dennis vandaan kwam, of hoe zijn echte ouders heetten?'

'Geen idee. Als ze dat op papier hadden is het in de fik gegaan. Ze hadden geen kinderen en ze waren dol met het jochie. Alles was nog goed, hij had een baan, ze hebben hem geadopteerd en kregen meteen een naamsverandering. Ze hebben hem Dennis genoemd, naar Jos z'n vader. Ik heb nooit een naam van z'n echte ouders gehoord.' Hij knikte weer naar de ruïne en streek over zijn schedel. 'Erg gelukkig zijn ze er dus niet van geworden.'

Het idee stond op zijn gezicht maar hij sprak het niet uit. Vooruit met de geit, dacht ik. 'Denkt u dat Dennis ermee te maken had?'

'Je moet tegenwoordig uitkijken met laster. Hij was een dief, dat weet ik wel. En een handige jongen. Hij kwam een keer in m'n winkel, hij was dertien of zo. Hij wou iets kopen voor de verjaardag van Mattie, z'n eh… moeder. Hij zag niks van z'n gading en ik ging naar achteren om een doos met broches te halen. Hij kocht de goedkoopste. Stom dat ik niet meteen heb gecontroleerd, nou merkte ik pas een week later dat ik een duur horloge kwijt was. Ik kon niks meer bewijzen, er was intussen allerlei ander volk in de winkel geweest. Ik ging toch naar ze toe en wat ik kreeg was een uitbrander van Mattie dat ik zoiets van haar zoon kon denken en het joch stond erbij met zo'n gezicht van je maakt me niks. Mattie heeft nooit een kwaad woord van haar Dennis willen horen. Hij kwam ze nog wel es opzoeken, volgens Mattie studeerde hij voor ingenieur, ze was zo trots als een aap.' Hij zweeg en keek me aan. 'Moord is een graadje erger, ik weet het niet. De politie heeft hem verhoord, het schijnt dat hij een alibi had. Hij kwam op de begrafenis, ik denk vooral om te kijken of er nog iets te halen viel.'

'En viel er iets te halen?'

Hij haalde zijn schouders op. 'Er was geen testament, dus hij was de erfgenaam. Jos en Mattie waren niet rijk, maar ze hadden een levensverzekering afgesloten toen ze Dennis kregen, dus dat zal wel uitbetaald zijn. Het huis was natuurlijk ook verzekerd, maar dan moet je het herbouwen of een deal maken, ik weet niet of dat al iets voor hem heeft opgeleverd.'

'Was het een grote levensverzekering?'

'Nou, dat denk ik niet, ze waren bescheiden mensen. Misschien twee ton, guldens toen nog.'

'En de autopsie?'

'Niks van gehoord, maar er is nooit iemand gearresteerd. In de krant stond dat het een ongeluk was, kortsluiting misschien. Jos had z'n werkplaats vol met terpentijn en white spirit en dat soort dingen, dat brandt als de ziekte. Aan de andere kant... Ze kunnen een buil zo groot als een tennisbal op hun hoofd hebben gehad, en wat vind je daarvan terug op verkoolde lijken?'

Ik had nog een boel losse eindjes. Ik had weinig anders dan losse eindjes. Vaak zit het daarin. Ik dacht erover om aan Nels computer te gaan, maar terwijl ik door Leerdam reed, besloot ik de kleine omweg via fort Asperen en door Acquoy te maken, om te zien waar mijn cliënte woonde.

De zon leunde op weilanden en grienden en op het oude bakstenen fort, waar toeristen hun NS-Lingewandeling van Leerdam naar Geldermalsen onderbraken voor thee en limonade. De warmte van de namiddag dreef m'n raampjes in terwijl ik als een slak achter fietsers aan over het dubbele wielspoor op de Langendijk hobbelde. Wandelaars stapten in de berm om ons te laten passeren. Jachtjes aan kleine steigers, tenten op smalle percelen, vrolijke stemmen, braadlucht van een vroege barbecue.

De boerderij lag in een bocht, links onder de dijk. Er was er maar een, dit moest hem zijn. Ik zou nergens kunnen keren dus ik reed de dijk af zodra ik de weg omlaag zag en stopte op een breed erf. De boerderij was een laag gebouw van baksteen met een vermoeid rieten dak, groene luiken en een damesfiets naast de groene voordeur, en met grote en kleine schuren en hangars ertegenover, allemaal vol oude karren en landbouwwerktuigen en machines. Het halve erf werd in beslag genomen door een chaos van balken en roestend ijzer, stapels verweerde bakstenen en andere materialen, inclusief oude koelkasten en wasmachines. Hier woonden mensen die niks weggooiden, maar het leek te veel om restanten van eigen verbouwingen of vervanging te kunnen zijn, dus waarschijnlijk was het handel. Ik moest drie keer steken om m'n auto gekeerd te krijgen en met z'n neus naar de oprit naast een oude legerjeep te parkeren.

Er was geen levende ziel te bekennen, maar net voordat ik op m'n claxon wilde drukken, kwam er een broodmager meisje in blauwe overal en rubberlaarzen over een hek aan het eind van het erf geklauterd. Haar vlasblonde haar zat in een steile paardenstaart in haar nek gebonden. Achter haar graasden bruine koeien. Vleeskoeien, nam ik aan, dit was geen omgeving voor melkhygiëne. Het meisje leek alleen maar erg jong in de verte, ze was schonkig en broodmager, met een puntig gezicht dat aan een rat deed denken, en de fletsgrijze ogen van een dertiger die op een zijspoor was gerangeerd.

'Zoekt u iets?'

'De eigenaar, meneer Veldhuis?'

'Hij slaapt. Waar is het voor?'

'Bent u zijn dochter?'

'Nee. Is het dringend?'

'Het gaat over de jongeman die hier een tijdje met z'n camper heeft gestaan.'

'Bent u van de politie?'

Ik wou dat ik een goeie smoes had. Ik glimlachte. 'Nee, en ook niet van de belastingen. U krijgt nergens last mee.'

'Dennis is naar Acquoy verhuisd, hij staat achter bij de Welmoeds, dat is aan de Lingedijk.'

'U kent hem dus?'

'Zo'n beetje, ik ben hier zowat altijd. Hij heeft wel es geholpen met stenen laden.'

'Wat is hij voor iemand?'

Haar benige schouders bewogen onder de blauwe katoen. 'Vraag hem dat zelf maar, het is hier vlakbij. Ik moet aan het werk. *Time is money.*' Het laatste kwam in zonderling Engels en met zowaar een leuke glimlach.

Alles hier is handel, dacht ik, en ik tastte in mijn binnenzak. 'Het

is voor een notaris in Heusden,' zei ik. 'Hij betaalt alle onkosten.'
Vijftig was te veel, ik hield haar drie tientjes voor. 'Is dat oké?'

Ze bewoog haar harde schouders en stak het geld in haar overal.
'Wat moet Dennis met een notaris?'

'Het is een familiekwestie. Hoe kwam hij hier terecht?'

'Dat stukje is verpacht maar hij zei dat het maar voor een paar
maanden was en Gert dacht dat het geen kwaad kon, die mensen komen nooit voor juli en het leverde honderdvijftig euro per maand op.'

'Wilde hij speciaal op die plek?'

'Dat zei Gert, ik was er niet bij.'

'Was hij alleen?'

'Eerst wel, later zag ik nog iemand.'

'Een meisje?'

'Nee.' Ze grinnikte. Ze werd toeschietelijker. 'Het was een knul,
misschien kwam hij alleen een paar dagen bij hem kamperen.'

'Hoe zag hij eruit?'

Ze was betaald en vroeg zich niet af waarom een notaris belang
zou stellen in een logé van Dennis. 'Ik heb hem alleen een of twee
keer van veraf gezien toen ik langs kwam fietsen,' zei ze. 'Hij had
donker haar, nogal aan de stevige kant.'

'Heeft meneer Veldhuis niks gehoord toen dat meisje zowat werd
aangerand?'

'Nee, we lagen te slapen.' Ze zag mijn wenkbrauw, maar haar gezicht bleef onverschillig, alsof het haar niet uitmaakte wat mensen
dachten. 'Ik woon in Leerdam maar ben meestal hier, ik doe een beetje het huishouden en Gert is goed voor me, hij is vrijgezel. Maar dat
was Dennis niet, hoor,' zei ze toen. 'Hij ging er juist op af toen hij
dat kind hoorde gillen. Die man nam meteen de benen.'

'U hebt geen idee wie dat geweest kan zijn?'

De paardenstaart bewoog heen en weer. 'Ik weet alleen dat wij de
politie op ons dak kregen en dat Dennis meteen weg moest, je mag
daar niet wonen van de gemeente. We hebben nog gezegd dat hij z'n
camper hier op het erf kon zetten, daar heeft de gemeente niks over
te vertellen, maar Dennis had daar geen zin in, en toen kon hij bij de
Welmoeds terecht. Moet ik Gert nog wakker maken? Het is toch zowat z'n tijd.'

Weer dertig euro, of vijftig. 'Weet hij er meer van dan u?'

Ze glimlachte weer. 'Dat denk ik niet.'

Ik glimlachte terug. 'Ik ben zo weg. Wie heeft de politie eigenlijk gewaarschuwd?'

'Wij niet, dat is zeker. En Dennis stond daar illegaal, dus die had er ook geen belang bij.'

'Wat vond u van Dennis?'

Ze trok haar schouders weer op. 'Wat wil je horen?'

'Wat je van hem vond.'

Ze keek naar me. 'Ik heb hem niks verkeerds zien doen, maar volgens mij heeft hij het wel een beetje achter z'n ellebogen.'

'Waarom denk je dat?'

'Z'n ogen. Hij kon soms naar me kijken alsof hij iets wou proberen en tegelijk stond uit te rekenen of hij er wat mee opschoot of niet, hoe heet dat.'

Ik keek in haar grijze ogen. 'Berekenend?'

'Dat bedoel ik.'

Ik reed langs waar het ongeveer moest zijn gebeurd, ik wist de precieze plek niet. Ik kon de dijk afzoeken om een losgeraakte knoop van een toerist te vinden. 's Nachts en voor het seizoen was het er de ideale plek voor geweest, nu lagen er boten en waren overal mensen.

Toen was er alleen de camper van Dennis.

Ik nam de Achterweg en reed langzaam langs het huis. Een mooie boerderij met een Gelderse kap, hoog tegen de dijk. Een blonde vrouw plukte tomaten in de moestuin, Suzan naar ik aannam. Verder zag ik niemand. De camper stond voorbij de inrit achter een groenwal. Er liepen schapen in de wei voor een grote, lage stal met een dak van eternietplaten.

Toen ik thuiskwam was het te laat om nog iets aan de glasfabriek te doen. Het huis was schoon. Corrie had boodschappen voor me gedaan. Ik bakte een biefstuk, deed er een blikje doperwten en worteltjes bij en dronk een glas wijn.

Later maakte ik koffie en keek een beetje televisie. Het geluid begon me te hinderen en ik drukte het weg en sukkelde min of meer in slaap op de bank. Mijn lichaam stond nog steeds op de winterslaap van een aangeschoten beer die liever blijft dromen dan de wereld in te gaan en uit te moeten kijken naar de volgende jager.

Ik weet niet wat me wekte. Ik zag geluidloze beelden. De klok eronder stond op 23.14. Mijn nekharen kriebelden. Ik keek om en zag een gezicht in een van de halfronde stalramen langs de dijk. De man of vrouw schrok misschien net zo erg als ik, en het gezicht was weg voordat ik meer kon zien dan een bleek ovaal onder een donkere band.

Een nieuwsgierige wandelaar, een joch uit de buurt, een toerist. Vakantiegangers keken vaak bij ons naar binnen, dat was het nadeel van voorgevels pal aan de dijk. Ze keken ook in de etalages van makelaars. Ze woonden in steden en droomden van ruimte en buitenleven en het eeuwige vakantiegevoel dat daar in de droom bij hoorde.

Niks aan de hand.

Ik dronk een cognacje. M'n Beretta lag in de auto. Ik had de BMW afgesloten en het alarm zou gaan loeien als iemand erin probeerde te komen, maar ik bedacht dat ik het pistool beter in huis kon hebben.

Ik opende de achterdeur. De nacht was doodstil. Het licht door de glaspui viel over de meubels op het terras en glansde op de klinkerbestrating van de afrit. Ik ging de treden af en keerde me naar de carport toen ik een suizend gerucht hoorde. Ik reageerde instinctief met een stap opzij, waardoor de knuppel mijn achterhoofd miste en op mijn schouder terechtkwam. Ik keerde me om en de knuppel raakte me vol in het gezicht, ik voelde mijn neus kraken. Ik stortte achteruit. Mijn schouder bonkte op de klinkers en pijn bliksemde geel en zwart door mijn hoofd.

Het was nacht, niemand zou me horen. Bloed liep m'n mond in. Ik probeerde overeind te komen en kreeg een trap onder mijn oksel. De laars voelde alsof er ijzer in de punt zat. Ik begon te schreeuwen en bracht een paar krakende geluiden voort, tot zijn laars me vol in de ribben trof. Ik schoof als een zak graan over de klinkers. Mijn gezicht zat vol bloed, ik voelde gebroken ribben en gekneusde nieren. Ik sloeg m'n armen om m'n hoofd om het te beschermen en bleef liggen. Misschien zou alles hier eindigen, in het donker op de stenen. Ik had haar moeten beschermen en ik had ze laten glippen, allebei. Nu was het mijn beurt, dit was de straf.

De man liep om me heen, als een kampdokter die een experiment uitvoert. Hij trapte me tegen de schouder, toen weer in de ribben. Hij zei geen woord, de hele tijd niet. Het was alsof hij nadacht, een beslissing probeerde te nemen. Ik hoorde zijn adem en de laarzen op de klinkers en zag zijn donkere gestalte door een waas van bloed. Ik kon geen gezicht zien, hij droeg een masker of bivakmuts, en ook handschoenen. Ten slotte nam hij iets uit zijn zak. Hij hurkte naast me, greep mijn haren en draaide mijn gezicht naar hem toe. Hij liet m'n haren los om de kurk of de dop van een flesje te wurmen. Ik bedacht wat het kon zijn en raakte in paniek. Toen begon er een hond te blaffen.

De man verstijfde.

Ik probeerde te schreeuwen maar ik kreeg er niks uit. Ik zwaaide rond en mijn knieën raakten zijn kuiten. Het stelde niets voor, maar hij zat wankel op zijn hurken en het kwam onverwacht. Hij verloor z'n evenwicht en het flesje viel op de klinkers. Het blaffen werd luider en wilder en ik hoorde de stem van een man, ergens ter hoogte van Nels hooiberg op de dijk. Hij kwam dichterbij.

Mijn aanvaller krabbelde met een gesmoorde vloek overeind en gaf me een laatste, gefrustreerde trap op m'n knieschijf voordat hij ervandoor ging. Pijn vlamde door me heen.

Ik had geen idee van verstreken tijd. Ik moest bewusteloos zijn geweest. Niemand was komen kijken. Ik had iemand horen roepen, naar de hond of naar een figuur die op de vlucht sloeg. De pijn woelde als een najaarsstorm door mijn lichaam. Bladeren glansden in de populieren, als glimwormen in het vage licht uit het huis. Het was zo stil als de dood.

Ademen. Alles kleefde van geronnen bloed. Ik draaide me op mijn buik en leunde op mijn ellebogen. Ik kon niet overeind komen en kroop over de klinkers. Mijn linkerknie stond in brand, zodat ik alleen mijn handen en de rechterknie kon gebruiken. Alles draaide toen ik het terras bereikte en ik bleef twee minuten met mijn hoofd op de onderste tegeltree liggen om de duizeling te laten passeren. Daarna sleepte ik mezelf tegen de treden op.

Mijn vingers raakten iets dat voor de deur lag. Ik nam het op, leunde op mijn zij en hield het in het licht. Het was een luciferdoos, van het grote huishoudformaat. Ik schoof hem open. Er zat één enkele lucifer in.

Ik richtte me op een elleboog en verhief me op mijn linkerarm, om naar de deurknop te reiken. Ik kroop over de drempel en langs de glaspui naar m'n bureau. Ik kreeg de draad van de telefoon te pakken en het toestel kletterde naast me op de stenen. Ik toetste het alarmnummer en fluisterde dat ik hulp nodig had, een ambulance.

14

CyberNel boog zich over me heen en ik probeerde te glimlachen. Ze legde een koele hand op mijn voorhoofd. Ze droeg een witte jas. Ze trok mijn linkerooglid omhoog en scheen er met een lampje in. Toen ik weer kon kijken was haar gezicht ronder en ze was bovendien erg blond, ze had alleen maar de sproeten. Ik lag in een witte schort van degelijk gesteven linnen. Iets drupte door een plastic slangetje naar mijn arm. Ik voelde doffe pijn, op allerlei plaatsen.

'Ik ben dokter Smeding,' zei ze. 'Hoe voelt u zich?'

'Erg goed,' zei ik.

Ik had de kamer voor mezelf, met een tv-toestel aan de wand en een raam met half neergelaten luxaflex ervoor, ik zag boomtoppen en kraaien in een blauwe hemel en begreep dat ik in het streekziekenhuis buiten Leerdam was.

'Het beste is om niet te veel te bewegen. U heeft gekneusde ribben en een lichte hersenschudding, uw knie is beschadigd en daar moet u voorlopig zo weinig mogelijk gewicht op zetten. Het zijn voornamelijk builen en schrammen. Uw schouder was gedeeltelijk ontwricht. Uw neus is niet gebroken, daar heeft u geluk bij. We hebben alles ontsmet en behandeld en u pijnstillers gegeven. U heeft twaalf uur geslapen, dat helpt. Het had erger kunnen zijn.'

'Dat is een hele geruststelling,' zei ik.

De oudere verpleegster die erbij stond glimlachte.

De dokter zei: 'Ik kom aan het eind van de middag nog even kijken. Misschien kunt u morgen weg. Vannacht blijft u in elk geval hier.' Haar stem duldde geen tegenspraak. 'Zuster Anja zal u straks iets te eten brengen en daarna krijgt u pillen om te slapen. Slaap is wat u nodig heeft.'

'Waar zijn mijn kleren?'

'In de was.' De verpleegster had een moederlijk gezicht. 'Uw spullen zitten in die la.' Ze knikte naar het nachtkastje.

'U moet langs de administratie voordat u weggaat,' zei de dokter.

'Die dame zit nog te wachten,' zei de verpleegster.

Een dame?

Dokter Smeding knikte. 'Zorg dat ze het niet te lang maakt. Tot ziens, meneer Winter.'

Ik wilde haar bedanken maar ze liep de kamer al uit, met de verpleegster in haar kielzog.

Drie minuten later ging de deur weer open.

'Kijk eens aan,' zei ik.

Bea Rekké bleef bij m'n bed staan. 'Dat is een mooi paasei. Heb je dat zelf gekleurd?'

'Jij naait je leuke pakjes toch ook niet zelf?'

Bea grinnikte, nam de stoel en sloeg haar benen over elkaar. Ze had mooie benen. Ze droeg altijd strenge mantelpakjes, ditmaal een muisgrijs exemplaar met een ragdun streepje en een olijfgroen zijden sjaaltje om haar hals bij wijze van knieval aan de elegantie. Ze was een van de rechercheurs van het De Waarden-district, dat vanuit Tiel opereerde. Ik had haar voor het eerst ontmoet na de moord op mijn buurvrouw Jenny, en we waren nogal grof tegen elkaar omdat ze mij langer en hardnekkiger dan Marcus Kemming voor de moordenaar bleef aanzien.

'Ik was in Geldermalsen en zag je naam in het rapport. Ik dacht Max Winter is niet iemand die in elkaar geslagen wordt door toevallige voorbijgangers.'

'Niets menselijks is mij vreemd. Ik denk dat ze kwamen inbreken.'

'Waarom hebben ze dat dan niet gedaan? Ik bedoel toen jij was uitgeteld en de deur toch open stond?'

'Vroegen de uniformen zich dat af?'

'De uniformen hebben opgeschreven wat je hebt verteld voordat je in de ambulance werd geladen. Dat was niet veel.'

'Meer is er niet. Ik ging naar buiten en werd door een of meer onbekende personen in elkaar geslagen.'

'Waarom ging je naar buiten?'

'Ik was vergeten om m'n auto af te sluiten.'

'En die persoon, of personen, stonden je op te wachten?'

'Misschien kwamen ze net aan, ik heb niks gezien.'

'Je mag niet tegen mij jokken.'

'Ik heb nooit tegen jou gejokt.'

Bea dacht even na. 'Dat is waar,' zei ze toen. 'Maar je had wel de neiging om dingen achter te houden, zodat je niet hóéfde te jokken. Waar werk je aan?'

'Nergens.' Ik schudde iets te heftig mijn hoofd.

Ze zag mijn grimas en zweeg een tijdje. Toen legde ze haar hand op de mijne. 'Marcus vertelde me van je vrouw en dochter. Dat spijt me voor je. Ik ben niet goed in deze dingen.'

'Dat is niemand.'

Ik wist dat ze het meende. Destijds zag ik haar aan voor de harde helft van een lesbisch koppel dat een dwangarbeiderskamp runde, maar ze was gewoon een goeie rechercheur, die hard kon zijn als het hard moest zijn, en buiten de diensturen een gelukkig getrouwde moeder van twee schoolgaande dochters.

'Heeft dit daarmee te maken?' vroeg ze.

'Nee. Die oude journalist kon er niks aan doen. Hij was op het verkeerde moment op de verkeerde plaats.'

'Klinkt dat nee zo overtuigd omdat je weet wie of wat het wel was, of waren?'

'Ik weet niet hoe de dingen klinken. Ik kan momenteel niet goed nadenken.'

'Dat merk ik, anders zou je weten dat ik je kan helpen.'

Ik knikte voorzichtig. 'Er valt niks te helpen, tenzij je m'n knie wilt masseren.'

Bea glimlachte niet. 'We denken dat het er maar een was. Een overbuur van je die zijn hond uitliet, zag iemand wegfietsen.'

'De koppijn wordt erger als ik moet nadenken. Kunnen we het niet over het weer hebben? Of leuke anekdotes uit het politieleven? Heb je het druk?'

'Altijd.'

'Inbraken, moorden, maffia, mysteries?'

'Dit is Amsterdam niet,' zei ze. 'Nog niet, tenminste.'

'Ik las over een figuur die vergat uit te stappen toen hij zijn gestolen auto in een meer probeerde te dumpen. Is dat geen aardige anekdote?'

Ik zag argwaan, voordat ze besloot dat ze wel wilde doen alsof het een onschuldige vraag was. 'Dat heet hier een wiel.'

'Weten jullie al wie dat was?'

'Natuurlijk. Jan Schreuder. Uit Brabant. We zijn nog aan het natrekken, maar hij heeft geen strafblad. Uit de autopsie blijkt geen misdaad, tot op heden althans.' Ze vernauwde haar blik. 'Tenzij jij beter weet?'

Ik grinnikte en raakte mijn wang aan. 'Hier kan hij niet bij geweest zijn. Geen ingeslagen schedel, sporen van worsteling?'

'Hij heeft een paar dagen in het water gelegen. Vanwaar de belangstelling?'

'Ik verveel me hier dood. Elk praatje is welkom.'

Ze knikte en stond op. 'Ik hou je in de gaten,' zei ze.

Rebecca kwam vroeger dan ik verwachtte. Ik zat nog met thee en toast aan de witte keukentafel toen ik haar hoorde kloppen. Het klonk bedeesd, alsof ze ertegen opzag om in haar eentje op bezoek te gaan bij een oudere man, die haar de eerste keer al de schrik op het lijf had gejaagd en er op deze stille zondagochtend uitzag alsof hij door een gehaktmolen was gedraaid.

'Dag Rebecca,' zei ik. 'Kom erin.'

Haar spoken droegen laarzen met metalen punten. Ze moest niet bij mijn huis worden gezien en ik wilde haar snel binnen hebben, maar ze bleef geschrokken naar me staan kijken. Haar ogen hadden de diepbruine kleur van glanzende kastanjes. Ze droeg gebleekte jeans en een beige vest met een open v-hals, zonder sieraad, maar waar je naar keek was haar gezicht. Het paste bij haar naam. De Rebecca uit Sir Walter Scotts *Ivanhoe*, of misschien zag Ibsen haar voor zich toen hij dat drama schreef, *Rosmersholm*.

'Ik ben van het terras gevallen,' zei ik. 'Het lijkt erger dan het is.'

Ze kwam eindelijk binnen en ik deed de deur dicht en hinkte voor haar uit. Het verband zat als een kogelvrij vest om m'n ribben. Het paasei begon te slinken en ik kon weer door m'n neus ademen. Ik mocht drie dagen het maximum van vier pijnstillers slikken, daarna moest ik terug naar twee, en ten slotte een, om geen junk te worden. Een taxi had me zaterdagochtend naar huis gebracht en de pillen hielpen me door de nacht heen. De pillen en ik mochten niet samen rijden en mijn brein was te versuft voor de computer. Ik scharrelde maar wat door de tuin. Ik vond het flesje in het gras naast de oprit. Het was niet gebroken maar een eindje omlaag gerold en in de berm blijven steken. Ik hield het onder m'n neus en deed de kurk er bliksemsnel weer op. Ouderwets blauwzuur. Ik maakte me geen illusies over vingerafdrukken, maar stopte het flesje niettemin in een plastic zakje en borg het veilig weg.

Ik was ook naar de hooiberg gehinkt, waar ik pal voor de deur nog zo'n luciferdoos vond, van hetzelfde grote formaat, met ook maar één enkele lucifer erin. De boodschap was duidelijk, zelfs voor mijn geschudde hersens. De lucifers waren de extra waarschuwing, voor het geval ik de fysieke waarschuwing niet goed had verstaan en zo onnozel was om te denken dat mijn aanvaller een willekeurige psychopaat was met als hobby het in elkaar tremmen van mensen die 's nachts hun pistool uit hun auto gingen halen. Ze waren de in een krant gewikkelde rotte vis, die Marlon Brando je tijdens de roaring twenties liet thuisbezorgen om je tot de orde te roepen.

Wat ik niet begreep was de combinatie. Misschien durfde hij me niet te vermoorden, ik had hem om me heen zien lopen en nadenken. Het blauwzuur was een effectief middel om me uit te schakelen. Een blinde steekt zijn neus niet meer in andermans zaken, maar hij kan ook geen lucifers voor z'n deur zien liggen, dus wat hadden die nog voor zin? Het zekere voor het onzekere? Of gewoon een gek? Hij had tijd genoeg gehad. Misschien had hij eerst die lucifers neergelegd, toen hij nog dacht dat een waarschuwing en een pak slaag genoeg zouden zijn, en besloot hij ter plaatse dat het definitiever moest. Maar hij had dat flesje bij zich gehad. Ik snapte het niet. Misschien was hij toch krankzinnig, en in dat geval moest ik extra uitkijken. Je kunt niet voorzien wat een gek gaat doen. Gekken zijn onberekenbaar.

Misschien moest ik mezelf ook laten nakijken, want toen ik voor de hooiberg gehurkt zat schoot ik onwillekeurig in de lach door de absurde gedachte dat Cornelia, die van de cybernetica, wekkers omdraaide en evengoed andere psychokinetische stunts kon uithalen met lucifers. Ze manipuleerde me uit mijn *lassitude* en riep me hardhandig tot de orde, met een stevige aframmeling, een krant met rotte vis en een verdwaalde tiener, die me nu door het huis volgde en onzeker naar de ramen keek, alsof het vele glas haar een illusie gaf van veiligheid, ook al zat het meeste aan de tuinkant waar niemand langs kon komen.

'Ik was net klaar met ontbijten.' In de keuken kwam het zonlicht van twee kanten binnen. 'Ga zitten, ik ruim het weg.'

'Kan ik u helpen?'

Ik had de paar serviesdingen al op elkaar en op het aanrecht voordat ze een hand kon uitsteken. Een ontbijt voor een man alleen stelt weinig voor. 'Ik haal de papieren. Drink je koffie?'

'Graag. Kan ik het maken?'

'Daar is de machine, de koffie staat erboven, ga je gang.'

Ik ging naar buiten en liep om het huis heen en de dijk op. Ik zag niemand. Toen ik terugkwam pruttelde de koffie en was Rebecca met een vaatdoek de ontbijtkruimels van de tafel aan het vegen. Ze had ook de koffieglazen gevonden. Ze was erg zenuwachtig.

Ik legde haar map en mijn boekje plus een blocnote op de tafel en nam een stoel. 'Geef me maar een euro,' zei ik.

Ze bleef verward stilstaan. 'Een euro?'

'Dat is om je wettig mijn cliënte te maken.'

Ze bloosde en spande haar kaken. 'Ik kan u heus wel normaal betalen, alleen... '

'Daar praten we een andere keer over. Dit is pro forma.'

Ze spoelde de vaatdoek, wrong hem uit en legde hem over het zeepbakje. Ze draaide zich om en zei: 'Ik heb geen geld bij me.'

'Geen probleem.' Ik stond op. Ze stapte opzij toen ik een keukenla vol keukengerei, touwtjes, plakband, kersenontpitter en los geld open trok. 'Ik leen je een euro.'

Ik drukte de euro in haar hand en hield m'n hand op om hem terug te krijgen. Ze fronste ernaar en begon te grinniken. Ze zag het als een grap, wat ook mijn bedoeling was, en het ontspande haar, net zoals de huishoudelijke bezigheden deden. Ze stopte de euro in mijn hand. 'U krijgt hem terug.'

Ik deed de euro terug in de la. 'Je hoeft nu ook geen u meer te zeggen. Anders ga ik jou juffrouw Welmoed noemen.'

'U bent veel ouder,' zei ze.

'Dat doet de tijd. Je bent mijn cliënte. Mijn cliënten zeggen Max.'

Ze gaf me een zonnige glimlach. 'Niet Max *de* Winter?'

'Dat was Maxim, volgens mij. Je kent je Du Maurier.'

Ze sloeg haar ogen naar het plafond. 'Ik heb vijf of zes Rebecca's. Iedereen denkt origineel te zijn. Ik kreeg de eerste op m'n tiende verjaardag, en daarna bleven ze komen. Ik heb er zelfs een in het Pools, van Rutger, dat is de zanger van de Armada, hij zit bij Rob op school.

Hij vond het in Polen op een boekenmarkt toen hij daar op vakantie was.'

Ik zag een blosje, voordat ze zich omdraaide en koffie in de glazen schonk en vroeg wat ik erin wilde. Ze deed suiker en melk in de hare en kwam tegenover me aan de tafel zitten. Ze roerde in haar koffie en zuchtte. 'Ik weet niet wat ik moet doen,' zei ze. 'Ik kan er niet eens met Rob over praten. Die kwekerij is het enige dat hem op de been houdt.'

'Je hebt mij ingehuurd,' zei ik. 'Ik begrijp dat het een moeilijke beslissing was.' Ik klopte op haar roze mapje. 'Je kunt dit altijd mee terug naar huis nemen, maar wat als je gelijk hebt?'

Ze knikte. 'Ik kan niet terug. U moet ermee doorgaan, ik bedoel…' Ze haperde. 'Als u wilt, natuurlijk.'

Ik zag de koppigheid van de eerste keer terugkeren. 'Oké. Je zei in je e-mail iets over Suzan, begin daar maar mee.'

'Ze werd op de markt aangeroepen door een man, hij noemde haar Molly, alsof hij haar herkende. Ze zei dat hij zich vergiste, maar ze was erg van streek. Dennis is achter die man aangegaan en ik denk dat hij iets over Suzans verleden te weten is gekomen en daar misbruik van probeert te maken.'

'Waarom denk je dat?'

'Ik hoorde ze 's avonds in de keuken, hij viel haar lastig. Het was akelig, ze maakten ruzie.'

Rebecca begon te blozen. Ik dacht dat ze zich geneerde omdat ze het tweetal stiekem had afgeluisterd, maar toen zag ik vlak voordat ze haar ogen afwendde een verraderlijke glinstering van woede, alsof ze niet kon verdragen dat Dennis zijn attenties naar haar stiefmoeder verlegde.

Ze had seks met hem gehad. Of nog.

Ik wist niet hoe meisjes van zestien in elkaar zaten, waarschijnlijk even gecompliceerd en tegenstrijdig als de meeste vrouwen die ik had gekend. Maar die vrouwen konden met hun gezicht overweg. Dat van Rebecca was te jong voor de subtiele valsheden van de diplomatie, ze kon nog blozen en zichzelf verraden, ze was een open boek, ook al probeerde ze hoofdstukken te verbergen. Ik wist niet hoe ik dit aan moest pakken. Ik dronk van m'n koffie en liet de stilte even hangen.

'Weet je zeker dat je Dennis niets hebt verteld over je twijfels over wat er met je vader is gebeurd?'

'Natuurlijk weet ik dat zeker.' Ze keek me niet aan.

'Hij had je gered,' zei ik voorzichtig. 'Dat geeft een speciale band, dat is wel te begrijpen.'

Ze fronste haar voorhoofd. Ze wist wat ik bedoelde. Ze klemde haar kaken op elkaar, ze wilde er niet omheen draaien. 'Oké,' zei ze. 'Het is één keer gebeurd, en het was een akelige vergissing.'

'Oké.'

Ze kalmeerde en zat een paar seconden stil voor zich uit te kijken. Toen kwam er een wrang glimlachje.

'Waar denk je aan?'

'Aan Edmund Spenser,' zei ze. 'Mijn moeder had een gedicht van hem aangestreept.' Ze schudde haar hoofd, wilde dat andere kwijt. 'Het was in de nacht na de begrafenis. Elena kwam en ik hoorde haar met Rob in de kamer naast me. Ik kon niet slapen, ik voelde me beroerd. Ik ben naar zijn camper gegaan.'

Hier stond niets over in haar verslag.

'Het is een menselijke reactie,' zei ik. 'Je hoeft er niet over te praten.'

Ik keek van haar profiel naar haar opvallend mooie handen, met welgevormde lange vingers, die ze onbewust spreidde en bewoog als ze iets uitlegde. Haar vader was kweker, haar moeder onderwijzeres, Rebecca een wonderlijk resultaat. 'Je denkt dat je verliefd bent,' zei ze na een tijdje. 'En dan ontdek je dat hij je vader heeft vermoord.'

'Hoe ontdekte je dat?'

'Ik kwam de stal in toen hij onze ram stond af te tuigen. Ik was net op tijd, hij had hem dood kunnen slaan. Harry wou hem gewoon niet in de buurt van zijn kudde hebben, net zoals Lukas altijd naar hem bleef grommen. Je kunt afgaan op dieren. Ze weten meteen of iemand te vertrouwen is of niet. Hij heeft Lukas diezelfde avond vergiftigd of verdoofd en ergens gedumpt, dat weet ik zeker, want ik vond die haren in Suzans auto…'

Dat had ze allemaal beschreven. 'Van daar naar moord is een grote sprong.'

Ze trok haar wenkbrauwen op. Voor haar was het niet zo'n grote sprong. 'Ik ben bang voor hem,' zei ze toen. 'Ik weet niet wat hij wil. Soms denk ik dat ik hem moet vermoorden.'

'Dan gooi je je leven weg.'

'Ik probeer gewoon te doen.' Ze trok haar onderlip naar voren en blies een haarlok van haar voorhoofd. 'Hij vraagt waarom ik niet meer in z'n camper kom. Hij zegt dat hij zijn geld alleen maar in de kwekerij steekt omdat hij van mij houdt en ik hou toch ook van hem. Ik doe alsof ik in de war ben geraakt en tijd nodig heb. Ik krijg de zenuwen als hij in m'n buurt komt.'

'Wordt hij niet argwanend?'

Ze schudde vastberaden haar hoofd. 'Ik laat niks merken.'

Ik hoopte er het beste van. Misschien was ze voor Dennis net zo'n open boek als voor mij. 'Waar ging die ruzie tussen Suzan en Dennis over?'

'Dennis zei dat hij haar kon helpen met een of andere Halpers. Suzan werd erg kwaad en stuurde hem weg. Ik zei later tegen hem dat hij Suzan met rust moest laten en hij lachte me uit en zei dat Suzan elke maand een probleem had en dat hij de enige was die haar daar vanaf kon helpen.'

'Was Halpers de man die haar aansprak?'

'Dat denk ik niet.'

'Is Halpers dan het probleem?'

'Het is iets uit haar verleden.' Ik zag dat ze er niet over wilde praten, misschien was het een van die hoofdstukken. 'Suzan kan geen ruzie maken met Dennis, of hem eruit gooien, want ze wil zo vreselijk graag die kwekerij, niet alleen voor Rob, maar ook om te voorkomen dat ze de voogdij kwijtraakt aan oom Dirk. Rob is nu meerderjarig, maar ik niet.'

Ze had geschreven over oom Dirk. 'Waarom zou Suzan de voogdij kwijtraken?'

'Van de week kwam er een vrouw van de voogdijraad, het was een beetje raar. Ze wilde Suzan apart spreken.'

Suzans verleden. 'Hoe hebben Suzan en Roelof elkaar ontmoet?'

'Dat weet ik niet, ik was dertien. Op een gegeven moment was ze er gewoon. Suzan is een schat, ze hadden een erg goed huwelijk. Ze zou voor ons door het vuur gaan. Ze heeft vroeger in de horeca gewerkt. Haar zuster Els is secretaresse bij een notaris in Culemborg.'

'Dat heb ik allemaal.' Ik klopte op haar mapje en noteerde een paar dingen. De horeca. Dat wetsartikel over morele geschiktheid van

194

voogden bestond nog steeds. Ik had het gevoel dat mijn cliënte er meer van wist, maar ik wilde haar niet van streek maken. Alles werd gecompliceerder, zoals meestal. 'Waar is Dennis op dit moment?'

'Toen ik van huis ging was hij met Rob in de stal.'

'Vroegen ze niet waar je heen ging?'

'Nee, ik ben gewoon gaan fietsen. Ik ben ook niet gevolgd.' De glimlach kwam terug, nu met ironie. 'Ik let heus wel op. Ik ben Aties kant uit gefietst, en via de provinciale weg hierheen.'

'Goed.' Ik glimlachte terug. 'Dennis heeft dus geen idee dat je contact met mij hebt?'

'Nee, beslist niet. Dat weet alleen Atie, maar die praat er met niemand over. Ze denkt dat het alleen over mijn vader gaat.'

'En wat als Atie per ongeluk naar jou komt fietsen?'

'Atie is met vakantie naar Bretagne, ze hebben daar een huisje gehuurd. Ik had mee zullen gaan, maar ik heb het afgezegd.'

'Kan iemand bij je e-mail, Rob bijvoorbeeld?'

'Jawel, maar dat doet hij niet. Hij heeft een eigen adres.'

Misschien kwam het niet van haar, maar van wie dan? 'Wat gebeurt er nu bij je thuis?'

'Ze gaan de achterwand uit de stal breken en ze graven sleuven voor de fundering van de kas en voor de leidingen, het is nogal een rommel.' Rebecca trok een gezicht. 'We eten veel kip.'

'Heb je een hekel aan kip?'

Ze schudde haar hoofd. 'De kippen moesten weg, we hebben ze geslacht en de meeste in de diepvries gedaan. De helft van de schapen moet ook weg. Van de week komt er een opkoper.'

Haar emoties wisselden snel. Vrolijk, nu droevig. Ze streek een vinger over de rand van haar kopje. 'Heeft u...' Ze haalde adem en hernam: 'Heb jij al iets ontdekt?'

'Ik ben bij dat tehuis geweest waar hij heeft gezeten en weet wat meer, maar nog niet genoeg. Zijn adoptiefouders zijn een jaar geleden omgekomen toen hun huis in de brand ging.'

'Oh.' Ze fronste haar wenkbrauwen. 'Hoe kwam dat? Ik bedoel die brand?'

Ze was geen gewone klant. Dat waren door de wol geverfde volwassenen met eelt op hun ziel. Rebecca was een zestienjarige die verstrikt geraakt was in de schaduwen van onheil en dood en ik wist nog steeds niet goed hoe ik met haar om moest springen, alleen dat ik voorzichtig moest zijn. 'In mijn beroep...' Ik zweeg omdat ik mezelf paternalistisch hoorde klinken. Haar als een kind behandelen was het domste wat ik kon doen. 'We blijven nuchter. We hebben weinig aan vermoedens of verdenkingen. Wat we zoeken is bewijs. Die brand kan ook door kortsluiting zijn ontstaan, maar die mensen hadden een levensverzekering voor hem afgesloten toen ze hem adopteerden. Het geld voor de kwekerij komt dus misschien daar vandaan, en niet van die tante.'

Rebecca knikte en bleef even stil. 'Waarom doet Dennis dit allemaal?' vroeg ze toen.

'Dat is de hamvraag. Ik weet nog weinig van zijn verleden. Vaak moet je daar zijn om een motief te vinden, maar soms doen mensen dingen zonder dat ze zelf goed weten waarom.'

'Volgens mij weet Dennis precies wat hij doet, en ook waarom,' zei ze koppig.

'Misschien. Ken je dat meisje dat bij Veldhuis werkt?'

'Veldhuis is een oude vrijgezel en Jos is zijn vriendin.' Ze moest lachen. 'Dat weet iedereen. Ben je daar geweest?'

Het tutoyeren ging haar gemakkelijker af. 'Zou ze Dennis waarschuwen als er iemand naar hem komt informeren?'

'Dat weet ik niet, ze is een beetje raar. Ik denk het niet.' Ze schudde haar hoofd. 'Het zou me verbazen.'

'Ze had een andere jongen gezien die volgens haar bij Dennis in de camper logeerde. Misschien is dat die Klaas van de glasfabriek, die hem de eerste avond kwam opzoeken?'

'Als hij bij de glasfabriek werkte zou hij wel in de buurt wonen en hoeft hij niet bij Dennis te komen logeren.' Ze schudde haar hoofd. 'Er werkt daar trouwens geen Klaas, tenminste geen jonge. Ik heb geïnformeerd.'

'Wát?'

Ze schrok van m'n reactie. 'Ik wou wat doen, ik wist niet of u... of jij...' Ze keek schuw naar me. *Of ik uit mijn lethargie zou komen.* 'Ik heb personeelszaken gebeld en aan een juffrouw uitgelegd dat ik in de disco een jongen had ontmoet en dat ik hem probeerde te vinden maar geen achternaam wist, alleen dat hij Klaas heette en bij de glasfabriek werkte en duiven hield.'

Ze was slim genoeg, ik maakte me zorgen voor niks. 'En?'

'Ze was erg aardig. Ze zei dat die jongen me waarschijnlijk voor de gek had gehouden, of hij moest een oude man zijn, want de enige Klaas die ze hebben is Klaas Wildervank, die werkt in de expeditie en gaat dit jaar met pensioen. Volgens haar houdt hij wel postduiven, maar dat doet half Leerdam.' Ze schudde haar hoofd. 'Hij is in elk geval niet de Klaas waar Dennis een duivenhok ging timmeren, en die schoenen zijn van iemand anders.'

De veel te grote schoenen. Misschien moest ik ze te pakken zien te krijgen, maar ik kon haar dat niet laten doen. 'Goed werk,' zei ik.

Ze glom van plezier. Klaas was waarschijnlijk een bedenksel. Als je op staande voet een valse naam moet verzinnen komt Jan bij je op, dat is zowat automatisch. Voor iemand die al Jan heet bedenk je iets in dat rijtje en kom je op Piet, of *Klaas*.

'Heb je ooit de naam Jan Schreuder gehoord?'

'Nee, wie is dat?'

'Een vriend van Dennis uit het tehuis. Je mag die naam niet tegen hem noemen.'

'Dat snap ik.' Ze glimlachte. 'Ik kan alleen dingen noemen die hij ons heeft verteld. Meer kan ik niet weten. Wees maar niet ongerust. Ik praat net zo lief helemaal niet met hem, maar dat is ook verdacht.'

'Je hersens lijken me in orde. Wat ga je worden?'

'Ik weet het nog niet zeker. Ik denk erover om Nederlands te gaan studeren. Ik wil best lerares worden, zoals mijn moeder.'

'Een goed vak,' zei ik. 'Heeft Dennis overigens telefoon?'

Ze knikte. 'Hij heeft een mobiel. Daarom bedacht ik ook dat hij de politie zelf gebeld kan hebben, ik bedoel die avond of de ochtend erna. Het was niet onze dokter en wie kan het anders zijn? Hij wist dat hij daar illegaal stond en dat hij weg zou moeten. Mijn vader had hem al te eten gevraagd en misschien rekende hij erop dat wij hem een plek bij ons zouden aanbieden.'

'Je hebt talent voor intrige.'

Ik had direct spijt van mijn triviale opmerking toen ik haar droevig zag worden omdat ze zich herinnerde waar de intrige op uit was gelopen. Ik klopte op haar hand. 'Het spijt me van je vader. Ik weet wat het is. Als we grappen maken is dat om te overleven.'

'Ja.' Ze beet op haar lippen. 'Dat is goed.'

Dat Dennis de politie had getipt was al bij me opgekomen, maar wat ik me vooral afvroeg was wie hém had getipt over mij. De aanslag had, gecombineerd met de lucifers, niets willekeurigs. 'Wordt Dennis weleens gebeld?'

'Niet dat ik heb gemerkt.'

'Donderdag? Was je donderdag thuis?'

'Ik ben 's morgens afscheid van Atie gaan nemen. Toen ik thuiskwam was Dennis met Rob naar Spijk, om naar kasramen te kijken. Daarna heb ik hem niet gezien.'

'Heeft hij 's avonds bij jullie gegeten?'

'Nee, dat is gelukkig niet elke dag. Waarom?'

'Zomaar.'

Ik probeerde haar af te schepen, maar ze knikte naar de buil op m'n gezicht en vroeg: 'Was dat donderdag dat je van het terras viel?'

In Amerikaanse films zeiden ze dingen als: breek daar je mooie hoofdje maar niet over. 'Iemand hielp een handje,' zei ik.

Ze schrok. 'Oh... Dat spijt me vreselijk.'

'Breek er je hoofd niet over, ik kan tegen een stootje. Misschien had het er niks mee te maken. Maar het was donderdagnacht, en ik heb die dag met allerlei mensen over Dennis gepraat. Daarom dacht ik dat iemand hem misschien had getipt.'

'Ik kan aan Rob vragen of Dennis is gebeld, ze zijn zowat de hele dag samen geweest.'

'Niet doen,' zei ik. 'Als Rob in de gaten krijgt dat je Dennis niet vertrouwt gaat hij zich anders gedragen, al is het maar een klein beetje, en Dennis is waarschijnlijk slim genoeg om dat te merken. Het is beter dat hij niet weet dat het van jou komt. Begrijp je dat?'

Ze beet op haar lippen. 'Natuurlijk, ik snap best dat het gevaarlijk is, maar Rob is m'n broer. Het zit me erg dwars dat ik niks tegen hem zeg.'

'Je vraagt mij om dit uit te zoeken. Waarom?'

'Omdat...' Ze zweeg, een ogenblik verward en hulpeloos. Toen zei ze, fluisterend: 'Ik wil niet dat hij ervandoor gaat voordat...'

Ik maakte het voor haar af. 'Voordat we het zeker weten en het ook kunnen bewijzen en ermee naar de politie kunnen. Dat komt heus wel. Intussen moet je wachten, er met niemand over praten, en blijven doen alsof er geen vuiltje aan de lucht is.'

'Ik zou graag méér doen,' zei ze.

'Vraag hem dan vanavond te eten en hou hem daarna nog een tijdje bezig, als dat kan.'

Ze keek verbaasd. 'Waarom?'

Ik vroeg me af hoe nerveus ze tijdens dat eten zou zijn als ze wist wat ik uitspookte, en of de antennes van Dennis zouden reageren als ze probeerde hem langer vast te houden met een film op de tv of een partijtje schaak. Maar het was de veiligste en snelste methode en ik had het gevoel dat de tijd begon te dringen. Het zou al lastig genoeg zijn, bij vol daglicht tot zowat tien uur.

'Ik wil z'n camper bekijken,' zei ik. 'Maar alleen als je goed genoeg actrice bent om daar zelfs niet aan te dénken terwijl Dennis tegenover je aan tafel zit. Als je dat niet kunt begin ik er niet aan.'

Ze lachte, vol ongeremd optimisme, en zei: 'Ik speel al de hele tijd toneel.'

'Oké. Als het etentje niet doorgaat bel me dan voor zessen. Kun je dat zonder dat iemand het hoort?'

Rebecca knikte en de denkrimpel kwam terug. 'Hij doet de schuifdeur van de camper misschien op slot, maar je kunt er door de cabine in,' zei ze. 'Het slot van de stuurdeur is kapot en het is ook uit het zicht, aan de kant van de houtwal.'

Ik glimlachte. 'Dank je wel.' Ik opende haar map en nam er de foto van Jan Schreuder uit. 'Zegt dit gezicht je iets? Hij zal nu een jaar of tien ouder zijn.'

Ze bestudeerde de foto en schudde haar hoofd. 'Nooit gezien. Wie is dat?'

'Die vriend van Dennis uit het tehuis, maar het kan best zijn dat ze geen contact meer hebben.' Ik schoof de foto terug in de map. 'Ga maar naar huis,' zei ik. 'We zijn voorlopig klaar. Ik mail je als ik je nodig heb. Oké?'

We liepen door het huis. Ze had haar fiets in de carport gezet, uit het zicht, ze gebruikte haar hersens. Op het terras bleef ze staan. Ik keek naar haar profiel en sprak de gedachte uit zonder na te denken. 'Je bent erg mooi in dit licht.'

Ze bloosde nerveus. Ik grinnikte. 'Ik bedoel er niks mee. Alleen maar een feit.'

De schaduw verdween en ze trakteerde me weer op die jonge en argeloze glimlach, die je optimistisch maakt en je tegelijk een steek van verlies en pijn bezorgt. Ze kuste me op de wang, vlak onder de vettige zalf die ze me hadden gegeven voor de ribben en de builen. 'Dank je,' zei ze.

Ze holde naar de carport en duwde haar fiets tegen de dijk op en even later was ze weg. Ze liet een soort leegte achter. Ik keek naar de straatklinkers. De technische jongens zouden hoogstens sporen van mijn eigen bloed vinden, aangezien ik te overrompeld was geweest om m'n aanvaller zelfs maar een schram te bezorgen. Mijn cliënte had tenminste nog het DNA van haar aanrander onder haar nagels gehad, maar ze had zich thuis onder de douche staan schoonschrobben. Daar hadden we dus ook niks aan.

Iemand had hem gebeld. Niet Leo Zeeling, de dorpsjuwelier, en ik was het met Rebecca eens wat de vriendin van Veldhuis betrof. Bleef het tehuis in Tilburg.

Een man nam op. Ik vroeg of hij me kon doorverbinden met Gerard van Hool.

'Mag ik vragen wie u bent en waar het voor is?'

Raadsonderzoeker van de kinderbescherming leek op zondag minder geschikt. 'Sorry,' zei ik. 'Mijn naam is Bram Geesink, het gaat over een familiereünie.'

'Een ogenblik.'

Even later kreeg ik Van Hool. 'Met Max Winter,' zei ik. 'We hebben...'

'Ja,' zei hij. 'Wat is dat over een familiereünie?'

'Sorry, dat was voor de receptie. Ik wilde iets weten over dat meisje dat daar donderdag zat. Ineke Welling?'

'Hoezo?'

'Ik had de indruk dat ze op de naam Dennis Galman reageerde, maar ze leek me een beetje jong om daar acht jaar geleden al te hebben gewerkt?'

Van Hool zweeg even. 'Ineke is hier al twintig jaar,' zei hij toen. 'Voor sommigen wordt dit zoiets als hun ouderlijk huis. Ze is een wees, ze heeft geen andere familie, ze wilde graag blijven, dus hebben we haar die baan gegeven.'

'Was ze bevriend met Dennis?'

Weer een stilte. 'Ze zat in een ander huis. Waar gaat dit over?'

'Iemand heeft Dennis laten weten dat ik naar hem heb gevraagd en het viel me op dat ze gegevens noteerde van mijn identiteitskaart. Kan zij hem hebben gebeld?'

'Dat weet ik niet. De meeste meisjes waren onder de indruk van Dennis, dat heb ik u al verteld.'

'Kunnen ze contact hebben gehouden?'

'Alles kan. Is dit een probleem, of krijgt zij er problemen mee?'

'Nee, natuurlijk niet, ik was alleen nieuwsgierig.'

'Ineke is nu een beetje opgebloeid, maar toen Dennis hier wegging was ze een verlegen puber van vijftien. Ik weet het echt niet. Ik kan informeren als u wilt.'

'Nee, doe maar niet, ik spreek hem binnenkort en vraag het hem zelf wel. Bedankt, en sorry voor de onderbreking.'

'Ik begon me net te verheugen op een familiereünie.'

Hij grinnikte en hing op.

Ik reed langs de boerderij, zette de auto voor het kleine kerkhof, en wandelde terug. De Achterweg was stil, op het geklets na van merels in de lage boomgaarden en koerende houtduiven in de bomen, een lome zondagavond, geen zuchtje wind, de bewoners aan tafel. Aan de andere kant van de dijkhuizen en verbouwde boerderijen pruttelden een paar bootjes over de Linge, verre insecten in de zomer. Ik droeg een rugzakje op m'n blauwe hemd, ik leek een onschuldige wandelaar op zoek naar een huis met *Zimmer Frei* of *Bed and Breakfast* op de deur.

Ik zag niemand achter het huis, ze zaten aan tafel. Ik wandelde langs de oprit die het terrein in twee helften scheidde en passeerde het gesloten damhek, dat tussen hoge wilgen in de tweede helft lag. Ik kon het buurhuis niet zien, dankzij de brede groenwal onder de wilgen. De buren mij dus ook niet. De camper stond in de verste hoek. Ik keek snel om me heen, sprong over de droge greppel en drong de struiken in.

Ik bleef staan luisteren en kijken, terwijl ik een paar dunne latex handschoenen aantrok. Ik zag geen schapen, wel een hoop puin bij de achterkant van de stal, en opgeworpen aarde waar een sleuf werd gegraven voor de leidingen. De camper stond binnen een omheining van ursusgaas. Een groen dekzeil over het dak was met touwen vastgebonden aan wielen en bumpers. Twee linnen kampeerstoelen en een opklaptafeltje stonden ernaast. Langs de omheining op de grens met de buren was een hoge houtstapel, waar een fiets tegenaan stond. De fiets had een ongewoon stuur, dat ver vooruitstak en waar je op kon leunen. Ik dacht aan Casper, die dat stuur kon hebben opgemerkt, of minstens dat de fietser vreemd voorover zat.

Ik drukte het prikkeldraad omlaag, stapte eroverheen zonder mijn broek open te halen. De camper stond met zijn neus naar het huis. Ik glipte erachter langs naar de stuurkant. Rebecca had gelijk, niemand zou me hier zien.

Het stuurportier zat op slot. Hij hoefde van binnen die knop maar in te drukken, ook al was het kapot. Ik nam mijn zakmes en probeerde de punt in de bovenrand van het raam te krijgen. Het rubber langs de sponning was oud en uitgedroogd en er kruimelden stukjes af voordat ik m'n mes boven het glas had. Toen ik er kracht op zette viel het raam met een klap omlaag.

Ik trok de knop omhoog, opende de deur en klom de cabine in. Ik keek in het dashboardkastje. Kauwgom, aangebroken pepermunt, zonnebril, benzinerekeningen en een jachtmes in een leren schede. Een versleten mapje met autopapieren op naam van Dennis Galman, met chassis- en motornummers en het adres in Wijk-en-Aalburg dat niet meer bestond. Een groene kaart. De camper was twintig jaar oud en sinds vier jaar in het bezit van Galman. Hij was door de laatste keuring gekomen. Een rekening van een garage in Breda die 186,35 euro plus BTW rekende voor olie en filters en kleine onderdelen. *Breda?*

Ik schoof het mapje terug onder in het kastje. Ik liet m'n rugzak op de stuurstoel en klauterde gebukt tussen de voorstoelen door. Het interieur was een haveloze rommel en stonk naar ongewassen kleren en oude lekkages. Ik kon me Rebecca hier niet goed voorstellen.

Er kwam genoeg licht door de gesloten ramen. Ik raakte zo weinig mogelijk aan en zette alles wat ik bekeek terug op z'n plaats. Mensen weten hoe hun eigen rotzooi eruitziet, ze zitten er elke dag middenin. Ik opende kasten en kastjes en kroop over de matras en de legergroene slaapzak om onder de banken te kijken. Er was geen spoor van de grote schoenen die Rebecca had gezien, ook niet onder in de kast. Misschien had hij ze weggewerkt omdat ze hem problemen konden bezorgen. Als dat het geval was hield hij zijn hersens erbij en zou ik hier weinig vinden.

Het aanrechtje stond vol vuile vaat, twee mokken en vijf of zes glazen in diverse maten. Ik vroeg me af of hij er een zou missen. Ik zou zelf ook niet weten wat er precies aan glazen in mijn keuken stond en besloot het er maar op te wagen. Ik stak drie vingers in een halfhoog exemplaar en liet het zonder de buitenkant aan te raken vallen in een van de plastic zakjes die ik bij me had gestoken.

Een paar oude kranten, een tijdschrift. Weinig boeken. Een handleiding voor het snoeien van bomen en struiken. Een vijftal vertaalde thrillers en een beduimelde pocket met Friese verhalen.

Dennis had zijn portefeuille waarschijnlijk op zak, en ik vond ook geen paspoort. Op de plank boven in de klerenkast lag een nieuw mapje met twee afschriften van een bank in Leerdam. Galman had de rekening geopend met een storting van twaalfduizend euro, met als herkomst alleen een referentienummer. Ik noteerde het nummer. De meisjes van mijn bank konden me waarschijnlijk vertellen welke bank erachter stak. Het tweede afschrift meldde dat er achtduizend euro was overgemaakt naar de aannemersfirma Need in Acquoy, en dat er tweemaal driehonderd euro uit geldautomaten was gehaald.

Ik legde alles terug op z'n plaats. Er moest meer zijn. Ik liep door de camper en zocht naar bergplaatsen. Ik moest opschieten. Ik had alles gehad, de kastjes, de bedbanken en eronder, het droevige keukentje. Misschien de extra slaapzak, die boven de kast geprop zat. Hij viel open toen ik hem eruit trok. Er zat niets in. Ik hield hem met een hand vast terwijl ik op mijn tenen stond om in de lage ruimte boven de kast te kijken. Ik zag een kale achterwand van triplex. Ik rolde de slaapzak op om hem terug te stoppen toen de eigenaardigheid tot m'n hersens doordrong.

Het triplex zat verder naar voren dan de camperwand.

Ik legde de slaapzak op de vloer. De lage rechthoek van triplex zat in een houten sponning, als een schilderij in een lijst. Ik stak m'n mes in de sponning en wrikte aan het triplex. Het zat er los in geklemd en viel op de kast. In de ondiepe ruimte erachter stond een platte doos van wit karton, op z'n kant. Ik haalde hem eruit, droeg hem naar de tafel en nam het deksel eraf.

Ik prentte de inhoud in m'n geheugen voordat ik iets aanraakte. Als de doos op z'n zij werd gezet zakte alles natuurlijk naar een kant, maar Dennis kon zich een volgorde herinneren. Bovenop lag een foto van een jonge blonde vrouw met een baby op haar arm. *Hij herinnert zich dat zijn moeder hem op de arm droeg, ze had het gezicht van een engel.* Geen herinnering, dat leek al onwaarschijnlijk, maar een foto. De baby was een baby, maar de vrouw had het licht pruilende, wulpse gezicht van Juliette Lewis, in *Cape Fear.*

Ik legde de foto omgekeerd op de tafel en nam de ansichtkaart die eronder zat. Hij kwam uit Frankrijk. Een bergweg vol schapen met gekleurde strikken. De *Transhumance.* Het poststempel was Uzès, ik kon geen datum zien maar de postzegel was van na 2000, in euro's.

Ik vroeg me af waarom Galman een oude ansichtkaart bewaarde die geadresseerd was aan een zekere Douwe Barends, Postbus 326 in Udenhout, maar ik begon een vermoeden te krijgen toen ik de inhoud las.

Lieve Douwe, te lang niks gehoord, dat kan zo niet! Ik ontmoette een oude klasgenote die dacht je moeder hier te hebben gezien. 3 dagen gezocht, niets gevonden, zelfs niet iemand die op haar leek. Ik ben volgende week terug, verwacht van je te horen. Tante F.

Misschien kwam er schot in. Ik maakte een paar snelle notities. Udenhout. Tante F. *Douwe Barends?*

De hoofdprijs was een klein beduimeld blocnoteje. De meeste blaadjes waren er uitgescheurd, maar ik vond losse aantekeningen op de resterende velletjes. Ze moesten met tussenpozen zijn gemaakt, met potlood en verschillende soorten balpen.

Roelof Welmoed. Rode balpen, driemaal onderstreept. Er was overheen geveegd, waarschijnlijk met een vinger, tot het de kleur werd van verschoten bloed.

Boomkweker. Middenstraat 18, Rumpt. Dat was het oude adres, voordat ze naar Acquoy verhuisden. *Zoon 14. Dochter 12.*

Verderop, in potlood: *Werkt bij kwekerij in Deil. Vrouw dood.*

Een ander vel, met driftige strepen onder de eerste twee woorden: *Hertrouwd!! VERHUISD!*

Suzan Lessing. Jonger.

Acquoy (bij Leerdam). Welk geld? ((Jan adres en tel) Dochter 16?

Een enkel woord: *Oplossingen*

Ik sloot het boekje, het bevatte geen nieuws, hoogstens bewijs van langdurige observatie en voorbedachten rade. Hetzelfde boekje, alleen maar hiervoor, waarin hij bladerde en staarde. Er zaten minstens vier jaar tussen de eerste aantekening en de laatste. *Jan.* Jan Schreuder? Was Schreuder al die tijd in de buurt, of werd hij er nu en dan op uitgestuurd om nieuwe gegevens te verzamelen, omdat Dennis zich nog niet in de buurt kon of wilde vertonen? En waarom nu wel? Een plek voor z'n camper, speciaal op die plaats, het is maar voor even. Was de tijd rijp?

En: *waarom?*

De doos bevatte geen andere namen, geen enkel adres. Wel een envelopje van visitekaartformaat, met in potlood de letters *Npb* erop en een zestal pillen erin. Ik hield het open onder mijn neus. Jan Schreuder werkte in een apotheek, of had daar gewerkt.

Npb. Natriumpentobarbital?

Ik herinnerde me natriumpentobarbital, dat als Nembutal werd verkocht, uit een zaak rond een in het nauw geraakt heroïnehoertje, Tiffany. Inmiddels had men allang ontdekt dat barbituraten volledig ongeschikt waren als slaapmiddel, en ze waren vervangen door minder giftige middelen, maar in die tijd werd Nembutal wel voorgeschreven als inslaapmiddel. Het effect was van korte duur, maar het werkte zeer snel en hevig. Drugsverslaafden waren er dol op.

Ik overwoog om een van de pillen mee te nemen, maar besloot dat het te riskant was, het risico niet waard. Het was vrijwel zeker Nembutal. Misschien had Dennis de pillen niet meer nodig en zou hij het envelopje voorlopig niet openen, maar als hij dat per ongeluk wel deed zou hij zich ongetwijfeld herinneren dat er nog zes in hadden gezeten, en geen vijf.

Ik stopte alles terug in de doos, en liep ermee naar de kast. Ik vroeg me af hoe hij de pillen had toegediend. Je kon van alles in een biefstuk voor een hond frommelen, maar een volwassen man met een gezond verstand? Een truc, een smoes? Dwang?

Oplossingen. Een plan. Zaterdagochtend naar een telefooncel. Z'n stem verdraaien, een zakdoek over de hoorn. 's Avonds er ruim tevoren heen fietsen, wachten tot Roelof aan komt rijden, een hand opsteken. Roelof parkeert in de berm. Dennis heeft z'n verhaal klaar. *Het zal je verbazen, maar die klant komt van mij, ik heb voor die man gewerkt, ik heb je aanbevolen. Hij komt zo dadelijk, hij vroeg mij om het je vast te laten zien.* Roelof volgt hem, blijft onderweg staan en kijkt verwonderd naar Casper z'n huis: hier? *Nee, aan de andere kant, kom maar mee.*

De tunnel in, en dan? Een klap op z'n hoofd en slepen? Een zware klus. Hoe krijgt hij die pil? Of gewoon mee de spoordijk op, om het terrein te kunnen overzien? *Keep it simple, stupid.* Een bandenlichter in z'n broekzak, een klap op zijn hoofd. Een sok met een aardappel.

De doos viel zowat uit mijn handen toen ik Rebecca luid hoorde roepen: 'Dennis! Dennis! Wacht even!'

Ik drukte me tegen de kast en loerde door de voorruit. Een blonde jongeman in een rood overhemd was halverwege het weiland blijven staan en draaide zijn rug naar me toe. Rebecca stond opgewonden te wenken voor de wal van opgeworpen aarde langs de stal. De man aarzelde en liep naar haar toe.

Kwart over acht, op mijn horloge. Geen film, geen monopoly, er was iets fout gegaan of hij had een verkeerd gevoel gekregen omdat ze misschien te hard haar best deed.

Ik verspilde geen tijd, drukte de doos op z'n kant tegen de achterwand boven de kast en klemde het stuk triplex terug in de sponning. Ik bukte me naar de slaapzak, rolde hem vaster en duwde hem terug op z'n plaats.

Ik keek naar het glas en bedacht dat ik zijn vingerafdrukken waarschijnlijk niet meer nodig had. Overbodig risico. Ik nam het uit de plastic zak en zette het terug. Ik propte de zak in m'n broekzak en hurkte achter de voorstoelen. Dennis hield een hand op Rebecca's schouder terwijl ze langs de aarden wal naar de achterkant van de stal liepen. Ze stapten om de puinhoop heen en verdwenen uit het zicht. Dennis keek niet eenmaal om.

Ik greep m'n rugzak van de voorstoel en duwde het portier open. Ik wist niet hoe lang Rebecca hem daar kon houden, welke smoes ze had verzonnen om mij te kunnen waarschuwen en me tijd te geven, wat ze moest doen en misschien voor niks, omdat ik allang weg kon zijn.

Niet aan denken.

Ik draaide het raam tot de helft omhoog, voordat ik uit de cabine klom. Ik sloot het portier, stak m'n hand over het glas naar binnen en trok de knop omhoog. Ik keek naar de stal. Er zaten ramen aan deze kant. Dennis hoefde maar een blik door een raam te werpen om me te zien. Ik hoopte dat Rebecca dat ook besefte en hem ervandaan zou houden. Ze was zestien en ze had hersens en ik had een zonderling gevoel van trots, ook al had ik haar niks geleerd.

Ik nam m'n kleine vacuümklamp uit de rugzak, zette hem op het glas, drukte de lucht eruit en trok het raam omhoog. Toen ik de klamp loswrikte zakte het raam volledig terug in het portier. Op de houtstapel zat een merel spottend naar me te kwetteren.

Twintig jaar oud. Uitgedroogde rubbers, tienduizend keer op en neer gedraaid, een totaal versleten mechanisme. Ik stak mijn hand naar binnen en draaide het raam weer omhoog, ditmaal minder ver om het een langere aanloop te geven. Ik zette de klamp, loerde naar de stal en joeg het raam met een klap omhoog. De merel schrok stil van het lawaai.

Ik liet de klamp los. Het raam bleef zitten. Ik hield m'n vingers op het glas gedrukt terwijl ik de klamp er voorzichtig vanaf wrikte.

Het raam bleef dicht. Waarschijnlijk zou het bij de geringste schok openvallen, misschien zodra hij de schuifdeur opende en naar binnen stapte, maar dan was ik er niet meer bij.

Ik vluchtte achter de camper en stapte over de omheining. Ik werkte me geruisloos door de struiken, parallel aan de weg, tot ik de camper links van me had en ik de wei erachter kon overzien. Daar bleef ik staan, eigenlijk alleen omdat ik wilde zien of mijn cliënte zich geen problemen op de hals haalde.

Een bromfiets verscheurde de stilte en ik hurkte achter een boomstam tot hij voorbijraasde. Toen het venijnige lawaai verstomde hoorde ik vrouwenstemmen. Ik dook in elkaar en hield me stil. Ze waren vijf meter bij me vandaan. Ik loerde tussen de bladeren. Twee vrouwen, in zomerjurk. 'Ik kan je niet helpen,' zei de een. 'Als ik je de verkeerde raad geef krijg ik het later...' Ze zweeg toen haar hond begon te blaffen. Ik had hem niet opgemerkt, een kortharig wit monstertje dat wild aan z'n lijn trok en venijnig naar mijn schuilplaats kefte. Ik hield mijn adem in. De hond van de buurman had mijn leven of minstens mijn ogen gered. Als dit exemplaar zijn zin kreeg bleef hij net zolang tekeer gaan tot Dennis op het kabaal af kwam.

Gelukkig bleek de vrouw alleen maar nijdig te worden door de onderbreking en ze maakte er een eind aan door zo hard aan de lijn te rukken dat het mormel een hoge janktoon slaakte. 'Toet, hou op!' Ik zag de kleine open bek en de woedende ogen die op me gericht bleven terwijl zijn bazin hem meesleurde. 'Dat krijg je heus niet, bij wie moet ik anders terecht?' mopperde ze tegen de andere vrouw.

Ze verdwenen en ik herademde. Even later kwamen Rebecca en Dennis te voorschijn. Ze waren te ver weg om te kunnen verstaan wat ze zeiden, maar halverwege het weiland bleef Rebecca staan en schudde haar hoofd. Dennis zei iets, maar ze gaf hem een glimlachje, draaide zich om en liep gedecideerd bij hem vandaan. Dennis keek haar een ogenblik na, voordat hij een ongeduldig handgebaar maakte en naar de camper kwam.

Alles was voorspelbaar en ik had niet hoeven blijven. Dennis diepte een sleutel uit zijn broekzak en stak hem in de schuifdeur. Ik zag een wrevelig profiel, sluik haar, een honingblonde wenkbrauw en de glinstering van een minuscuul kristal of diamantje op zijn oor. De camper dipte op z'n vering toen hij naar binnen stapte, en in mijn verbeelding hoorde ik het raam met een zucht in het portier vallen.

De dames waren al ter hoogte van het kerkhofje toen ik over de greppel wipte. Ik slenterde bedaard achter hen aan. Ze keken niet eenmaal om, de hond ook niet.

Later zat ik met een glas cognac op het terras naar de nacht te kijken en aan de raadsels te denken. Het woord *oplossingen* spookte door mijn brein. Ik kon het 'hoe' bedenken, een scenario. Het waarom bleef me ontgaan. Het enige dat ik na een uurtje achter de computer zeker wist, was dat Dennis bij de Welmoeds van alles had gefantaseerd en gelogen.

Geen pleegouders, maar adoptiefouders, die hem een nieuwe naam gaven. Daar kwam de 'erfenis' vandaan, niet van de tante, die hem niet kon grootbrengen, maar die waarschijnlijk nog leefde, contact met hem hield, en hem kaarten stuurde als ze met vakantie in het buitenland was. Tante F. Ze klonk nogal bazig. Ze noemde hem Douwe Barends, omdat dat de naam was die hij bij zijn geboorte kreeg. Hij had een postbus onder die naam in Udenhout, waarschijnlijk alleen voor de post van zijn tante, want ik kon me niet voorstellen dat veel andere mensen hem als Douwe Barends kenden. Misschien was Udenhout de plaats waar hij bij een boer had gewerkt.

Douwe Barends was op 12-10-'79 in Den Bosch geboren en daar bij de burgerlijke stand aangegeven. De akte vermeldde als vader Reinout Friso Barends, geboren 02-04-1936 in Leeuwarden. Zijn moeder was Anke Zijlstra, geboren 23-12-1955, ook in Leeuwarden. Ze was drieëntwintig toen ze Douwe kreeg, en twintig jaar jonger dan haar echtgenoot.

De grootste verrassing was dat Dennis' vader nog leefde, althans volgens de HackMac, die aan de hand van de geboortegegevens een

68-jarige Reinout Barends achterhaalde, met als adres een verpleeghuis in de buurt van Leeuwarden.

Dennis' moeder was spoorloos. De computer gaf Den Bosch als haar laatst bekende woonplaats, in 1979. Normaal is bij de burgerlijke stand bekend waarheen iemand verhuist, al was het maar omdat de persoonsgegevens naar de nieuwe gemeente van vestiging moeten worden gestuurd. Hier stond alleen het woord 'vertrokken'. Anke had Den Bosch geen verhuisbericht gestuurd, en zich ook niet in een nieuwe woonplaats aangemeld, niet in Nederland althans.

Een oude klasgenote, uit Leeuwarden waarschijnlijk, meende Douwes moeder ruim twintig jaar later in Uzes te hebben gezien. Die vermelding was misschien de reden waarom Dennis de kaart van zijn tante had bewaard. Hij zocht zijn moeder. Maar Anke zou wel een paspoort hebben gehad en ze kon er evengoed vandoor zijn gegaan met een Australiër, of in Canada met iemand hertrouwd. Daar waren geldige papieren voor nodig, die recent afgegeven moesten zijn, maar iemand die z'n sporen in Nederland wilde uitwissen, kon in plaatsen als Las Vegas of een uithoek in Brazilië waarschijnlijk wel terecht met een oud uittreksel van de geboorteakte, een kopie van de scheidingsakte en een paarhonderd dollar voor een creatieve 'officiële' vertaler.

De echtscheiding tussen Reinout Barends en Anke Zijlstra was door de rechtbank van Den Bosch uitgesproken op 14 december 1979, een paar maanden na de geboorte van hun zoon. Douwe, nu Dennis Galman, had zijn vader nooit gezien. Misschien had hij niet eens bewust gelogen over zijn vader, maar was hij er van overtuigd dat de man al voor zijn geboorte was overleden. Iemand moest hem die overtuiging hebben bijgebracht. Ik kon alleen maar de tante bedenken, die na zijn adoptie contact met hem hield, of minstens weer opnam toen hij volwassen werd.

Waarom had ze hem wijsgemaakt dat zijn vader dood was?

Ik tastte in het duister. Tante F. was waarschijnlijk geen familie van Reinout. Anke zou haar baby eerder toevertrouwen aan haar eigen zuster dan aan een familielid van Reinout. Misschien hadden de gezusters Zijlstra Reinout eenvoudig doodverklaard omdat ze hem haatten. Misschien hadden ze een andere, dwingende reden om vader en zoon levenslang gescheiden te houden.

Alles kon. Het verleden is meer dan alleen iets dat vastligt omdat het is gebeurd. Het is ook wat mensen ermee doen, wat ze ervan maken. Sommigen worden er sterker van, anderen gebruiken het als voorwendsel om zichzelf en anderen te kwellen. Ik begon het gevoel te krijgen dat ik toch in het verleden moest zijn om te ontdekken waarom Dennis de dingen deed die hij aan het doen was.

16

Tientallen dorpen rond Leeuwarden bleken op 'um' te eindigen, Goutum, Swiechum, Jellum, Reduzum, Comjum. Misschien betekende het gewoon 'om'. Waarschijnlijk waren het Friezen geweest, die Amsterdam hadden omgedoopt in Mokum. Ik moest dat een keer uitzoeken.

Het was een eind rijden naar Wirdum en ik luisterde naar vrouwen die over de openbare radiogolven klaagden dat hun man geen bloemen meer meebracht, en mannen die zich zorgen maakten dat hun penis te kort was, en waarom hun vrouw weinig of geen seks meer wilde sinds ze een kind had gekregen. De radiotante zei dat de lengte er niet toe deed, dat het ziekenfonds wellicht een deel zou vergoeden van het wegnemen van overtollige huid en de liposuctie onder de navel, en dat het nooit kwaad kon om een en ander met een seksuoloog te bespreken. Mensen belden al tien jaar lang met dezelfde vragen en kregen dezelfde antwoorden. Er veranderde weinig onder de zon van Flevoland, de Noordoostpolder en de Friese meren en weilanden.

Het verpleeghuis was een laag bakstenen gebouw met Friese gazons, Amerikaanse coniferen en een verdwaalde ceder van de Libanon. De geur van terdege gekookte spruitjes walmde uit keukenroosters. Een verpleegster bracht me door een gang naar een deur met drie namen erop. *H. Dinstra. K. Groothuis. R. Barends.* Het was kwart over twaalf en de deur stond open.

'U moet even wachten,' fluisterde ze. 'Hij is nog aan het eten. Hij praat moeilijk, maar Gerben blijft er wel bij.'

Ik nam de rechte stoel bij de deur. De langwerpige kamer rook medisch, al stond de rechterhelft van het raam op een haakje. Drie bedden, met oude mannen erin. Die in het midden lag aan een infuus, te slapen of in coma. De twee anderen zaten rechtop in kussens en werden gevoerd. De bedden hadden hoge, neerklapbare zijkanten om te voorkomen dat de patiënten eruit vielen. Niemand merkte me op, behalve de voorste man, *H. Dinstra* naar ik aannam, wiens lege ogen nu en dan terloops en onbedoeld naar mij dwaalden, terwijl hij werd gevoerd door een verpleegster, die na elke hap zijn kin afveegde.

Ik kon de man in het achterste bed niet zien, alleen de oudere verpleger die met zijn rug naar me toe naast hem zat en naar het geklets van de verpleegster over het ontslag van een zekere Ria luisterde. Ik zag alleen hoe de voorste man naar de lepel met voedsel staarde, die de verpleegster tijdens haar gepraat een halve meter voor zijn mond in de lucht liet hangen. De oude man wachtte, zijn mond open, roerloos tegen z'n kussens. Hij was terug aan het eind van de cirkel, in de babystoel.

De verpleegster hervatte het voeren en was als eerste klaar. Ze richtte zich op, veegde het gezicht van haar patiënt schoon, nam het blad van de smalle eetplank boven het bed en draaide die met haar vrije hand uit de weg. Er verscheen een verstoorde rimpel boven haar bril toen ze mij bij de deur zag zitten. 'Het is geen bezoekuur.'

De verpleger bij het verste bed keek verontrust om.

'Ik heb speciale dispensatie,' zei ik.

'Speciale wat?'

Misschien was ze niet katholiek. 'Mevrouw Klasma weet ervan.'

De verpleger interrumpeerde op een toon die verdere discussie moest voorkomen: 'Laat maar, Josefien. Meneer Winter? Ik ben Gerben. Ik ben zo bij u.'

De verpleegster haalde haar schouders op en verdween met haar blad. Gerben was een lange man met een tanig gezicht en kortgeknipt peper-en-zoutkleurig haar. Ik schatte hem op achter in de vijftig. Hij veegde de mond van zijn patiënt schoon en stond op. Hij nam het blad, draaide de plank weg en legde zijn vrije hand met een zorgzaam gebaar op het hoofd van zijn patiënt. 'Zo goed?'

De oude man knipperde met zijn ogen.

Gerben kwam naar de deur. 'Ik breng dit weg,' zei hij. 'Wacht hier maar op me.'

De voorste man staarde in de leegte, de middelste was van de wereld, maar Reinout Barends volgde me met z'n ogen toen ik de aanwijzing van Gerben negeerde en langs de bedden naar hem toe kwam. Ik glimlachte naar hem en nam Gerbens stoel. Barends zag eruit alsof hij z'n hele leven in dit bed had liggen vegeteren op medicijnen en doorgekookte groenten. Hij had een ongezonde, van dunne aders doorschoten witte huid, vlossige plukken grijs haar, lichtere baard-stoppels en een glinstering van slijm in zijn mondhoek. Hij was een wrak, maar zijn ogen leefden, diepblauw en alert.

'Ik ben Max Winter,' zei ik.

'*Ggrijno.*' Er kwam wat speeksel mee.

Ik klopte op zijn hand. 'Het spijt me dat u ziek bent.'

'*Hhi-iet.*'

Niet? 'Was het een ongeluk?'

Barends knipperde. De verpleger verscheen achter me. 'Het is lang geleden,' zei hij. 'Een ongeluk.'

'*Rahmsje,*' mompelde Barends.

'Rangeren,' zei Gerben. 'Hij was rangeerder toen hij dat ongeluk kreeg. Reinout begrijpt alles, maar hij praat moeilijk. Komt u met me mee?'

Ik stond op. Barends maakte geluiden.

'Stil maar Nout,' zei Gerben. 'Ik weet het wel.' Hij glimlachte ver-ontschuldigend naar me. 'Ik ben de enige die hem verstaat, we zor-gen al tien jaar voor elkaar. We zijn goeie vrienden.' Hij keek naar Barends. 'Toch?

'*Hoem.Vasekhoemdoe.*'

'Reinout wil weten wat u komt doen.' Gerben keerde zijn gezicht naar me toe en schudde nauwelijks merkbaar met z'n hoofd, zijn ogen dringend. Hij maakte, onzichtbaar voor de patiënt, een gebaar als om me het zwijgen op te leggen. Zijn patiënt uitte een nieuwe reeks klanken.

'*Alzeboecha vanehuizemei?*'

'Misschien. Je moet ze tijd geven.' Gerben nam de doek die op het bed lag en veegde het speeksel van Reinouts mond. 'Meneer Winter komt voor mij,' verklaarde hij toen. 'Ik zie je straks, het is mooi weer, we rijden je naar buiten. Goed?'

Barends bleef naar mij kijken. Zijn ogen broedden argwaan, alsof hij voelde dat ik voor hem kwam, ook al beweerde zijn verpleger an-ders. '*Woevemaan?*'

Gerben grinnikte toegeeflijk. 'Uit Amsterdam.' Hij wenkte me mee, met ongeduld dat alleen voor mij was bestemd.

Ik glimlachte naar de oude man met wie ik niet kon communice-ren. De verpleger voerde me langs open deuren, waarachter oude mensen lagen te wachten op verlossing uit het passieve inferno waar-in sommigen van ons door toeval, ongeluk of misfortuin terechtko-men. 'Hier kunnen we praten,' zei hij, toen we in een verlaten foyer aan de achterkant van het gebouw kwamen. Hij gebaarde naar de ramen. 'Wilt u koffie?'

Het was te vroeg voor de sterke drank waar ik meer behoefte aan had. 'Graag,' zei ik.

Hij bediende een koffiemachine terwijl ik tussen de verzameling tafeltjes en leunstoelen naar een openstaand raam slalomde. Buiten stond een bestelwagen op een brede tegelstrook, erachter was een hoog, met wingerd begroeid hek. Een blozende Fries opende de ach-terdeur van de bestelwagen en begon dozen uit te laden en uit mijn blikveld te dragen, waarschijnlijk naar een leveranciersingang. Ik zoog de zomer in m'n longen. Ik voelde me gedeprimeerd.

Gerben zette een blad met koffie, melkcontainers, suikerzakjes en verpakte speculaasjes op de tafel. 'Dit is voor bezoekers,' zei hij, 'maar die komen pas om twee uur. Als ze komen. Familie heeft de neiging... enfin. Reinout heeft geen familie, behalve een zuster die in de Belgische Ardennen woont. De enige die hem opzoekt is z'n ou-de vriend en mentor, Sjoerd Tuinman, een gepensioneerde onder-wijzer uit Leeuwarden.'

'Met hem praten lijkt niet eenvoudig.'

'Je moet zijn taal verstaan. Ik ben z'n vertaler. Reinout is een lie-ve man, hij heeft pech gehad. Dat geldt natuurlijk voor iedereen hier. Ik probeer hem te beschermen, ook voor de illusies en verwachtin-gen die hij nog altijd heeft. Hij kan overstuur raken en dan krijgt hij het benauwd en moet aan de zuurstof. Dat is de reden waarom me-vrouw Klasma me op het hart heeft gedrukt om eerst te horen waar u precies voor komt, en we kunnen besluiten dat we hem er niet mee lastig vallen. Ik had u bij de receptie willen opvangen, maar u kwam eerder dan u had gezegd.'

We zwegen terwijl we de melkcontainers openprutsten en Gerben ook het suikerzakje. 'Dit wordt een probleem,' zei ik. 'Ik heb infor-matie over zijn verleden nodig.'

'Dat hoeft geen probleem te zijn.' Gerben glimlachte. 'Ik weet al-les van zijn verleden. Ik ken hem zelfs van vroeger, ik ben tien jaar jonger, maar we zaten in dezelfde biljartclub. Na z'n ongeluk ben ik hem uit het oog verloren, tot ik tien jaar geleden hier kwam werken en hem tot m'n verbazing aantrof. Sindsdien zijn we wel vrienden ge worden. Hij vertelt me van alles, de rest weet ik van Sjoerd, die is nu in de tachtig. Reinout heeft bij hem in de klas gezeten op de lagere school. We rijden hem naar buiten en kletsen bij z'n bed. Wat wilt u weten?'

'Over zijn ex-echtgenote en z'n zoon.'

'Reinout heeft Douwe nooit gezien. Hij weet niks van hem af en hij wil ook niet dat we hem opsporen. Sjoerd en ik hebben hem op andere gedachten proberen te brengen, maar hij wil het beslist niet, zijn zoon heeft niks aan hem. Dat is de korte versie, daar komt het op neer. Hij heeft daar vrede mee. Hij is... aan het vertrekken. Dit is zijn laatste jaar, dat verwachten we tenminste. Ik weet niet waar u mee bezig bent maar het is te laat, wat het ook is.' Gerben haalde zijn schouders op. 'Het zal trouwens wel een negatief verhaal zijn, als een bureau van een officier van justitie zich met Douwe bezighoudt. Klopt dat?'

'Douwe is als baby geadopteerd, hij heeft in een tehuis gezeten en is met de politie in aanraking geweest.'

'Voilà.' Hij streek door zijn peper-en-zoutbros. 'Moeten we Reinout daarmee van streek maken?'

'Dat kan ik niet bepalen.'

'Nee. Die verantwoordelijkheid...' Hij schudde zijn hoofd. 'Wat ik wel moet weten is of er een kans bestaat dat het joch hier onverwacht komt binnenwandelen.'

Het klonk koud, misschien was het dat niet. Gerben leek redelijk met zichzelf ingenomen, maar ik hoefde hem niet aardig te vinden. Hij deed wat hij dacht te moeten doen, hij was het scherm rond de patiënt. 'Douwe denkt dat zijn vader dood is,' zei ik. 'Hoe heet die zuster in de Ardennen?'

'Reina. Ze komt eens per jaar. Hoezo?'

'Ik zag een kaart die hij van een tante kreeg. Er stond alleen een voorletter. Tante F.'

'Dat is Frouke,' zei hij direct.

Ik trok m'n boekje te voorschijn. 'Is dat een zuster van z'n moeder?'

'De enige zuster.' Hij keek naar m'n boekje. 'Er valt niet veel te schrijven, tenzij u net zoals Reinout schrijver bent en het duizendste familiedrama wilt opvoeren.'

Ik had geen boeken van Reinout Barends in m'n kast, maar dat zei natuurlijk niks. Er zijn meer schrijvers dan de boekhandel lief is. 'Was Reinout schrijver?'

'Min of meer,' zei hij, nogal raadselachtig. 'Dat is een onderdeel van het drama. Alle familiegeschiedenissen zijn dramatisch, volgens Sjoerd heeft Freud dat al laten zien.' Hij klopte op de leuningen van zijn stoel en keek peinzend naar het raam, als een pretentieuze acteur die naar de toeters en bellen van z'n vak zoekt om zijn tekst zo dramatisch mogelijk te maken.

'Reinout wou schrijver worden,' zei hij. 'Volgens Sjoerd had hij meer in huis dan Anne Wadman, een mening die de uitgevers niet deelden.' Gerben lachte wrang. 'Ik noem Wadman, omdat Reinout zich soms vergeleek met Bjinse Houtsma. Hij had geen saaie Wietske en ook geen verleidelijke alt in z'n koortje, maar wel zijn eigen sopraan. Ze heette Anke Zijlstra. Ze werkte bij een bloemist. Haar ouders waren gescheiden, ze woonde bij haar moeder, met alleen haar oudere zuster, Frouke. Ze was nauwelijks twintig. Reinout was in de veertig en blindelings verliefd, hij wilde wel honderd cantates voor haar schrijven.' Gerben maakte een spijtig gebaar. 'Hij heeft het nooit gezien. Ik ook niet, trouwens. Ik was dertig en tevreden getrouwd, maar ik moet bekennen dat ik wel jaloers was op Reinout, die de twintigjarige seksbom waar half Leeuwarden van droomde aan de haak had geslagen. De enige die het zag was Sjoerd.'

'Wat?'

'Dat ze een leeghoofd was. Het was de zoveelste variant op het klassieke verhaal, de oudere vrijgezel die verblind raakt, en het meisje dat aan de provincie hoopt te ontsnappen door met een beroemde schrijver te trouwen. Iedereen was ervan overtuigd dat Reinout beroemd zou worden. Toen hij een verhaal gepubliceerd kreeg in zo'n Friese bundel stond het zelfs in de Leeuwarder Courant: "De schrijvende spoorwegman op weg naar internationale erkenning." Voor een Friese krant is Drente al internationaal, maar Anke dacht dat Reinout minstens de Nobelprijs ging winnen, als ze zou weten wat dat was, en dat ze beslist aan de Rivièra terecht zou komen, met zwembad. Ze kon niet gauw genoeg met hem trouwen.'

217

'Hij werkte bij het spoor?'

'Ja, net als z'n vader. Hij moest toch de huur betalen terwijl hij 's nachts de Rivièra bij elkaar zat te schrijven.' Gerben spotte, maar zijn gezicht verried dat hij er weinig komedie in zag en medelijden had met zijn vriend, om de verspilling, de levenslange wanhoop. 'Reinout deed zijn best, maar de afgewezen manuscripten bleven in de bus vallen, elke mislukte schrijver kent dat geluid. De sopraan begon zich te vervelen, de schrijver werd moe, van seks was weinig sprake meer, maar na drie jaar werd ze toch zwanger. Voordat ze hem dat kon vertellen kreeg hij dat ongeluk. Hij lag een halfjaar in coma. Toen hij wakker werd zat Sjoerd naast hem, in plaats van de sopraan.'

Buiten werd de bestelwagen gesloten en gestart en hij reed achteruit langs het raam. Ik dacht aan de beduimelde pocket met Friese verhalen in Dennis' camper. Een cadeau van de tante misschien, dezelfde tante die hem vertelde dat hij eigenlijk Douwe Barends heette. Dat klopte niet goed met het idee dat ze, net als haar zuster, Reinout haatte, maar het moest die bundel zijn, en Dennis las en herlas het verhaal van zijn vader, zo overtuigd van diens dood dat het nooit bij hem opkwam om zelfs maar de telefoon op te nemen om hier of daar te informeren. Hij had de naam, hij zou hem zo hebben gevonden, sneller dan ik.

'Waar was Anke?' vroeg ik.

Gerben knikte. 'Ja, precies. Hij lag nog in dat ziekenhuis toen hij van een advocaat uit Den Bosch scheidingspapieren kreeg die hij alleen maar hoefde te tekenen. Ze maakte geen aanspraak op bezit of alimentatie voor Douwe, die intussen was geboren. Misschien had ze een rijke vriend, maar haar illusies over de beroemde schrijver en Monaco waren allang vervlogen en ze snapte waarschijnlijk ook wel dat er voor Reinout hoogstens een invalidenuitkering in zat. Maar zo hoorde Reinout dus dat hij een zoon had, en dat die Douwe heette. Ik heb me wel afgevraagd waarom ze er niks aan heeft gedaan. Misschien was ze te ver heen. Of te primitief.'

'Voor een abortus?'

Gerben haalde zijn schouders op en dronk van zijn koffie.

'Heeft hij ooit nog contact met haar gezocht?'

'Reinout kon niks doen. Hij was praktisch verlamd, en daar is later van alles bij gekomen. Sjoerd heeft op eigen houtje die advocaat gebeld om Ankes adres te vragen. Dat kreeg hij niet. Ze zeiden dat ze ging hertrouwen en dat ze geen contact met haar ex wenste, ze hoefde alleen maar een scheiding en de voogdij over Douwe. Haar officiële adres was dat advocatenkantoor. Dat heet beschermde domicilie of zo.'

'Volgens mij doen ze dat vooral in de vrouwenopvang, als er kans bestaat op geweld door een echtgenoot die straatverboden aan z'n laars lapt.'

Gerben knikte. 'Zoiets zei Sjoerd ook, maar Anke kan de rechter van alles hebben wijsgemaakt. Reinout kon zich niet verdedigen en niemand kon het controleren, als ze dat al wilden. Reinout zegt dat hij haar nooit met een vinger heeft aangeraakt en dat geloven we beslist, er bestaat geen zachtaardiger mens. Hij werd er zo beroerd van dat hij meteen de stukken heeft getekend en door Sjoerd op de post laten doen.'

'Waar is Douwe geboren?'

'In een kliniek in Den Bosch. Sjoerd heeft navraag gedaan, ook al wilde Reinout daar niks van weten. Het adres dat Anke in de kliniek opgaf was een pension in een buitenwijk van Den Bosch, daar heeft ze gewoond tot aan de bevalling. De hospita heeft haar daarna niet meer gezien, ze kreeg een briefje dat de post doorgestuurd moest worden naar dat advocatenkantoor.'

'Heeft Reinout er nooit aan gedacht om justitie in te schakelen, of om die voogdij aan te vechten?'

'Nee. Ik denk dat hij geleidelijk tot het besef kwam dat ze uit zijn leven waren en dat hij ze moest laten gaan. Wat had een zoon aan hem als vader? Hij kon beter dood zijn. Er was niks over. Hij kon toen nog in een rolstoel. Sjoerd heeft hem naar z'n huis gereden. Haar spullen waren weg, inclusief wat ze aan cash geld hadden voor noodgevallen. Bij de post zaten afschriften van zijn bank, waaruit bleek dat er overal in Den Bosch geld uit de muur was gehaald, en dat hij zo rood stond dat de bank eigenhandig de passen had geblokkeerd.'

'Heeft hij nog thuis gewoond?'

'Dat was onmogelijk. Sjoerd en zijn vrouw hebben hem een tijd in huis gehad. Dat is vriendschap, maar het kon natuurlijk niet duren. Normaal kunnen mensen revalideren, maar bij Reinout was het andersom, het ging alleen maar slechter. Het was die ellende, dat verraad. Het vrat hem vanbinnen op. Ten slotte kwam hij hier terecht. Hij ligt in dat bed en komt er niet meer uit.'

Ik knikte. Familiedrama. 'Weet u iets van Ankes zuster, Frouke?'

'Weinig. Ik heb haar het laatst gezien op de bruiloft. Daar was ik met de biljartclub. Ze was vier of vijf jaar ouder dan Anke. Ik herinner me dat ze nogal dronken werd. Ze woonde in Harlingen. Er was iets tussen de zusters, afgunst misschien. Volgens Sjoerd was Frouke de zuster met de hersens, en Reinout zei weleens dat hij beter met háár had kunnen trouwen. Ze kwam hem in het begin blijkbaar nog wel opzoeken, maar dat was voor mijn tijd.'

'Heeft ze hem nooit iets over Douwe verteld?'

'Niet dat ik weet.'

Ik leunde achteruit. Gerben zat me op te nemen, met een onzekere frons. Ergens in het huis werd een radio aangezet en popmuziek drong gedempt door muren en gangen. Ik trok aan het plastic om het speculaasje eruit te krijgen. Ik ben onhandig met kleine, hermetisch verpakte dingetjes.

'Wat gebeurt er nu verder?' vroeg Gerben.

'Dat weet ik niet. Dit gaat over Dennis.'

'Dennis?'

'Sorry. Zo heet Douwe nu, zijn adoptiefouders hebben hem omgedoopt.'

Gerben schudde zijn hoofd naar me. 'Drieëntwintig jaar geleden had het misschien nog iets uitgemaakt,' zei hij. 'Als Reinout een goeie vrouw had gehad, die naast hem stond, en een zoon, dingen waarvoor je wilt leven. Maar die waren er niet. Ik vertel u zijn verhaal alleen om u te laten begrijpen waarom we hem nergens meer mee lastig vallen. Hij is een eenzame man, eigenlijk is hij al dood, vermoord. Hij heeft genoeg aan de televisie en z'n paar vrienden. Die rangeren hem voorzichtig naar z'n laatste station. Hij heeft daar al lang vrede mee.'

Ik knikte. 'Hoe is dat ongeluk gebeurd?'

'Hij raakte bekneld tussen een stootblok en een goederenwagon. Reinout praat er niet graag over. Het heeft in de krant gestaan.'

'Waren er getuigen bij?'

'Een collega en een leerling die stage bij hem liep, maar niemand kon er wat aan doen. Volgens Reinout kan iedereen een keer pech hebben, zelfs een rangeerder met twintig jaar ervaring.'

'Weet u de namen van die mensen?'

'Wat heeft dat voor zin?'

'Het kost veel tijd om dat uit te leggen, het komt erop neer dat ik op zoek ben naar een verklaring of motief voor dingen waar Douwe mee bezig is.'

Gerben snoof. 'Douwe was nog niet eens geboren.'

Ik nam m'n boekje van de tafel en legde het op m'n knie. 'Geef ze me toch maar.'

Hij haalde zijn schouders op. 'Ik weet niet hoe die leerling heette, maar de collega was Gertjan Smit. Zijn naam werd er in de krant bij vermeld. Volgens hem was het een onnozel ongeluk.'

Ik noteerde de naam. 'Weet u waar hij woont?'

'In Leeuwarden. Hij was toen ook in de veertig, net als Reinout, dus hij zal intussen wel met pensioen zijn.'

'Bedankt.' Ik stak m'n boekje weg. 'Ik zal u verder niet lastig vallen.'

Hij stond op. 'Ik breng u naar de deur.'

We liepen weer door de gangen. De deur van Barends' kamer stond nog steeds open. De drie mannen lagen in hun bed. Gerben groette een bezoekster, die ons in de gang passeerde. Ze hield een platte doos tegen zich aan, met op de voorkant een kleurenfoto van azuurblauw water, een kerkje, een donkerbruin chalet en witte bergtoppen. *400 Pieces*. Een niet te ingewikkelde legpuzzel voor haar vader of man, of voor een zieke broer.

We kwamen via de glazen deuren buiten. Een paar patiënten waren met bed en al onder oranje zonneschermen voor hun kamer gereden en staarden naar de ceder.

Gerben gaf me een hand. 'Ik ga Reinout luchten en vertellen dat u een oude klasgenoot bent, uit de verpleegopleiding.'

Ik glimlachte. 'Wat was dat trouwens vlak voordat we bij hem weggingen?' vroeg ik. 'Hij zei iets en u antwoordde dat je ze tijd moest geven?'

'Ah.' Gerben glimlachte toegeeflijk. 'Dat zijn dus de illusies die hij nog heeft. Hij hoopte dat u van een uitgeverij kwam.'

'Over een boek?'

Hij knikte, meewarig. 'Z'n laatste manuscript, hij had het net af toen hij z'n ongeluk kreeg. Het is een roman over een erg mooie maar raadselachtige blonde vrouw, die uit de Waddenzee aanspoelt en door een oude vrijgezel wordt opgenomen. Anke dus, zoals ze had moeten zijn. Een tijdje geleden zei Sjoerd per ongeluk dat hij het een ontroerend verhaal vond en sindsdien zit hij eraan vast en moet hij het van de ene uitgever naar de andere sturen. Reinout kan ook een behoorlijke dwingeland zijn.'

'Wil niemand het hebben?'

'Het is een moeizaam verhaal, vijfentwintig jaar oud. De helft zou eruit moeten, en dan nog blijft het een draak. We denken erover om het door Sjoerd te laten bijspijkeren en een inzameling te houden om er honderd van te laten drukken. Maken we een feestje, delen we ze uit, kan Reinout tevreden naar z'n eindstation.'

Een laconieke Fries.

Ik at een ingewikkelde *Sandwich Gezond, 6.35 €* tussen lunchend kantoorvolk op een stadsterras, bestelde er ongezonde koffie bij en rookte een dodelijke sigaret bij het tweede kopje. Een telefoonboek op de plank onder het wandtoestel in de halfdonkere gang naast de wc's leverde diverse Smits, waarvan twee met de voorletter G.

De eerste was een gemeenteambtenaar, die ik volgens zijn jeugdig klinkende vrouw op de afdeling stadsontwikkeling van het stadhuis kon bereiken. Het tweede nummer leverde weer een vrouw op, ditmaal met een oudere en nogal venijnig klinkende stem. Ik noemde mijn naam en zei dat ik op zoek was naar Gertjan Smit.

'Dat is mijn man.'

'Hij werkt bij de spoorwegen, of is hij intussen met pensioen?'

'Gertjan is vorig jaar overleden.'

Dood spoor. Ik kreunde gefrustreerd en zei beleefd: 'Dat spijt me, mevrouw.'

'Waar gaat het over?' vroeg ze.

Een dikke dame kwam door de gang en ik moest me tegen de telefoonplank drukken om haar te laten passeren. De deur van de wc viel achter haar dicht. 'Ik hoopte dat uw man me iets kon vertellen over een ongeluk van vierentwintig jaar geleden, op het rangeerterrein hier in Leeuwarden.'

'Dat met Reinout Barends,' zei ze prompt.

'Misschien weet u iemand anders die me erover kan inlichten?'

'Waar is het voor?'

'Ik werk aan een onderzoek. Ik ben in het verpleeghuis geweest bij meneer Barends, maar die kan nauwelijks praten. Zijn verpleger gaf me de naam van uw man.'

'Mijn man was erbij. En dat joch natuurlijk.'

Het laatste klonk misprijzend. 'Bedoelt u die jongeman die stage liep?'

'Mooie stage.' Haar afkeuring droop door de telefoon.

Ze maakte me nieuwsgierig. 'Ik zou er graag met u over praten, mevrouw,' zei ik. 'Ik ben in de stad. Heeft u er bezwaar tegen als ik nu bij u langskom?'

'U mag best komen, maar ik kan u niet vertellen waar die jongen is, ik weet niet eens waar hij vandaan kwam. De politie kon hem niks maken en hij nam een dag na het ongeluk de benen.'

De politie? 'Weet u z'n naam nog?'

'Die vergeet ik heus niet. Roelof Welmoed.'

Even leek alles stil te staan.

'Ik kom naar u toe,' zei ik.

Wijze mannen hebben me geleerd dat je door geduldig en vasthoudend te blijven graven in ogenschijnlijk onverwante historie en gebeurtenissen uiteindelijk wel een keer op het verband stuit, dat vaak onzichtbaar onder het oppervlak sluimert, maar dat er altijd is. Op een dag slaat je houweel dat willekeurige laatste brok rots uit de weg en glinstert het goud je tegemoet. Roelof Welmoed. Reinout Barends. Dennis Galman.

De weduwe woonde in een rijtjeshuis met een tuintje en vitrage aan de voorkant in een wijk met de zonderlinge naam Bilgaard, in de noordhelft van Leeuwarden. De vitrage ging opzij en viel weer dicht toen ik uit de auto kwam.

Ze was erg klein, nog geen anderhalve meter, en mager ook, alsof haar bezige brein haar lichaam geen tijd gunde om voedsel om te zetten in vet en groeistoffen. Ze leek in de zestig, een grijze minivrouw, met boven de conservatieve jurk een spits en permanent nieuwsgierig gezicht en een praatgrage mond, in een buurt waar niks gebeurt.

Ze had thee voor me klaar, koekjes erbij. Het huis rook naar boenwas en kat en geborduurde spreuken aan de wand. Ze vroeg wie ik was en waarom er na al die tijd nog een onderzoek werd gedaan, en ik kletste eromheen en liet haar m'n Meulendijk-kaart zien. Ik had al snel de indruk dat het haar weinig uitmaakte waarvoor ik kwam, en dat ze blij was met elk bezoek, al leurde ik met abonnementen op de Vara-gids, zolang ze maar niks hoefde te kopen en een uurtje kon roddelen. Ze verdwaalde een tijdje in weeklachten over het vreselijke noodlot dat die arme oude Reinout Barends had getroffen, zittend in haar armstoel met poten waar een decimeter vanaf gezaagd was zodat haar voeten de vloer konden bereiken, de beste vriend van haar echtgenoot, God hebbe zijn ziel, en omdat ik het volledig met haar eens was en bovendien haar thee verrukkelijk vond, mocht ik haar Saekeltsje noemen, een Friese naam die ik om een of andere reden goed bij haar vond passen. Hekele Saekeltsje. 'Die meid heeft nooit gedeugd,' zei ze ten slotte.

Je raakt het spoor maar zo bijster. 'U bedoelt Anke?'

Ze trok een zure mond. 'De hoer van Babylon. Elke jongen met een auto kreeg haar op de achterbank.'

'Was u op de bruiloft?'

'Natuurlijk, we moesten wel, Gertjan was z'n vriend. Reinout wou hem als getuige, maar daar heb ik een stokje voor gestoken. Mijn man dacht net zo over die meid als ik, maar hij durfde natuurlijk niks te zeggen, dus dat heb ik moeten doen.'

Saekeltsje keek alsof ze alsnog een medaille van me verwachtte voor de godvruchtige gramschap die ze over de arme bruid had uitgestort, als ze dat had gedaan, want deze heldhaftigheden hebben de neiging om in de herinnering groter en dramatischer te worden dan ze in werkelijkheid waren. Haar naam kwam van Sake, strijder voor het recht, in de tijd dat Wodan en Donar nog huishielden in de Germaanse wouden. Ik knikte meevoelend en zei vroom: 'Ik kreeg al zo'n idee dat ze niet erg deugde.'

'Voor geen cent, ze maakte misbruik van die arme Reinout en er waren er op de bruiloft minstens drie of vier die onder haar rokken waren geweest.' Ik ben dol op dit soort stoffige omschrijvingen, en op wat er meestal bijhoort: het vleugje jaloezie dat door de afkeuring op haar gezicht schemerde en het oude cliché verried. Te weinig jongens hadden geprobeerd om de kleine, borstloze Saekeltsje mee te lokken in de hooiberg, en Gertjan was misschien geen atleet geweest en had bovendien geleerd zijn mond te houden. Nu had ze alleen nog haar deugdzaam geboende huisje, de vitrage en het burengerucht. 'Ik heb haar de wacht aangezegd,' meldde ze. 'En flink ook.'

'En hielp dat?'

Ze tuitte haar mond weer. 'Aan haar zou het niet liggen, maar de meeste mannen hier zouden nog wel zo fatsoenlijk zijn om uit de buurt van een getrouwde vrouw te blijven. Dan moet je natuurlijk niet de kat op het spek binden.'

'Hoe bedoelt u?'

'Dat joch kwam bij hun in huis wonen toen-ie hier z'n stage deed.'

'Als rangeerder?'

'Na die opleiding lopen ze een halfjaar mee met een ervaren rangeerder om het vak te leren. Ze gaan meestal op kamers, maar Reinout kon die huur wel gebruiken en hij had de goedheid om hem in huis te nemen.'

'Was uw man ook rangeerder?'

Ze leek een ogenblik verstoord omdat ik het gesprek in een andere richting stuurde. 'Ja, net als Reinout,' zei ze toen. 'Maar die was een paar jaar ouder, daarom kreeg hij de stagiaire.'

'Ik wist niet dat er in Leeuwarden zoveel te rangeren viel.'

'Vergis je maar niet.' Ik beledigde haar stad. 'Dat was nog het oude station, daar is een groot rangeerterrein. We hebben vier lijnen, een naar Harlingen, een naar Zwolle, een naar Sneek en Stavoren en een grote naar Groningen en Duitsland. Er is veel goederenverkeer.'

'Gebeuren er vaker ongelukken?'

'Nooit, niet met rangeren tenminste. Daar waren ze veel te ervaren voor, vooral Reinout, die zat er al meer dan twintig jaar op. Dat maken ze mij niet wijs.'

'U bedoelt dat het geen ongeluk was?'

'Natuurlijk niet.'

'Zag uw man het gebeuren?'

'Hij was in de buurt. Hij heeft de trein teruggezet.'

'Maar heeft hij het echt gezien?'

'Hij stond aan de andere kant,' moest ze toegeven. Ze beet wrokkig op haar mond, alsof ze Gertjan zaliger verweet dat hij in gebreke was gebleven. 'Hij hoorde Reinout gillen. Dat joch stond erbij te janken. Hij beweerde dat Reinout gestruikeld was en dat-ie het niet kon helpen. Reinout struikelen? Kom nou.'

'Kon dat niet?'

Ze schudde beslist haar hoofd. 'Gertjan wist dat die jongen loog, en dat-ie Reinout eronder geduwd had. Dat heeft hij ook gezegd, maar hij kon natuurlijk niks bewijzen en de politie geloofde dat joch en ze lieten hem gaan.'

'Reinout zegt dat die jongen er niks mee te maken had.'

'Reinout is altijd blind geweest.'

Ik reikte naar m'n boekje, maar liet het in mijn zak omdat ik bijtijds besefte dat het de roddelstroom zou onderbreken. 'Waarom zou die jongen z'n mentor onder de trein duwen?'

'Voor de vrouw van de mentor.' Ze gaf het woord een schampere nadruk, alsof het een potsierlijke term was die hier niet werd gebruikt. 'Die jongen was hier nog geen maand of ze had hem al verleid, onder het dak van de *mentor*. Dat wist de halve stad.'

'Behalve Reinout?'

Ik dacht dat Saekeltsje ging huilen, maar ze nam alleen haar zakdoek om haar neus te snuiten. 'Ach Here,' zei ze toen. 'Dat was zo'n goeie man, en veel te goed van vertrouwen. Sommige mensen zijn gewoon naïef, weet je. Als iemand het hem verteld had zou hij het niet eens geloofd hebben. Gertjan zei dat-ie hem daar niet ongelukkig mee ging maken, hij was z'n vriend, en ik wou me er eigenlijk net zo lief niet mee bemoeien.'

Ze trok weer een vroom gezicht. 'Dat begrijp ik,' zei ik. 'Maar gaat het niet een tikje ver om iemand onder de trein te duwen omdat je iets met z'n vrouw hebt?'

'Voor normale mensen, die op het rechte pad gaan zoals u en ik. Maar Anke was een duivelin. Ze wilde van hem af, geloof me maar. Die meid kon elke man om d'r vinger winden, en zeker zo'n jonge kerel van achttien, vier of vijf jaar jonger dan zij ook nog. Hij had altijd een smoes om niet met Reinout mee te hoeven naar de biljartavonden, maar al was Reinout thuis, dan deden ze het boven terwijl hij beneden naar de televisie zat te kijken. Ze wilden er gewoon samen vandoor. Die knul was zogenaamd totaal overstuur en deed alsof-ie voorgoed was genezen van het spoor. Zodra de politie met hem klaar was nam hij de benen, en je kan wel raden waarom Anke een week later ook verdween, stel je maar voor, terwijl haar man in coma lag. Ze was slim genoeg om te snappen dat ze niet in Leeuwarden kon blijven en dat joch in huis houden, dat zou wel erg verdacht zijn, dus hebben ze ergens anders afgesproken, dat weet ik zeker. Reinout kreeg de papieren voor de echtscheiding in het ziekenhuis bezorgd. Je hart breekt als je aan die arme man denkt. Ik weet niet of ze nog met die jongen is, maar Reinout kon ze in elk geval niet meer gebruiken.'

Roelof kennelijk ook niet, want die keerde terug naar Rumpt. Hij had rangeerder willen worden, een opleiding gedaan, stage gelopen. In Rebecca's rapport stond niets over dit onderdeel van haar vaders verleden. Misschien wist ze er niets van. Het was een bevlieging uit zijn jeugd, lang voordat hij met Emma trouwde en Rob en Rebecca kreeg. Roelof kon het geheim hebben gehouden, een begraven zwarte bladzijde. De enige die er iets vanaf kon weten, was zijn vader, de oude Joop Welmoed.

Een andere gedachte kwam onvermijdelijk bij me op, versterkt door iets wat de verpleger had gezegd: de schrijver was moe, van seks was weinig sprake meer, maar na drie jaar werd ze toch zwanger.

Was Dennis een zoon van Roelof?

Saekeltsje wist kennelijk niet dat Anke zwanger was geweest, anders had ze dat beslist gebruikt als hoeksteen onder haar verhaal. Ik ging haar die niet bezorgen. In plaats daarvan dronk ik thee en vroeg: 'Heeft u Ankes zuster ook gekend?'

'Natuurlijk. Frouke was een jaar of vijf ouder. Reinout heeft Anke door haar leren kennen.'

'Oh?'

'Dat kun je Frouke niet kwalijk nemen, ze kon natuurlijk niet weten dat Reinout meteen hoteldebotel zou raken.'

'Was Reinout nooit eerder getrouwd?'

'Hij was vrijgezel. Hij ging niet veel uit, behalve de biljartclub. Hij was erg serieus, hij wou schrijver worden. Ik weet wat u denkt, maar Frouke had niks met hem, dan had Gertjan dat wel geweten. Frouke was anders dan Anke. Ze ging niet met elke jongen naar bed.'

'Maar ze was bevriend met Reinout?'

'Ze konden goed met elkaar overweg, ze gingen samen naar de bioscoop en zo, maar volgens Gertjan is het nooit wat geworden. Ik geloof dat ze elkaar hebben ontmoet bij een lezing van een of andere schrijver. Toen Anke in beeld kwam was het meteen over. Frouke ging in een supermarkt in Harlingen werken en daar is ze ook gaan wonen.'

'Had ze geen contact meer met Reinout?'

'Ik denk dat Anke daar wel een stokje voor stak. Frouke kwam op de bruiloft, maar ze was niet erg vrolijk.' Saekeltsje zette haar mond weer in een afkeurende stand en dempte haar stem: 'Ze dronk het ene glas na het andere. Ik drink zelf niet, dat geeft enkel ongeluk en daar heb ik meer dan genoeg van gezien, maar een enkele keer moet een mens dat kunnen begrijpen en vergeven. Ik had medelijden met haar, d'r zat geen kwaad bij. Ze was eerder weg dan wij, al voor het diner.'

17

Rebecca droeg hun lammeren voor hen uit, waardoor de ooien zich een voor een zonder problemen door Rob en de opkoper over het middenpad de stal uit lieten brengen. De kleine veewagen stond aan de andere kant van het hekje op de inrit. Klep open, lam erin, ooi erin, klep dicht. Ze stonden verdwaald op de met stro bedekte laadvloer naar haar te kijken.

Ze voelde zich beroerd, maar ze kon zich er niet aan onttrekken. *Je verzorgt ze als ze ziek zijn, je helpt ze door een moeilijke bevalling heen, en door een moeilijke winter. Als hun dood onvermijdelijk is kan die beter uit jouw hand komen dan uit die van een vreemde.*

Dit was net zoiets.

Ze hield Bizet over, en Katrien, en Belletje, met hun lammeren. En de stokoude Jasmijn, die ze met hand en tand had moeten verdedigen omdat ze van geen enkel nut was. Jasmijn was al oud geweest toen ze haar kochten van een boer in Enspijk, die hen terecht aanzag voor onnozele amateurs. Ze was hun eerste en enige miskoop, omdat ze in het wilde weg aan schapen begonnen zonder dat ze wisten hoe je aan hun gebit hun leeftijd kon zien. Jasmijn had één keer gelamd, voordat ze besloot om met pensioen te gaan, en nu hinkte ze maar zo'n beetje door de wei. De lammeren zouden afgemest en geslacht worden, dat was normaal. De ooien waren jong en hadden een kans dat ze in een kudde werden verkocht, een oud schaap was hoogstens interessant voor een Marokkaanse slager. Ze wilde geen geld voor Jasmijn, en zeker geen slager. Jasmijn verdiende haar pensioen.

Harry was de laatste. Hij stond zenuwachtig voor het restant van zijn kudde. Ze hurkte voor hem. Hij voelde dat er iets verkeerd was maar begreep niet wat en ze kon het hem niet uitleggen. 'Harry,' fluisterde ze. 'Het spijt me.'

Hij rilde een beetje. Rebecca legde haar hand op zijn kop en sloeg het touw om zijn hals. Ze wist dat hij niet zomaar zou meegaan en hij was oersterk. Ze hield zijn kop vast terwijl Rob en de opkoper de stal in kwamen. De opkoper was iemand die een achterpoot greep, dan vluchtte het schaap op drie poten voor je uit en hoefde je hem alleen maar in de goede richting te sturen. Zo kregen Harry de stal uit en Rebecca probeerde hem aan het touw mee te trekken maar dat ging natuurlijk niet, Harry werd dol. Hij trok zo hard aan het touw dat hij zowat stikte en ze moest het loslaten. De opkoper verloor zijn geduld en greep een achterpoot en Harry vluchtte struikelend en vallend voor hem uit over het middenpad, tussen Rob en Rebecca in, en haar hart brak toen ze hem met veel geweld in de veewagen worstelden en de klep sloten.

'Vergeet niet wat u beloofd heeft,' zei Rebecca, toen ze zwetend naast de opkoper stond.

De man knikte. 'Bel me eind van de week maar.'

'Waarover?' vroeg Rob.

'Je zus wil weten waar ze heen gaan,' zei de opkoper.

Rob fronste. 'Waarom?'

'Zomaar,' zei ze.

De opkoper veegde een rode zakdoek over zijn voorhoofd, liep langs de wagen naar de cabine en nam een dikke, versleten portefeuille van de voorstoel. 'Aan wie moet ik betalen?'

Ze dacht aan zilverlingen. 'Aan mijn broer,' zei ze. Ze gaf de opkoper een knikje en vluchtte naar de achterkant van de veewagen. Tussen de latten door kon ze haar schapen zien. Twee van de ooien lagen onverschillig te herkauwen, alsof zij al niet meer bestond, maar Harry keek naar haar. Alles wat ze in zijn ogen zag was verbeelding. Toen wendde hij zijn kop af en snuffelde aan een ooi.

Rebecca schopte haar klompschoenen uit en stapte in haar leren slippers, waste haar handen en spoelde haar gezicht aan de wastafel op de deel, voordat ze het huis in ging. Dennis zat aan het hoofd van de tafel in de stoel van Roelof, die hij een eindje achteruit geschoven had om een been over de armleuning te kunnen laten hangen.

'Is het gelukt, met de beesten?' vroeg hij.

Hij was er niet bij geweest. Ze had daar fijngevoeligheid in willen zien, maar nu besefte ze dat het hem geen moer kon schelen en ze werd woedend, om zijn toon en hoe hij erbij zat, en vooral wáár. 'Je zit op Suzans plaats,' zei ze.

'Is dat zo?' Hij grijnsde uitdagend. 'Ik wist niet dat we hier vaste plaatsen hadden.'

'Elk gezin heeft vaste plaatsen. Dat is de stoel van mijn vader.'

Dennis loerde naar haar, zijn ogen een beetje raar, indringend. Ze begreep niet hoe ze dat ijskoude blauw zo speciaal had kunnen vinden. 'Ah, je vader,' zei hij. 'Het is een lekkere stoel. Ben ik er niet goed genoeg voor?'

Nee, dacht ze. Ze hoorde de deur en zei lafhartig: 'Daar gaat het niet om.'

'Waar gaat het niet om?' vroeg Rob.

Ze draaide zich om. Haar broer zocht een probleemloze wereld, waarin de zon scheen. Dat kon ze begrijpen. Hij vulde zijn hoofd met dingen en bleef bezig om zijn verdriet ergens verborgen te kunnen houden waar het minder pijn deed.

'Becky vindt dat ik hier niet hoor te zitten,' verklaarde Dennis spottend. *Becky.* 'Maar ik ben bekaf en heb de eerste de beste stoel genomen.'

Rob fronste naar zijn zuster. Hij begreep wat haar dwarszat, maar wat maakte het uit of zijn partner per ongeluk de stoel van hun vader nam om op adem te komen? Ze waren de halve ochtend bezig geweest om de brokstukken van de uitgebroken stalmuur stuk te slaan en in de Volvo-trailer naar Keesing in Gellicum te brengen. Elke boer kon puin gebruiken om een erf of een oprit te verharden, als je het eerst voor hem fijnsloeg. Dat was het zwaarste werk geweest, om beurten met de grote moker.

'Blijf gerust zitten.' Rob klopte Dennis op de schouder, schoof achter hem langs en liet zich op de bank vallen. 'Krijgen we een pilsje?'

Dennis hing nonchalant in de stoel en begon met Rob over het vele werk te praten, en over de grondkabel die ze straks moesten halen bij Verspuy. Hij scheen te voelen dat Rebecca naar hem bleef staan staren, en er speelde een dubbelzinnig glimlachje rond zijn mond voordat hij haar, heel even, een uitdagende flits gaf van dat arctische blauw.

Het drong tot haar door, in die flits. Dennis zat niet in de eerste de beste stoel en het was meer dan een pesterijtje. De stoel van haar vader hoorde bij zijn plan. Hij *was* zijn plan, vanaf het allereerste moment. Ze zag het nu, letterlijk, voor haar ogen. Dennis was bezig de plaats van haar vader in te nemen.

Waarom? dacht ze. *Waarom hier? Waarom kiest hij ons?*

'Beck?' vroeg Rob.

Haar hoofd gonsde. Ze draaide zich abrupt om en opende de koelkast. Ze nam twee flesjes pils, wrikte de kroonkurken eraf en zette ze met glazen op de tafel. Ze tapte een glas water voor zichzelf en dronk het in twee teugen leeg, staande aan het aanrecht. Ze voelde water op haar kin. Ze wou dat ze in Bretagne was, met Atie. Of op de maan. *Bij haar vader.*

'Waarom neem je er niet voor tijdelijk iemand bij?' vroeg ze.

'Wat bedoel je?' vroeg Rob.

'Dennis klaagt over het vele werk,' zei ze. 'Misschien kan zijn vriend even bijspringen, hoe heet hij, Klaas?'

Ze zag Dennis fronsen en kwaad worden.

'Wie is Klaas?' vroeg Rob argeloos.

'Hij ging een duivenhok bij hem bouwen.'

Ze zag Dennis verstrakken. Voorzichtig, dacht ze. Ze moest hem niet in een hoek drijven. Ze forceerde een glimlach. Dennis nam zijn been van de stoelleuning. 'Daar hebben we niks aan.'

'Omdat hij bij de glasfabriek werkt?' vroeg ze roekeloos.

'Ja.'

Ze kon het niet laten. 'Is hij glasblazer van beroep?'

Dennis vernauwde zijn blik, alsof hij een valstrik rook, en begon zich terug te trekken. 'Weet ik veel? Ik weet niet eens zeker of hij daar werkt. Ik ken de man nauwelijks, ik heb hem in een café ontmoet, hij gaf me alleen maar die tip over de glasfabriek. Dat was dus niks, maar ik heb hem een avond geholpen met z'n duiven...' Hij zweeg abrupt en ze voelde iets van triomf omdat hij zichzelf verried door te veel uit te weiden, zoals leugenaars doen. Voorzichtig, dacht ze weer. *Er is iets met Klaas.*

'Iemand anders dan misschien?' zei ze luchtig.

'We redden het zelf wel, laten we geen onnodig geld uitgeven, alles wordt toch al duurder dan we dachten.' Dennis sloeg terug: 'Wat hebben de schapen trouwens opgebracht?'

'De schapen zijn van Rebecca,' zei Rob.

'Dat heb ik gehoord. Ik was alleen nieuwsgierig.'

'Negenhonderd euro,' zei Rob.

'Wauw. De rijke dochter.' Dennis keek spottend naar haar. 'Wat doe je met al dat geld? Een bontjas kopen?'

Een detective betalen om jou te ontmaskeren, dacht ze. 'Ik spaar om te studeren,' zei ze geïrriteerd. 'Ik heb geen rijke tantes.'

'Jammer,' zei Dennis. 'Als je bij Albert Heijn achter de kassa ging konden we er de verwarmingsketel voor de kas van betalen.'

'Onzin, Dennis,' zei Rob. 'Rebecca moet zelf weten...'

Dennis stak een hand op en grinnikte. 'Ik maak maar een grapje. Ik ben wel de laatste om Becky's carrière in de weg te staan.'

Becky. Ze haatte dat, van hem tenminste, en de toon waarop hij het uitsprak. Ze wilde zeggen dat ze Rebecca heette, maar de telefoon begon te rinkelen. Ze stond ernaast en nam op. 'Met Rebecca.'

'Hallo?' Een man. 'Is Suzan Lessing daar?'

'U bedoelt Suzan Welmoed?' Ze zag Rob en Dennis opkijken.

'Ook goed,' zei de man. 'Geef haar even.'

Ze fronste. 'Met wie spreek ik?'

'Zeg maar Kees, dan weet ze het wel.'

Ze drukte de hoorn tegen haar borst. 'Waar is Suzan?'

Rob keek naar de klok. 'Naar de dokter.'

'Mevrouw Welmoed is niet thuis,' zei Rebecca in de hoorn.

'Zeg maar dat ze geen vriendjes op me af hoeft te sturen en dat ze me vandaag nog moet bellen, anders kom ik zelf langs. Ze heeft mijn nummer.' De man verbrak de verbinding.

Rebecca probeerde neutraal te kijken. *Kees Halpers.* Ze legde de hoorn terug.

'Wat was dat?' vroeg Dennis.

'Iemand voor Suzan.' Ze keek naar Rob. 'Van de verzekering.'

Rob ging er gelukkig niet op in. Dennis vroeg: 'Wat moet Suzan bij de dokter?'

Dat ging hem geen bliksem aan. 'Ze heeft last van haar schouder.'

'Een goeie massage,' zei Dennis. 'Dat zou ook wel iets voor jou zijn, om alles een beetje los te laten.'

Suzan belde dat ze bij Els in Culemborg bleef eten en Rebecca maakte een lunch voor Dennis en haar broer. Zelf ging ze met een dubbele boterham, een glas melk en een boek de tuin in. Het boek kwam uit de verzameling van haar moeder, *Een Braaf Meisje*, van Philip Roth. Ze begreep Lucy Nelson, die nog ongelukkiger was dan zij en net als zij op een wonder wachtte, maar nu kon ze niet lezen. Het buck lag op het tuintafeltje en Rebecca dronk kleine slokjes van haar melk en wenste weer dat ze in Bretagne was. Meidenpraat, naar de jongens kijken, een disco met die Franse non-muziek in Perros-Guirec, aan het strand als het een keer niet regende.

Al regende het de hele tijd.

Ze zat stil te kijken hoe Dennis en Rob bij de carport met de tuinslang het puinstof uit de aanhanger spoten, voordat ze in de Volvo stapten en wegreden, Rob aan het stuur. Hij wuifde naar haar.

Ze ging naar binnen en ruimde de troep op, die ze hadden laten staan. Suzan kwam omstreeks halfdrie thuis, ze zag er moe uit en ging meteen naar boven om een uurtje te rusten.

Rebecca volgde haar een kwartier later. Suzan had haar jurk over een stoel gehangen en lag in haar ondergoed in het grote bed, dat Roelof voor hen had gekocht toen ze hierheen verhuisden. Een nieuw leven, een nieuw bed, een nieuwe kast, een zonnige kamer.

'Hi,' zei Suzan.

Rebecca ging op de rand van het bed zitten. Ze zag een doosje pillen op de wastafel, een glas ernaast. 'Wat zei de dokter?'

'Het is niks.' Suzan streelde Rebecca's rug. 'Gewoon een beetje overspannen. Ik heb pillen gekregen.'

'Je moet je niet zoveel zorgen maken,' zei Rebecca. 'Alles komt goed, dat beloof ik je.'

Suzan glimlachte zwakjes. 'Dat is een mooie belofte.'

Rebecca nam Suzans hand en kwam naast haar op het bed. Ze drukte haar achterhoofd in het kussen van haar vader. 'Je zult het zien.'

'Ja.' Suzan kneep in Rebecca's hand. 'Hoe ging het?'

Ze keek naar Suzans profiel. 'Harry was boos op me.'

'Ik hoop dat het dat allemaal waard is.'

'Het zijn maar beesten.' Ze praatte net als Dennis. Straks zaten ze met de ruïne. 'Iemand belde voor je,' zei ze toen.

'Wie?'

'Kees Halpers.'

Suzan verstijfde. Ze kneep hard in Rebecca's hand. 'O god.'

'Gaat het om geld?' vroeg Rebecca.

Suzan wendde haar gezicht naar de muur. 'Het spijt me zo. Ik had het jullie moeten vertellen.'

'Je hoeft ons niks te vertellen,' zei Rebecca. 'Kom es hier.' Ze nam Suzans schouder en draaide haar naar zich toe. 'Jij bent onze moeder, dat kan niks veranderen.'

'Je weet niet waar je het over hebt.' Suzan begon te huilen.

Rebecca pakte Suzans gezicht beet en veegde de haren uit haar ogen. 'Natuurlijk wel. Ik weet alles van de Pink Moon. Roelof heeft het ons meteen verteld, voor jullie trouwen. Het heeft voor ons nooit iets uitgemaakt. Jij bent Suzan.' Ze nam de rand van het laken, veegde ermee over Suzans ogen en wangen en nam haar in haar armen. 'Stil nou maar,' zei ze. 'Het komt goed. Laat ze doodvallen.'

Zo lagen ze een tijdje, Suzans gezicht in Rebecca's borsten, tranen drongen door haar hemd, zo voelde een moeder zich. Rebecca wilde over de dood van Roelof praten en over de detective, maar ze hield zich in. Ze voelde Suzans warmte, dat was goed. Ze voelde zich elke dag ouder worden. 'Is Kees Halpers je ex?'

Suzan knikte.

'Wat moet hij van je? Je bent toch gescheiden?'

'Hij krijgt geld,' zei Suzan.

'Waarom?'

Suzan zuchtte. Ze werd kalmer, die opluchting als je een last kwijt bent. Ze trok haar hoofd terug om Rebecca aan te kunnen kijken. 'Hij wou me niet laten gaan. Hij dreigde met van alles, iedereen zou het weten, hij zou voor een moeilijke echtscheiding zorgen, klanten op me afsturen, jullie lastig vallen, ons het leven onmogelijk maken. Roelof heeft hem moeten afkopen.'

'Hij had naar de politie kunnen gaan.'

'Waarmee?' vroeg Suzan eenvoudig.

Ze had gelijk, bedacht Rebecca. Haar vader had de gemakkelijke weg gekozen. 'Je bedoelt dat Halpers niet alleen je echtgenoot was, maar ook je...' Ze deinsde terug voor het woord.

'Hij was te lui om te werken. Ik moest het geld inbrengen,' zei Suzan. 'Ik wil eigenlijk niet over mijn stommiteiten praten.'

Rebecca dacht weer aan haar vader. Iets goedmaken, of wat was het. Rechtzetten. *Karma*. Op zijn manier. 'Ik wil alleen graag weten waar we aan toe zijn.'

Suzan knikte. 'Kees heeft uitgerekend wat ik eh...'

'Ja.'

235

'Ik was er niet bij, ze hebben gewoon zitten onderhandelen. Je mag het mij kwalijk nemen, dat doe ik zelf ook, elke dag. Maar ik hield van Roelof, vanaf de eerste keer dat hij daar binnenkwam en met me begon te praten.' Ze wilde hem verdedigen en voegde er haastig aan toe: 'Dat was een jaar nadat...'

'Dat weet ik,' zei Rebecca. Een jaar na de dood van haar moeder. 'Roelof wilde je daar meteen weg hebben.'

Suzan kreeg weer tranen in haar ogen. 'Ik mis hem zo,' fluisterde ze. 'Hij kon dat niet betalen, toen hebben ze iets geregeld, elke maand een bedrag.'

'Dat is afpersing en daar had hij alsnog mee naar de politie kunnen gaan,' zei ze, voordat ze goed en wel kon bedenken: ja, en dan? Een boete, een paar maanden cel? En daarna een wraaklustige Halpers die hun leven pas echt zou gaan verzieken?

Suzan schudde haar hoofd. 'Roelof was iemand die zich aan afspraken hield, zelfs met een pooier. Hij had me kunnen laten barsten, maar hij deed alles om jullie en mij te beschermen. Die schuld was een van de redenen waarom hij zo aarzelde om dit huis te kopen, maar hij heeft elke maand betaald, drie jaar lang.'

'Wie weten hiervan?' vroeg Rebecca.

'Alleen Els, maar ik denk dat je oom Dirk er lucht van gekregen heeft, daar komt dat gedoe met de voogdijraad vandaan.' Suzan aarzelde. 'En Dennis heeft het ontdekt. Weet je nog, die man die me met Molly aansprak? Dat was m'n... werknaam.'

Rebecca was blij dat ze niet hoefde te bekennen dat ze Suzan en Dennis had afgeluisterd. 'Heeft Dennis Halpers opgezocht? Halpers zei zoiets.'

'O, verdorie,' zei Suzan, diep ongelukkig. 'Dat ontbreekt er nog aan.'

'Ik zal met hem praten,' zei Rebecca.

'Met *Dennis*? Dat wil ik niet hebben.'

'Hij luistert naar mij,' zei Rebecca, en ze beet op haar lippen toen Suzan haar geschrokken aankeek. 'Nee,' zei ze. *Shit*. 'Eén keer,' bekende ze. 'Mijn grootste stommiteit.' Ze verborg haar gezicht in Suzans armen.

Suzan streelde haar hoofd. 'O god,' fluisterde ze. 'Arm kind.'

Rebecca knikte. Ze wreef haar ogen over Suzans onderjurk. Het was voorbij. Niet zeuren. 'Hoeveel krijgt die man nog?' vroeg ze.

'Zowat twaalfduizend euro. Omdat Roelof er niet meer is, wil hij het in één keer, hij zegt dat ik het huis maar moet verkopen.'

Nog zo een, dacht Rebecca. 'Betaal hem duizend om hem zoet te houden en zeg dat je het huis te koop gaat zetten.'

Suzan keek haar verbijsterd aan. 'Ben je gek? Het huis?'

'Een smoes om tijd te winnen.'

'Tijd, waarvoor?'

'Om het op te lossen.' Rebecca was over haar verwarring heen en negeerde die van Suzan. Ze peuterde het bundeltje dubbelgevouwen bankbiljetten uit de achterzak van haar jeans. 'Hier is negenhonderd. Er hoeft maar honderd bij.'

Suzan duwde haar hand terug. 'Dat is van de schapen, dat kan ik niet aannemen.'

'Als jij het niet doet ga ik het hem zelf brengen.'

Suzan keek naar Rebecca, zuchtte en nam het geld. 'Ik herken je bijna niet,' zei ze.

'Ik ben dezelfde Rebecca.'

Haar vastbeslotenheid sloeg om in twijfels en zenuwen, net als voor een examen. Haar boek lag op haar knieën terwijl ze in de schaduw van de pruimen op haar kans wachtte. Ze mompelde zinnen die ze van plan was uit te spreken en die steeds onnozeler klonken en haar aan het blozen maakten, het kwam door dat wachten. Ze was slecht in wachten. Ze moest dingen meteen doen, ervanaf zijn. Van uitstel werd ze altijd onzeker, en benauwd.

De Volvo kwam terug en reed tot aan het hekje. Dennis en haar broer laadden rollen kabel uit de trailer en sjouwden ze naar de sleuf, en droegen kartonnen dozen met verdeelkasten en andere spullen naar de stal. Dennis had als klusjesman gewerkt en Rob was ook handig genoeg en ze gingen alles zelf doen, met alleen een echte elektricien voor de aansluitingen, om de installatie door een of andere NEN-keuring te krijgen. Toen ze klaar waren reden ze de Volvo naar de carport en koppelden de trailer los. Ze wisselden een paar zinnen, waarna Dennis via de weg en het damhek naar z'n camper liep. Rob liep over de inrit naar het huis. Hij zag Rebecca, zwaaide en verdween in het zijhuis.

Ze wachtte nog vijf minuten, voordat ze via de schapenwei naar de camper ging. Haar hart bonsde in haar keel, Dennis zat met blote voeten en ontbloot bovenlijf in een van z'n vouwstoelen naast de camper, in de schaduw van de populieren, met een flesje pils. Zijn blauwe hemd hing donker van het zweet over de andere stoel. Hij keek geamuseerd op toen ze iets uit haar keel kuchte en over de omheining stapte.

'Nee, maar,' zei hij. 'Mijn vriendinnetje. Misschien moet ik eerst gauw een douche nemen.'

'Dat hoeft niet.' Haar stem trilde van de zenuwen. 'Niet voor mij, tenminste.'

'Wat wil je dan? Een pilsje?'

Ze bleef een meter bij hem vandaan staan. 'Nee, dank je. Ik kom alleen iets tegen je zeggen.'

'Toch niet weer over de stoel?' Dennis grijnsde en nam een slok. Het haar onder zijn oksels plakte donker aan elkaar van het zweet. Ze kon hem ruiken.

'Nee,' zei ze.

'Ga zitten. Ik wil ook met jou praten.'

'Waarover?'

'Over wat er verkeerd is, waarom je doet alsof ik een venerische ziekte heb, alles wat ik niet snap. Of ben ik te oud voor je en heb je liever zo'n puistenkop van zestien?'

Ze nam het hemd van de stoel en legde het in het gras voordat ze ging zitten. Ze ontweek zijn spottende blik en staarde naar zijn blote voeten. Aan een ervan was iets raars, alsof er een paar tenen aan elkaar vastzaten. 'Het gaat over Suzan,' zei ze.

'Suzan,' zei hij. 'Die mag ik ook niet leuk vinden?' Hij grinnikte. 'Niet in de stoel, niet aan Suzan, niet aan Rebecca. Behalve één keertje, hoe noem je dat, troostseks?'

Ze balde haar vuisten. Ze wilde niet blozen. Ze zocht haar tekst en vond er iets van terug. Elke zin ervan klonk kinderachtig. 'Ik weet dat je het goed bedoelt,' zei ze. 'Maar je moet je niet met Suzan bemoeien.'

Dennis trok zijn wenkbrauwen op en lachte spottend. 'Misschien moet jíj je er niet mee bemoeien,' zei hij. 'Je weet niks van Suzan.'

'Ik weet alles van Suzan,' zei ze. 'Onze familie heeft geen geheimen voor elkaar. '

'Ook dat ze een hoer is geweest en dat ze een pooier heeft die haar nog steeds lastig valt?'

Rebecca beet op haar tanden. Hij was nijdig omdat hij haar niet kon verrassen of schokken, daarom wilde hij haar kwetsen. Ze moest zich beheersen. 'Ja, dat ook allemaal, ' zei ze. 'Het zijn onze zaken, en niet de jouwe.'

Hij zette zijn fles met een klap op het tafeltje. 'Nou en of dat mijn zaken zijn,' zei hij ruw. 'Wat denk je wel? Ik ben hier iets aan het opbouwen, zoals je misschien hebt gemerkt. En als er dingen zijn...'

'Mag ik nu eindelijk iets zeggen?'

Hij zweeg verbluft, keek haar aan. Toen maakte hij een weids gebaar en zei spottend: 'Natuurlijk, schat.'

Ze was nu ook kwaad, en dat hielp om zijn cynische ogen te trotseren. 'Ik weet dat je het goed bedoelt,' herhaalde ze. 'En dat je ons alleen maar wilt helpen. We zijn je allemaal dankbaar, Rob en Suzan, en ik ook. Je hebt ons door een moeilijke tijd heen geholpen, en nu help je ons weer met het bedrijf.'

'Da's mooi,' wierp hij ertussen. 'Maar het wordt een eenzame onderneming en ik wil wel iets terug voor al die moeite. Met name van jou.' Hij plukte aan het vochtige haar op zijn borst. 'Daar was het tenslotte om begonnen, dat heb ik je al gezegd. Het is allemaal voor jou.'

'Daar geloof ik niks van,' zei ze.

'O, nee? Waar doe ik het dan voor?'

Dat wist ze nog steeds niet. 'Omdat je het zelf ook leuk vindt. Je zegt zelf dat je zoiets altijd hebt gewild? Dat een eigen bedrijf leuker is dan in de glasfabriek werken?'

Hij vernauwde zijn blik. 'Wat heb je toch met die glasfabriek?'

'Niks,' zei ze. 'Ik noem maar wat.'

'Dat was allang van de baan. Ik kon verhuizer worden.'

'Oké. Dat wou je toch ook niet?' Ze raakte het initiatief weer kwijt en dat maakte haar kribbig.

Dennis bekeek haar wantrouwig. 'Je bent erg nieuwsgierig,' zei hij. 'Ik begin het gevoel te krijgen dat jij je met de verkeerde dingen bemoeit in plaats van leuk mee te werken.'

Ze kreeg het benauwd van zijn doordringende ogen en ze reageerde verkeerd. 'Hoezo? Wat voor dingen?' Ze klonk als een betrapte puber en werd bang dat ze zichzelf zou verraden. 'Ik weet echt niet waar je het over hebt,' zei ze snel.

'Dan is er niks aan de hand,' antwoordde Dennis losjes.

Ze had adem nodig. 'Ik wil geen ruzie met je maken,' zei ze, zo vriendelijk als ze maar kon. 'Ik kwam alleen om je te vragen of je alsjeblieft uit de buurt van Kees Halpers wil blijven. Dat kunnen we beter zelf oplossen. Het ís al opgelost.'

'Waarom komt Suzan me dat zelf niet vertellen?'

'Ik dacht dat jij en ik elkaar beter zouden begrijpen.'

Hij grinnikte. 'Misschien is Suzan gemakkelijker in het gebruik.'

'Doe niet zo lullig,' snauwde ze. 'Je krijgt mij niet op de kast.'

Dennis zweeg een paar seconden. 'En wat als ik me er toch mee bemoei?'

Ze hoorde waarschuwingen, ze moest niks op de spits drijven. Ze stond op. 'Je wilt dat we samenwerken,' zei ze. 'Dat wil ik ook, als vrienden.' Ze dacht na, en zei: 'Vrienden luisteren naar elkaar.'

Hij glimlachte verzoenend. 'Oké. Kom es hier.'

Ze bleef naast zijn stoel staan en liet toe dat hij een hand op haar heup legde, over haar billen wreef en haar dichter naar zich toe trok. 'Geef me een kus,' zei hij.

Ze bukte zich. Hij rook zurig. Ze kuste hem op de wang. Hij probeerde zijn mond naar de hare te draaien en zijn andere hand schoof naar haar borsten. Ze pakte zijn pols, niet te wild, niet alsof ze in paniek raakte, en richtte zich op. 'Niet doen,' zei ze.

Hij liet haar los. 'Je bent een raar huppelkutje,' zei hij. 'Maar je komt nog wel een keer troost zoeken.'

Hij grinnikte toen ze zich omdraaide. Ze wist dat hij haar wilde zien vluchten en ze gunde hem dat plezier niet. Ze deed haar best om bedaard over de omheining te stappen en door de wei te lopen alsof ze alles onder controle had, maar ze haalde het hekje niet en moest de laatste meters hollen om de voorkant van de stal te bereiken, uit het zicht. Daar leunde ze met een hand tegen de muur, boog zich voorover en kotste haar boterham met kaas eruit.

18

Tante F. was gemakkelijker te vinden dan haar zuster.

CyberNel bracht de HackMac voor me in stelling, terwijl mijn Beretta naast haar computer lag. Ik keek door de ramen naar de nacht, luisterde naar verdachte geluiden en dacht aan Nels neigingen om een alarm te installeren, of minstens van die lampen die vanzelf aangaan zodra iemand een voet op je inrit zet. In Amsterdam had ik de meeste vormen van menselijke onbetrouwbaarheid van dichtbij meegemaakt, maar tegen CyberNel bleef ik hardnekkig beweren dat ik liever een keer een tv-toestel kwijtraakte dan me als een paranoïde zenuwlijder in een vesting te moeten verschansen. Hier, in het hart van de vredige provincie?

We hadden er ruzie over gemaakt. Cornelia, wat moet ik zeggen? Je automatische buitenlamp zou me op tijd hebben gewaarschuwd, maar wie denkt aan gekken met knuppels en blauwzuur?

Wat zoek je?

Troost. Het stond er voordat ik besefte wat ik deed.

Heb je voornamen, data?

Ik had het rare gevoel dat CyberNel precies wist wat ze deed. Ze wilde die stilstand niet, die put. Als ik er niet uitklom dan deed zij het voor me. Aan het werk. Johan Frederik Troost. Of de weduwe van de tabak. Of Cornelis, die van het Amsterdamse plein. Een man mag huilen, maar op een gegeven moment raken de tranen op.

Frouke Zijlstra, ongehuwd. Geboren 02-08-1950 in Leeuwarden. In 1975 naar Harlingen verhuisd, en vandaar in 1978 naar Boxmeer. Ze was halverwege de vijftig, en nog steeds ongehuwd.

De telefoon maakte me aan het schrikken.

'¡Hola!' zei Bart. 'Wat ben je aan het doen?'

Ik keek op de klok. Kwart voor twaalf. 'Ik zit aan Nels computer.'

'Waarom?'

Ik wou vragen hoezo waarom, of waar bemoei je je mee, en toen bedacht ik dat hij gewoon bezorgd was. 'Ik ben aan het werk.'

'Shit,' zei hij. 'Daar ben ik blij om. Heb je een klus?'

'Ja.'

'Hulp nodig?'

'Ik dacht dat jij je handen vol had aan die Duitse zaak.'

'Dat is rond. Ik denk dat Lia en ik in het weekend bij je langs komen, misschien blijven we een nachtje pitten, is dat goed? Maandag zit ik weer op de gracht, voor de laatste loodjes.'

'Heb je het rond met Meulendijk?'

'Hij wil me in vaste dienst, daar moet ik ook met je over praten.'

'Omdat je daar geen zin in hebt?'

'Heb ik ongelijk?'

Het oude liedje. Bart de goedzak, m'n vriend, een vindingrijke zwerver. Hij kende zichzelf goed genoeg om te weten dat hij een baas of een partner nodig had om hem op het spoor te houden, maar hij had zijn buik vol van ambtelijke organisaties. Hij wilde losse klussen van Meulendijk en freewheelen, net zoals ik deed, en het liefst samen met mij. Ik had daar nooit iets in gezien, ik had CyberNel om ideeën over en weer te kaatsen, strategie te bedenken, om een klankbord en een leven vol te hebben. Nu was het van hut naar her, alleen in de auto, ze lag onder een steen en god, ik miste haar.

Misschien, dacht ik. Misschien is het minder leeg.

'De oude Bernard is oké,' zei ik.

'Ik zeg nog geen Bernard,' zei Bart. 'Maar Duitsland is vlot gegaan, vooral dankzij het voorwerk van Marsman. Johan Hasselt was raak. Alle bewijzen lagen tussen de bric-à-brac op zolder bij z'n zuster in dat dorp in Groningen.'

'Heb je de man zelf?'

'Die nam meteen na de oorlog de benen naar Argentinië. Hij is daar twintig jaar geleden bij een wapensmokkel doodgeschoten door de douane.'

'Is het bewijs goed genoeg?'

Bart grinnikte. 'Je ziet het volgende week in de krant en op de tv. Meulendijk organiseert een persconferentie voor de familie, daar willen ze mij bij hebben.'

'Grundmeijer zal verrukt zijn als-ie jou op de buis ziet.'

'Grund is geen probleem. Hij weet ervan, de hoofdcommissaris ook. Ik vertrek in september en ze snappen dat ik niet ga rentenieren. Je geeft geen antwoord op m'n vraag.'

'We praten er dit weekend over.'

Hij wachtte even en zei toen: 'Blijf aan de zonkant, broeder.'

Ik knikte, maar dat kon Bart niet zien.

Froukes adres was een flatgebouw in een van die vriendelijk bedoelde maar versleten woningwetbuurten uit de jaren zestig. Ik vond haar naam tussen de brievenbussen in de hal en drukte op de bel. Niemand reageerde. Het was zowat halftwaalf. Misschien had ze weer een baan in een supermarkt, zoals in Harlingen, en moest ik tot zes uur vanavond wachten, als ze 's middags in een kantine at, of de door de winkelchef verstrekte sandwiches met verstreken uiterste verkoopdatum in het park deelde met andere oudere winkeldames.

Ik duwde de vuilglazen deur open en beklom een betonnen trap tussen provinciaalse graffiti, die vriendelijker zijn dan de stedelijke. Ik belde aan op nummer 106 op de eerste galerij en keek tussen de lamellen van beige luxaflex door naar binnen. Linoleum op de vloer, keukenkastjes, een marmeren aanrecht, en een zonderling menu van schoongeschrobde wortelen in een vergiet, naast een halfvol pak macaroni en een halfvolle fles whisky.

Auto's stonden langs een trottoirband en een kaal gevoetbalde gazonstrook. Niet iedereen werkte. De volgende deur werd geopend door een transpirerende oudere dame met een wandelstok. Haar ogen zwommen door de aquaria van dikke brillenglazen. Ik legde uit dat ik op zoek was naar haar buurvrouw.

Ze keek stroef en zuchtte. 'Is het dinsdag?'

'Ja mevrouw.'

'Dan staat ze op de markt,' zei ze. 'Dinsdag en vrijdag. In de viskraam.'

'Werkt ze niet in een winkel?'

'Vroeger misschien,' zei ze, met iets dubbelzinnigs. 'Ze heeft geloof ik ook een paar werkhuizen. Ze gaat haar eigen gang, wij ook.'

Ik liet het rusten. 'Hoe heet haar viskraam?'

'Die is niet van haar, ze werkt er alleen, de Spakenburgse Viskoning. Achter het centrum, u ziet het vanzelf. Ik ga meestal naar die andere.'

Ik bedankte haar en reed naar het centrum. Een weekmarkt is nooit moeilijk te vinden. Ik parkeerde tussen rijen winkelwagentjes naast een plein met bomen en trok met de stroom mee langs kleding en textiel, keukengerei, horloges en schoenen en de zonderlinge marktindustrie van uitvindingen om groente te snijden, sla te drogen, deeg te mengen, pannen te reinigen en bloemen maandenlang fris te houden. Voorbij de groentes en de kazen walmde de gebakken makreel me tegemoet. De Viskoning had een grote marktauto met opgeslagen zijwand, chroom, marmer en glas, krabben, mosselen en visvitrines en tegen de achterwand potten rolmops en augurken op witte planken met latjes ervoor, om te voorkomen dat ze ervanaf vielen tijdens de rit van Spakenburg naar Boxmeer. Een man slierde een haring door de uisnippers en voerde hem zoals het hoorde door zijn keel. Twee dames werden aan tongfilets geholpen door een man in een Spakenburgse boezeroen. Rechts in de kraam stond een vrouw in een witte jas met opgerolde mouwen en een kapje op haar kortgeknipte grijze haar schol te fileren. Frouke leek niet op de foto van haar wulpse zuster. Ze had kleine tanden, die een beetje vooruit stonden in een spits gezicht, dat er ongezond rood uitzag, en haar donkere ogen stonden weinig vrolijk, niet alsof ze een leven lang hadden uitgekeken naar het fileren van vis voor de Spakenburgse Viskoning.

Ik leunde tegen het glas. 'Mevrouw Zijlstra?'

Ze keek op, veegde met haar pols over haar voorhoofd, het fileermes in de hand.

'Misschien is dit een verkeerd moment, maar ik wil graag even met u praten.' Ze fronste argwanend. 'Over Reinout Barends.' Ik hoopte dat Reinout het wantrouwen in slaap zou houden tot ik haar ergens alleen had.

Het mes viel op de plank. 'Is er iets met Reinout?'

'Nee mevrouw, toen ik hem gisteren opzocht was hij in orde, enfin, zo in orde als hij kan zijn.'

'Oh.' Ze leek opgelucht. 'Waar gaat het dan over?'

'Dat is wat lastig om hier eh…'

Ze keek naar de Spakenburger, die geld in de kassa stopte en deed alsof hij niet meeluisterde. 'We gaan zo inpakken,' zei ze. 'Een halfuurtje?' Ze boog zich naar de vitrine, nam haar fileermes van de plank en wees ermee. 'Aan het eind van de straat is een café. Is dat goed?'

'Dat is prima.'

Ik glimlachte naar haar en wandelde in de aangegeven richting.

Onderweg kocht ik een krant. Ze was nieuwsgierig en zou komen opdagen, daar twijfelde ik niet aan.

Het terras was niet druk, ik koos de parasol in de verste uithoek. Ik bladerde door de krant. De tieners van Nederland waren de gelukkigste tieners van Europa omdat ze alles kregen wat ze wilden en goed overweg konden met hun ouders. Een schrijfster maakte zich daar zorgen over omdat ze liever agressieve en eigenwijze tieners had, want dat was beter voor de persoonsvorming. Er was weer zo'n geplastificeerd speculaasje bij de koffie. Er kwamen veel mensen langs, met volle tassen. De markt stroomde leeg. Een postbus in Udenhout, op naam van Douwe Barends.

Dennis wist hoe hij heette.

Dennis kwam wraak nemen. Zijn tante was 'dood', een bij voorbaat uitgewist spoor. De Galmans in Wijk-en-Aalburg waren ook uitgewist. Hij moest die als zijn pleegouders voorstellen, want als hij gemeld had dat hij was geadopteerd, zou er vroeg of laat gevraagd worden naar zijn oorspronkelijke naam. Die moest geheim blijven, want Roelof Welmoed zou onmiddellijk opkijken en argwaan krijgen als hij de naam Barends hoorde. Die stond in zijn geheugen gegrift.

Ik aarzelde of dit de goede plek was, maar het terras bleef rustig en werd nog rustiger nadat ik een kerkklok twaalf uur hoorde slaan. De Boxmeerders gingen naar huis om de vis in de koelkast te leggen en te eten, behalve een jong stel dat uitsmijters en karnemelk bestelde, en een oudere heer die onder de caféluifel zat te sluimeren achter een glas jonge klare. Marktauto's schoven stapvoets voorbij en verdwenen via de zijstraat naar het achterplein en de uitvalswegen. Frouke Zijlstra had haar witte visjas afgelegd en droeg een wijnrode bloes en een strakke, melkwitte broek, die haar slecht stond omdat ze te veel buik had. Ze zag me zitten en gebaarde met demonstratief gewrijf dat ze de schubben van haar handen ging wassen.

Ik wachtte. De Viskoning rolde voorbij, in een omvang waar mensen voor opzij stapten. Het slachtoffer zei dat Roelof niks aan het ongeluk kon doen. De roddelaars beweerden dat hij het had veroorzaakt. Frouke mocht de rechtschapen zuster zijn, maar ze dacht als de roddelaars. Ze was de enige die er Dennis mee had kunnen vergiftigen.

Haar stem. 'Ik heb koffie besteld.' Ik stond op en wachtte tot ze ging zitten, tegenover me, met haar rug naar de straat.

'Wilt u ook iets eten?' vroeg ik.

Haar ogen dwaalden naar het stel met de uitsmijters. Ze knikte naar de oudere man onder de luifel, die ze blijkbaar herkende. 'Straks misschien,' zei ze. 'Ik heb geen haast, ik werk alleen 's morgens. Ah.' Ze keek op naar de dienster, die koffie en een glaasje voor haar neerzette. 'Ik heb er maar een vieuxtje bij besteld,' zei Frouke. 'Voor de schrik.'

De dienster knikte vrijblijvend. Toen ze weg was dronk Frouke haar glaasje in een keer leeg. Ze zuchtte. 'Ik denk dat ik er nog een nodig heb,' zei ze. 'Ik sneed me zowat in de vingers omdat ik me de hele tijd stond af te vragen wat u van me wilt. Of wat Reinout van me wil, waarom hij u op me afstuurt. Ik kan niks meer voor hem doen, dat is verdrietig genoeg.'

'U was een goeie vriendin van hem.'

'Ja, natuurlijk.' Haar blik verduisterde. 'Tot het afgelopen was.' Ze tuitte haar kleine mond.

Ik hoefde er niet aan te twijfelen. 'Tot Anke ertussen kwam?'

'Het raakt mij niet meer. Een kwijlende man in een rolstoel is wat ze voor me overliet, het is zonde dat je het moet zeggen, van je eigen zuster.'

'Volgens Reinout had hij met u moeten trouwen.'

'Zo.' Strak. 'Waar gaat dit over?'

Ze was de zuster met de hersens en ze zou zich niet eeuwig laten afleiden, maar ik had vaker mensen horen beweren dat het verleden hen niet meer raakte. 'Heeft u op hem gewacht?' vroeg ik. 'Die eerste jaren bedoel ik? Iedereen kon zien dat die twee niet bij elkaar pasten en dat het wel zou aflopen.'

'Anke had een andere oplossing.' Toen snauwde ze: 'Waarom komt u die ouwe koeien oprakelen? Verdomme.' Haar stem klom een nijdige octaaf: 'Gerrie!'

De dienster verscheen in de open cafédeur. Ik hield Froukes glas omhoog, plus twee vingers van m'n andere hand. 'Het is een triest verhaal,' zei ik. 'U weet er alles van, daarom kom ik bij u. Ik wil wat meer weten over dat ongeluk.'

'Iemand duwde hem onder de trein en meer is er niet te vertellen,' zei ze. 'Bent u van de politie of zo? Laat me niet lachen. De politie geloofde die mooie Roelof op z'n betraande ogen. Wat dan? Gaat u een boek schrijven?'

'De naam is Max.' Meer was gelukkig niet nodig, omdat de dienster de glaasjes bracht. Frouke nam het hare en leegde het weer in één driftige teug. Ze had haar koffie niet aangeraakt. Ik wilde haar wel een beetje los hebben, een tikje dronken desnoods, zolang ze coherent bleef. Dat vergde nauwkeurigheid, maar ik dacht aan de bruiloft en vermoedde dat drank altijd haar troost was geweest en dat ze tegen een stootje kon. Ze hield haar lege glas tussen haar vingers en keek de rustige straat in. De lucht was bewolkt en onder de parasol stond haar gezicht donker en broedend. Ze moest leuk geweest zijn, voordat ze die buik kreeg en dat wanhopige gezicht, een aardige meid met hersens en een goed figuur, ze had de mooie hals nog en slanke enkels en stevige, peervormige borsten onder haar rode bloes.

'Waar is Anke? vroeg ik.

Ze keek naar me. 'Doe me een lol.'

Ik wilde momentum houden, haar laten praten, zolang ze daar intrapte. 'Weet u het niet?'

'Ze ging er met de moordenaar vandoor, maar dat heeft ook niet geduurd, ze zal wel andere sukkels hebben gevonden, een met geld misschien. Ik weet niet wat mannen mankeert. Nou ja.' Ze snoof misprijzend. 'Ik weet het natuurlijk wél. Ze hebben dat ding, dat moet in de honing. Weet je hoe ze eruitzag?'

'Ik heb een foto gezien.' Ik schoof mijn glas naar haar toe. 'Neem het gerust, ik moet nog rijden.'

Ze keek een argwanende seconde naar me, haar ogen dicht bij elkaar boven de smalle neus, voordat ze het glas accepteerde. Ditmaal nam ze een bescheiden slokje.

'Sommige meiden hebben...' Ze maakte een ongeduldig gebaar om een verraderlijk moment van jaloezie weg te vegen. 'Ik heb nooit meer van haar gehoord,' zei ze. 'Dat rotjoch daarentegen kweekt bomen en is al twee keer getrouwd, leuk gezinnetje, mooi huis in de Betuwe, geen vuiltje aan de lucht, niks.' Ze spuwde iets uit haar mond dat er niet was. 'Maar mijn geliefde zuster is van de planeet verdwenen. Die durft mij heus niet meer onder ogen te komen.'

Ze wist niet wat Dennis deed. Of ze loog. 'Omdat ze haar baby bij je heeft achtergelaten?'

Frouke verstijfde. Ze opende haar mond alsof ze iets wilde zeggen en klemde haar handen om de leuningen van haar rotan stoel alsof ze op wilde staan. Ze deed geen van beide. Ze nam mijn glas, dronk het leeg en kuchte een obstakel uit haar keel. 'Max, wat?' zei ze. 'Wat moet je?'

'Ik ben op zoek naar Douwe,' zei ik.

Ze hapte naar adem. 'Voor *Reinout*?'

'Nee. Reinout weet nergens van.' Ik besloot dat recht-voor-zijn-raap-melodrama het beste was. 'Maar z'n vrienden willen weten wat er van hem terecht is gekomen.'

'Welke vrienden?'

Ik laveerde eromheen. 'Je hebt Sjoerd Tuinman gekend. En misschien ook Gerben, die verpleegt hem al sinds tien jaar.'

'Ik ken geen Gerben, maar Sjoerd is zijn vriend.' Ze fronste. 'Wat is hij van plan?'

'Maak je geen zorgen, ze gaan hem daar heus niet mee overvallen. Reinout weet niet beter of zijn zoon is bij Anke. Hij heeft ze allebei afgeschreven en wil niet dat er naar hem wordt gezocht.'

'Dat hebben we afgesproken,' zei ze.

'Jij en Reinout?'

Ze knikte. 'In het begin zocht ik hem nog wel op, hij kon toen nog redelijk praten. We waren het erover eens.'

'Om Douwe in de waan te laten dat zijn vader dood is?'

Ze klemde haar kaken op elkaar. 'Dat was Rein z'n wens, en ik heb die gerespecteerd. Wat moet zo'n jochie met een kwijlend wrak dat geen woord kan uitbrengen? Z'n luiers verschonen?' Ze keek me uitdagend aan. Het leek meer op wanhoop.

'Ik begrijp het best,' zei ik verzoenend.

'Wat wil Sjoerd dan nog?'

'Tja.' Ik zuchtte. Ik spon m'n melodrama. 'Het zal misschien niet lang meer duren, met Reinout,' zei ik. 'Hij gaat hard achteruit. Hij is een koppige man, maar zijn vrienden denken dat hij misschien geruster of gelukkiger zal sterven als ze hem op het laatste moment over zijn zoon kunnen vertellen, en dat alles goed met hem is.'

'O god,' zuchtte ze. Ze kreeg tranen in haar ogen en haar lip trilde. 'Ik weet niet of het zo goed met hem is.'

'Je hebt toch contact met hem gehouden?'

Ze schudde haar hoofd en begon te huilen, maar ze bleef zich bewust van haar omgeving, probeerde het te onderdrukken. Haar stoel kraste over de tegels toen ze hem naar de zijstraat draaide. Ik verruilde mijn stoel voor de lege naast haar en bood haar mijn schone zakdoek aan. Ze rukte hem uit mijn hand. 'Zo'n bundeltje,' fluisterde ze. 'Ik was bang dat ik hem zou laten vallen.'

'Je kon hem niet houden,' zei ik.

Frouke bette haar ogen. 'Ze stond voor m'n deur met de baby en een plastic tas met kleertjes en luiers. Ik had haar in geen twee jaar gezien, ik wist van niks. Ze duwde hem in m'n armen. Hij was een maand of zo. Ze had hem niet gezoogd, bang voor haar mooie tieten. Ze is niet eens naar binnen gekomen. Weet je wat ze zei?'

Er kwam iets van hysterie in haar stem en ik klopte op haar arm. 'Rustig maar.'

'Ze zei, jij wou hem toch altijd zo graag, je mag hem hebben. Hij zit in een rolstoel. En je mag zijn kind ook hebben. Toen ging ze ervandoor. Ik kon haar niet tegenhouden, ik stond met de baby in m'n armen op de galerij, buren erbij. Ze stapte bij een man in een zwarte Jaguar, ze keek niet eens omhoog.' Frouke kneep mijn zakdoek tot een prop.

'Zal ik nog iets te drinken voor je halen?'

'Nee.' Ze snoot haar neus. 'Een glas water misschien. Het gaat wel.'

Ik liet haar alleen en ging het café in. Het was er nogal donker.

'Een moeilijk gesprek,' merkte de dienster op, terwijl ze een bierglas onder de kraan hield. 'Bent u van Sociale Zaken?'

'Nee. Een vriend. Geef mij er ook maar een.'

'Daar worden we niet rijk van.'

'Ik maak het wel goed.'

De dienster knikte. 'We zien haar vaak, meestal aan de bar. Ze nam me op. 'Frouke kan wel een vriend gebruiken.'

Ik glimlachte naar haar en droeg de glazen naar het terras. Frouke had een spiegeltje uit haar tas genomen en keek er fronsend in. Ze haalde haar schouders op, stopte het spiegeltje terug en dronk wat water. Ze was kalmer. Opgelucht. Misschien kon ze haar verhaal nooit aan iemand kwijt, ik vermoedde dat Dennis hoogstens een verbasterde versie kreeg.

'Douwe,' zei ze. 'Ik weet niet eens waar ze die naam vandaan had, niemand van ons heet zo, bij Reinout ook niet. Ze vroeg niet hoe ik eraan toe was, en of ik hem misschien kon hebben. Ik voerde hem flessen en van die blikjes en gaf hem dingen om op te zuigen, maar hij huilde de hele tijd. Iemand woonde bij me in, dat wil je niet horen, ik dronk zelf ook, ik was overal doodziek van, maar Sjef was een echte alcoholist, net ontslagen op zijn werk. Hij haatte de baby, hij werd gek van dat gehuil. Ik kon hem er eigenlijk niet mee alleen laten, maar ik stond in een winkel. De buren belden de politie, al na een paar dagen. De Kinderbescherming nam Douwe meteen mee, ze hoefden maar in m'n flat te kijken.' Ze greep mijn pols en klemde haar vingers eromheen. 'M'n hart brak,' zei ze. 'Maar ze hadden gelijk. Ze hebben een gastgezin voor hem gevonden en die hebben hem geadopteerd. Ik heb ervoor getekend, Reinout lag in coma, ik was de enige familie.'

'Ze zullen toch geprobeerd hebben om Anke op te sporen?'

'Natuurlijk. Ze ontdekten dat ze nog diezelfde dag een vliegtuig naar Buenos Aires heeft genomen, misschien met een of andere projectontwikkelaar, maar dat is niet zeker. Ze hebben geprobeerd om haar daar te vinden, maar dat is nooit gelukt. Ze kan overal zijn.'

Frouke had haar neefje kennelijk geen enkel detail onthouden, en Dennis had die elementen gebruikt, als cynische grap, of uit een zonderlinge behoefte om verbindingen te leggen tussen verleden en heden, om Roelof naar de plaats van executie te lokken. Een projectontwikkelaar, die dezelfde avond nog naar Buenos Aires moest vliegen. Het bewees niks. Dat gebeurt soms, je weet honderd procent zeker wie wat heeft gedaan, en nu ook waarom, maar het is allemaal gevolgtrekking. Een rechter zou het motief kunnen begrijpen, maar zonder moordwapen, getuigen, vingerafdrukken, kon hij niemand veroordelen. 'Maar dus niet met die Roelof?' vroeg ik.

'Nee, dat heb ik al gezegd. Die heeft z'n gezinnetje...'

'Hoe ben je aan zijn adres gekomen?'

'Gewoon, via de spoorwegen. Hij woonde in Rumpt.'

Natuurlijk. En vandaar hoefde ze Roelof maar te blijven volgen en observeren. 'Waarom?'

Ze lachte spottend. 'Waarom?' Ze keek me recht aan. Ik zag veel oude haat. 'Dat joch heeft mijn leven verwoest en alles kapot gemaakt,' zei ze. 'Je hoort het Reinout toch zelf zeggen? Hij had met mij moeten trouwen. Dat zou ook gebeurd zijn, ik kon nog wel even wachten, dat huwelijk stelde niks meer voor. Maar toen kwam mooie

Roelof en ze doken de koffer in en die knul was stom genoeg om zich illusies te maken en hij douwde Reinout onder de trein om het rijk alleen te hebben. Ik wou hem vermoorden.'

'Roelof?'

'Wie anders? Ik wist alleen niet hoe dat moest.' Ze pakte mijn pols weer beet. 'Dit blijft onder ons.'

'Natuurlijk.'

'Ik heb een keer gevraagd...' Ze haalde haar schouders op. 'Het maakt niet uit. Iemand kende een Joegoslaaf die dat soort dingen deed, maar het kostte twintigduizend gulden. Ik wou dat ik ze had gehad, dan had ik het gedaan.'

Dus stuurde ze Douwe, al dan niet opzettelijk. Ik klopte op de hand die m'n arm vasthield. 'Dat snap ik best. Weet Douwe ook van Roelof?'

'Ja natuurlijk. Ik heb hem verteld dat z'n moeder hem in de steek heeft gelaten en wie zijn vader heeft vermoord. God bestaat niet. Waarom krijgt zo'n man alles, en Douwe niks?'

'Hoe bedoel je?'

'Een gelukkig gezin. Dat jochie heeft niks anders gehad als een beroerd leven en ik vond dat hij best mocht weten wie z'n schuld dat is. Ik heb altijd geprobeerd om hem op het rechte spoor te houden, dat hij er iets van maakt, maar ik hoor niks meer van hem.'

'Sinds wanneer?'

'Minstens een jaar. Toen hij bij een boer werkte had ik daar een postbus voor hem geopend, maar onlangs kreeg ik alles terug met een brief dat ze de postbus gingen annuleren omdat niemand hem al in geen jaar meer kwam legen. Ik probeerde zijn adoptiefouders te bereiken maar die zijn omgekomen bij een brand. Dat kwam door kortsluiting.' Ze haastte zich om dat eraan toe te voegen, alsof ze zelf ook geheime twijfels had. 'Die mensen hadden een levensverzekering voor Douwe afgesloten, als hij dat heeft gekregen is hij misschien een tijdje gaan rondreizen, hij heeft een camper. Dat mag best van mij, hij verdient een leuke vakantie, maar het doet me verdriet dat hij al zo lang niks laat horen. Ik ben er altijd voor hem geweest, ik heb gedaan wat ik kon.'

Frouke sprak de waarheid. Háár waarheid, van teleurgestelde oude vrijster. Ze had alleen haat en frustraties, een ziekte waar ze haar ши f jaronlang mee had besmet en opgezadeld, net zolang en grondig tot het een obsessie was geworden. Meer met. Ze had hem er niet op afgestuurd, zoals ze de Joegoslaaf zou hebben gedaan als ze die had kunnen betalen. Ze wist niets van het plan dat Douwe sinds, of inclusief, de dood van de Galmans had uitgebroed en aan het uitvoeren was.

We zwegen een tijdje. Twee tafels waren bezet geraakt, het jonge stel was weg. De oude jeneverdrinker leek in slaap te zijn gesukkeld, terwijl Boxmeer langzaam weer tot leven kwam. Frouke proefde van haar koude koffie en trok een gezicht. Het had iets geforceerds en het gaf me het gevoel dat ze van me af wilde. Ze had haar ziel blootgelegd aan een vreemde, die zich niet eens had voorgesteld. Biechten lucht op, maar soms verandert die roes in spijt.

'Heb je een sigaret voor me?' vroeg ze.

Ik hield haar m'n Gauloises voor en gaf haar vuur. Ze inhaleerde diep.

'Ik moet niet roken,' zei ze.

Ik glimlachte. 'Ik had nog een rare gedachte,' zei ik toen.

'Wat?'

'Over wat z'n vrienden zeiden, ik hoor dat nu ook van jou. Er was niet veel huwelijk meer. Toch raakte je zuster zwanger.'

Ze begon te lachen. 'Dacht je dat ik daar niet aan had gedacht?'

'Is Douwe de zoon van Reinout?'

'Nou en of,' zei ze. 'Dat zou er nog bij moeten komen.'

'Je klinkt nogal zeker. Is er een DNA-test gedaan?'

'Dat was niet nodig,' zei ze. 'Ik hoefde maar te kijken. Douwe heeft een zwemvlies tussen twee tenen van zijn linkervoet. Dat heeft Reinout ook.'

'Hoe weet jij dat?'

Frouke keek me ironisch aan. 'Hoe denk je?' Toen glimlachte ze, alsof ze blij was met m'n vraag, zodat ze me kon laten weten dat ze dat ook met Reinout had gehad, voordat de wulpse zuster hem in beslag kwam nemen. 'Alle mannen in zijn familie hebben dat,' zei ze. 'Zijn vader ook, het is erfelijk.'

Ik wist niet of ik opluchting of voldoening voelde, en het was maar een vluchtige reactie. Het maakte niet veel uit, maar hij had tenminste niet zijn vader vermoord.

19

'We moeten zand en turf hebben,' zei Rob. 'Voor de halfhoutige stekken, die kunnen we in juli al nemen, daar maken we een paar bakken voor.'

'Wat voor zand?' vroeg Dennis.

'Gewoon scherp zand, halen we bij de aannemer. Thijs van Beek neemt *Viburnum* en cotoneaster af, en skimmia, die brengt ons vijf of zes euro per stuk op. Ik weet een landgoed waar we terechtkunnen voor rododendrons, maar die stek je later in het jaar.'

Rebecca had ervoor gezorgd dat Suzan in Roelofs stoel zat voordat Dennis en haar broer binnenkwamen voor de lunch. Dennis had haar manoeuvre natuurlijk doorzien en gaf haar een ironisch glimlachje toen hij de stoel aan Suzans linkerhand nam.

Geheimen, dacht ze. Die hadden ze nog steeds, zij en Dennis, net als in het begin, alleen werden ze steeds minder leuk. Ze negeerde z'n irritante glimlach, schonk een glas melk in voor Suzan en schoof naast Rob op de bank.

Suzan zag er gedeprimeerd uit. Ze was net terug van een bezoek aan Kees Halpers, om hem een paar maanden zoet te houden met duizend euro. Rebecca kon zien dat het een akelige ontmoeting was geweest. *Nog meer geheimen*, dacht ze. Ze deelde geheimen met Suzan en andere met Dennis. *En niks met Boeba.* Het enige dat ze met Boeba deed was haar mond houden.

Buiten scheen de zon. Toeristen dobberden op de Linge. Ze had zin om te gaan zwemmen, even ergens anders zijn. Ze wou dat Atie er was. Misschien kreeg ze Betsy mee naar het Veluwestrand, maar ze kon haar niet bellen waar Dennis bij zat. Hij zou direct voorstellen om er een leuke middag van te maken en met z'n allen te gaan, Rob ook, zodat ze niet kon weigeren, en Rob zou erin stinken omdat hij zich van niks bewust was. Ze kon niet doorgaan met hem overal buiten te houden, alsof hij een vreemde was die ze niet vertrouwde. Zij en Rob hadden nooit geheimen voor elkaar gehad, en nu misbruikte ze hem om Dennis in de waan te laten dat er niets aan de hand was en dat niemand argwaan koesterde en dat hij zijn gang kon gaan. Rob zou het haar nooit vergeven.

Dennis zat schuin tegenover haar een boterham met twee plakken ham erop te eten en aantekeningen te maken in zijn onafscheidelijke blocnote. Hij zat niet in de stoel, maar de manier waarop hij zonder zelfs maar naar haar te kijken z'n kopje in haar richting schoof en met volle mond zei: 'Nog een koffie graag,' met dat 'graag' er als een soort overbodige formaliteit achteraan, was die van baas tegen ondergeschikte. 'En dat ploegen?' vroeg hij toen.

Rebecca kwam van de bank om de koffiekan uit de automaat te nemen. Ze zag Suzan vreemd naar Dennis kijken.

'Liefst zodra we de kabels erin hebben,' zei haar broer. 'Het is goed als de grond een tijdje rust voordat we gaan planten. Van Beek weet wel iemand bij een grondbedrijf die het in zijn vrije tijd doet.'

'We gaan vanmiddag bij die Van Beek langs,' zei Dennis. 'Ik wil wel es met die man praten, kijken of-ie zich aan z'n afspraken houdt. Mensen beloven al gauw van alles.'

Suzan zei strak: 'Thijs houdt zich altijd aan z'n woord.'

'Des te beter,' zei Dennis. Rebecca reikte langs hem heen met de koffiekan en schonk zijn kopje vol.

'Ik kan vanmiddag niet.' Rob glimlachte naar Rebecca. 'Rutger pikt me straks op, we repeteren bij hem thuis in Geldermalsen. Hij vroeg of je zin had om mee te gaan?'

Dennis draaide zich om in zijn stoel. Rebecca besloot plotseling dat ze met Rob mee zou gaan, het was haar kans om met hem te praten en haar schuldgevoelens kwijt te raken, maar voordat ze antwoord kon geven hoorden ze een onbekende, drietonige jingle. Ze keken verbaasd naar Dennis, die een mobiel uit zijn broekzak viste.

'Ja?' Dennis noemde geen naam. Hij luisterde twee seconden, trok een rimpel in zijn voorhoofd en zei: 'Nu niet. Ik bel je straks terug.' Hij verbrak de verbinding en stak het toestel weg.

'Een vriendinnetje?' vroeg Rob op plagerige toon.

'Wat? Oh…' Dennis dronk van zijn koffie. 'Van lang geleden. Als jij niet kunt moet Suzan maar mee naar Van Beek.'

Rebecca bleef bij het aanrecht staan. 'Dat meisje uit het tehuis?' vroeg ze.

'Je bent weer erg nieuwsgierig.'

'Ik ga niet mee,' zei Suzan, die niet scheen te merken dat ze twee verschillende gesprekken voerden.

'Ik ben gewoon benieuwd naar je verleden,' zei Rebecca. Ze zag een auto voorbijkomen, niet de bus van Rutger, maar een donkere personenauto.

'Daar valt niks te vinden,' zei Dennis. 'Ik wil je nog wel es een overzicht geven.'

'Graag,' zei ze, en toen hoorden ze de klopper.

Rob had de auto niet opgemerkt en zei: 'Rutger is vroeg.' Hij schoof achter Suzan langs en haastte zich door de kamer naar de gang.

Toen hij weg was boog Dennis zich naar Suzan en legde zijn hand op de hare. 'Je bent erg stil vandaag,' zei hij. 'Wat is er?'

'Ik heb Kees Halpers gesproken.' Suzan trok haar hand terug en keek naar Rebecca. Ze zag er deplorabel uit en Rebecca kon wel huilen. Onze zonnige, glanzende, eeuwig optimistische Suzan, dacht ze.

'Dat soort onderwereldfiguren moet je negeren, dan kruipen ze vanzelf terug in hun hol,' zei Dennis. 'Trek je er niks van aan.'

Suzan knikte dof. 'Hij zei akelige dingen.'

'Zoals?'

'Bemoei je er maar niet mee,' zei Rebecca.

'Wat nou weer?' Het blauw vonkte kwaadaardig. 'Ik probeer Suzan alleen maar van die klootzak af te helpen.'

Haar hart bonsde. Ze forceerde een glimlach terug. 'Dat weet ik wel.' Ze bedacht op hetzelfde moment dat ze Suzan niet met Dennis alleen mocht laten en dus niet met Rob mee kon. Ze hoorde de deur. Rob kwam de kamer in, gevolgd door twee mensen die ze nooit eerder had gezien.

'Het is voor Dennis,' zei Rob. 'Deze mevrouw en...'

'Ja, dank je wel,' zei de vrouw, en ze liep langs hem heen. 'Bent u Dennis Galman?'

Dennis schrok en kwam van zijn stoel. 'Hoezo?'

'Ik ben inspecteur Rekké van de recherche in Tiel, dit is brigadier Kemming uit Geldermalsen. We hebben een paar vragen, misschien kunt u ons daarmee helpen.'

Dennis kreeg zichzelf snel onder controle. Hij stond recht en glimlachte stroef. 'Met alle plezier,' zei hij. 'Misschien kunnen we dat buiten doen?'

Suzan was ook opgestaan. 'Neem het zijhuis maar,' zei ze.

'U mag er wel bij blijven,' zei de brigadier. 'Mevrouw Welmoed?' Hij gaf Suzan een hand. 'Misschien kunt u ons helpen, met die vragen. En jij bent Rebecca?'

Rebecca nam werktuiglijk zijn hand en vroeg zich af hoe ze haar naam wisten. De brigadier was een lange, magere man met slordig grijs haar, zachte ogen en misschien een pistool onder zijn beige zomerjack. Als de vrouw een wapen had zat het in haar tas, ze zou het niet kwijt kunnen onder haar strakke, groene mantelpakje. Ze zag er streng uit, minder vriendelijk dan de brigadier.

De inspectrice knikte naar Suzan, negeerde Rebecca en legde haar hand op de rug van Roelofs stoel. 'We hoeven niet te blijven staan,' zei ze. 'Kan ik hier zitten?' Ze wachtte niet op toestemming. 'Nee, u dáár,' zei ze tegen Dennis. 'Op de bank, dan kan ik u aankijken.'

Wauw, dacht Rebecca. Misschien had ze ook handboeien in haar tas.

Dennis schoof in z'n eentje op de bank. De brigadier nam een stoel aan het andere tafelhoofd, zodat Dennis als terloops werd ingesloten. Dennis leek er koel onder te blijven.

'We zullen afruimen,' zei Suzan. 'Wilt u koffie?'

'Nee, dank u,' zei de inspectrice, blijkbaar ook namens de brigadier. Rebecca hielp met afruimen. Ze hoorde een claxon en zag Rutgers bus langs het raam tot stilstand komen.

'Ik moet weg,' zei Rob. 'Als u mij niet nodig heeft?'

De politiemensen wisselden een blik. Rutger toeterde weer. De brigadier kwam van zijn stoel. 'Ik loop wel even met hem mee.' De vrouw reikte hem haar tas aan. Rob aarzelde. 'Wat doe jij?' vroeg hij aan Rebecca.

'Ik kan niet,' zei Rebecca.

'Jammer.' Rob keek onzeker, alsof hij bedacht dat hij er misschien ook bij moest blijven, maar toen zei hij: 'Ik ben in elk geval om zes uur thuis.'

De brigadier volgde hem met de tas en sloot de gangdeur achter hen. Rebecca kreeg de dwaze gedachte dat het pistool van de inspectrice in de tas zat en dat dit het geschikte moment voor Dennis was om haar neer te slaan en via de deel te ontsnappen.

'Wat sta jij te grijnzen?' vroeg Dennis luchtig.

'Niks,' zei ze.

De inspectrice legde een notitieblokje voor zich op de tafel, nam een balpen en keek naar Dennis. 'Woont u hier in huis?'

Dennis schudde zijn hoofd. 'Mijn camper staat aan de Achterweg.'

'Ah, de camper,' zei de inspectrice. Ze fronste naar haar boekje. 'U stond toch eerst aan de rivier?'

'Ik moest daar weg,' zei Dennis. 'Gaat het daarover?'

De inspectrice haastte zich niet, ze bleef zwijgend naar Dennis zitten kijken. Misschien was het een techniek om Dennis in slaap te sussen of murw te maken. Of ze wachtte gewoon op de brigadier. Die was nog met Rob in de gang, want Rutger toeterde weer. Suzan spoelde de vaat en ruimde hem in de machine, alsof ze er niet bij hoorde. Dennis leunde tegen de muur, friemelde aan het diamantje in zijn oor en sloeg z'n armen over elkaar. Zijn ogen dwaalden naar Rebecca en hij tuitte zijn mond en gaf haar een grimas die haar nerveus maakte.

Ze hoorden de bus wegrijden en de brigadier kwam terug. Hij schudde vluchtig z'n hoofd en gaf de inspectrice haar tas. Ze zette hem op haar knie, maakte hem open en nam er een grote foto uit.

Ze gaf hem aan Dennis. 'Kent u deze persoon?'

Dennis wierp er een vluchtige blik op. 'Nee.'

'Kijkt u nooit naar de televisie?'

'Ik heb geen tv in m'n camper,' zei Dennis.

De brigadier nam de foto uit zijn hand en reikte hem naar Rebecca. 'Jij misschien?' vroeg hij.

Rebecca herkende de man direct, ook zonder dat de inspectrice de televisie genoemd zou hebben. Toen die oproep kwam, had haar vader gedacht dat het de man was die hem voor een schaakpartij had uitgedaagd en hem dronken had gevoerd. Hoekstra had hem ook herkend. Nu ze de foto goed bekeek, besefte ze ook, met een schokje, dat Max Winter haar dezelfde man had laten zien, in een tien jaar jongere versie. *Een vriend van Dennis.* 'Ik kan u niet helpen,' zei ze, en ze camoufleerde haar leugen door Suzan de foto voor te houden. Suzan keek ernaar en schudde haar hoofd.

'Toch raar,' zei de brigadier. Hij hield een hand uit en Rebecca gaf hem de foto terug. Hij schoof hem over de tafel naar Dennis. 'Kijk nog eens goed.'

Dennis keek. 'Ik weet niet wat u van me wilt,' zei hij. 'Die foto zegt me niks.'

'Zegt de naam Jan Schreuder u ook niks?' vroeg de inspectrice.

'Jan Schreuder? Dennis keek peinzend. 'Die heb ik in geen twaalf jaar...' Hij fronste verbaasd en nam de foto op. 'Shit, is dat Jan?'

'U heeft in hetzelfde tehuis met hem gezeten.'

'Is er iets met hem?'

De brigadier begon hem gemoedelijk te tutoyeren. 'Volgens dat tehuis ben je toen je daar weg mocht bij hem op kamers gaan wonen en zijn jullie altijd dikke vrienden gebleven.'

'Da's erg lang geleden,' zei Dennis.

'Twaalf jaar? Tien jaar?'

'Zoiets,' zei Dennis.

De inspectrice volgde, op minder welwillende toon. 'Je bent pas acht jaar geleden uit dat tehuis vertrokken en toen ben je bij Schreuder gaan wonen,' zei ze. 'Dat zal toch ook even hebben geduurd?'

'Dat kan.' Dennis raakte in het nauw. 'Ik reken die dingen niet elke dag uit op een telraam. Wat doet het er toe?'

'Je hebt hem dus niet onlangs hier ontmoet, of in de buurt gezien?'

'Dat zeg ik toch?'

De inspectrice staarde hem aan. Suzan kuchte bedeesd. 'Heeft u ons nog nodig?' vroeg ze. 'We hebben van alles te doen.'

Ze stonden naast elkaar tegen het aanrecht. 'Nog even,' zei de brigadier met een glimlach. 'Weet u heel zeker dat u die man op de foto hier nooit heeft gezien? Of andere bezoekers voor meneer Galman?'

'Bezoekers?' vroeg Suzan. 'Niet dat ik weet.'

'Alleen 'n keer die Klaas,' zei Rebecca. Het was fout, maar ze deed het toch. De inspectrice keek naar haar, waardoor Rebecca als enige de vonk van woede in Dennis' ogen opving.

'Klaas?' vroeg de brigadier.

'Een vriend, geloof ik,' zei Rebecca.

'En wanneer was dat?'

Ze deed alsof ze na moest denken. Ze probeerde onschuldig naar Dennis kijken. 'Was dat niet de avond toen je je camper hierheen had verhuisd?'

Dennis zei niks. De inspectrice wisselde een blik met de brigadier en begon op haar blocnote te schrijven. 'Wie is Klaas?' vroeg ze.

'Weet ik veel,' zei Dennis. 'Een knul die ik in een kroeg heb ontmoet, hij beweerde dat hij me aan een baan bij de glasfabriek kon
helpen. Ik weet z'n achternaam niet eens.'

'Was dat café De Hoek in Leerdam?'

'Ik heb niet op de naam gelet. Ligt dat op een hoek?'

'Wat is het adres van die Klaas?'

'Geen flauw idee.' Zijn blik dwaalde naar Rebecca. Ze dacht aan
Max Winter en besloot dat ze ver genoeg was gegaan en haar mond
zou houden over die andere avond, toen hij bij Klaas ging eten en
een duivenhok bouwen. *De avond dat Roelof werd vermoord.*

De brigadier zat haar onderzoekend op te nemen. 'Hoe zag die
eh... Klaas eruit?'

Ze schudde haar hoofd. 'Ik was achter op het terras, het was donker, ik heb hem niet kunnen zien.' Zag ze opluchting bij Dennis?

'Hoe weet je dan dat er iemand was?' vroeg de inspectrice.

Omdat ik als een maanzieke idioot naast de camper stond. Ze voelde Suzans hand in de hare knijpen, net alsof ze dat wist. 'Ik heb ze
alleen maar samen in een auto zien wegrijden.'

'Hoe weet je dan dat hij Klaas heet?'

'Dat zei Dennis.'

De inspectrice knikte veelbetekenend. 'Wat was het voor auto?'

'Dat heb ik niet kunnen zien.'

De inspectrice keek naar Dennis. 'En waar ging de rit naartoe?'

'We zijn een pilsje gaan drinken.'

'Weer in café De Hoek?'

'Weet ik veel.' Dennis zuchtte diep en begon de verontwaardigde
te spelen. 'Ik kan dit niet meer volgen,' zei hij. 'Eerst komt de politie me wegjagen als dank voor dat ik m'n plicht als fatsoenlijk burger doe als er iemand zowat wordt verkracht. Nou krijg ik de politie weer op m'n dak omdat ik met iemand meerij om een pilsje te
gaan drinken. Je zou toch denken dat er... Nou ja.'

De inspectrice keek koel terug. 'Wat ik denk is dat het handig zou
zijn als je vertelde waar je dat pilsje dronk, en of daar getuigen waren die dat kunnen bevestigen. Dan kunnen we je misschien aan een
geschikt alibi helpen.'

'Een alibi?' Dennis deed alsof hij er niets van begreep en alleen
maar verontwaardigd was, maar hij raakte in de knoei en Rebecca

zag dat dat de inspectrice niet ontging. 'Wat moet ik met een alibi?'

'Wat had die Klaas voor auto?'

'Een kleine Renault geloof ik.'

'Kon je fiets daar achterin?'

'Hij stak er half uit, so what?' beet hij terug. 'Krijg ik ook nog een bekeuring?'

'En hoe ziet die Klaas eruit?'

'Blond, mager, een jaar of dertig.'

Rebecca hoorde hem overal over liegen. 'Is er wat met Klaas?' vroeg ze.

'Nee.' De inspectrice gaf haar een glimlachje. 'Tenzij hij Jan Schreuder heet. Daar is wel wat mee.' Ze keek strak naar Dennis. 'Jouw goeie vriend, die je nooit meer hebt gezien, is diezelfde nacht dat jij een pilsje dronk met een vage Klaas, uitgerekend twee kilometer hiervandaan in een wiel gereden en verdronken.'

'Lieve hemel,' zei Dennis. 'Arme Jan. Ach, gossie.' Hij deed erg ontdaan. 'Waarom hebt u dat niet meteen gezegd?'

'We zijn altijd schoorvoetend met slechte tijdingen,' zei de brigadier. 'Ik kan zien dat het je verdriet doet.'

'Er zat een beetje weinig water in zijn longen,' zei de inspectrice. 'Voor een gewone verdrinking tenminste. Daarom hebben we van alles naar het lab gestuurd. Hij had wat alcohol in z'n bloed, van een paar pilsjes in De Hoek misschien, maar wat ze ook vonden was eh…' Ze keek demonstratief op haar blocnote. 'Nembutal. Dat is een snelwerkend slaapmiddel.'

Dennis zat haar met grote ogen aan te staren.

'Ja,' zei de inspectrice. 'De auto was gestolen en hij had raar genoeg geen papieren bij zich, maar z'n vingerafdrukken zaten in de computer. Zo kwamen we uiteindelijk in dat tehuis terecht en daar hoorden we dat hij dik bevriend was met een zekere Dennis Galman. We keken nogal op toen we van de uniformdienst hoorden dat Dennis Galman illegaal met een camper aan de Linge had gestaan en intussen naar dit adres was verhuisd. Twee kilometer van de plaats van dat eh… ongeluk. Daar zou zelfs een eerstejaars student aan de politieacademie van opkijken.'

'Het kan raar lopen,' zei Dennis. Hij kuchte iets weg. 'Had u dat maar meteen gezegd, dan zou ik eh…'

'Wat?'

'Het spijt me dat ik zo nijdig werd,' zei hij. 'Jan was vroeger een goeie vriend van me. Ik kan me niet voorstellen wat hij hier deed, en in een gestolen auto ook nog...'

'Dat is toch bekend terrein voor je.'

Dennis hield zich doof. Hij maakte fouten. 'Misschien had-ie gehoord dat ik hier in de buurt zat en was-ie naar me op zoek.' Hij trok een denkrimpel. 'Shit,' zei hij, z'n stem vol spijt. 'Als-ie me gevonden had zou hij misschien nog leven.'

'Waarom denk je dat?'

'Nou, dan was ik misschien bij hem geweest en was hem niks overkomen,' zei Dennis. 'Ik moest vroeger ook altijd voor hem in de bres springen.' Hij zuchtte. 'Ik snap wel dat u het raar vindt, maar hij was een goeie knul en ik ben wel de laatste die hem kwaad zou willen doen.'

'Het zal best kloppen,' zei de brigadier. 'Maar we zijn nooit erg gelukkig met zoveel toeval op een en dezelfde avond.'

'Wat? Oh, ja, natuurlijk. Sorry...' Dennis in de war. 'U wilt weten waar ik was, met die Klaas. Dat was niet in een café, maar op een terras, zo'n werfterras in Leerdam, aan de haven. We zaten naar die boten te kijken. D'r waren veel mensen, het was mooi weer, die hebben ons heus wel gezien.' Hij sloot z'n mond alsof hij besefte dat hij te veel uitweidde en schudde droevig z'n hoofd. 'Als ik had geweten dat Jan op hetzelfde moment... Shit.'

De inspectrice bestudeerde hem met opgetrokken wenkbrauwen en stopte haar blocnote en de foto in haar tas. 'We trekken het toch maar na,' zei ze. 'Misschien hoor je niks meer, maar ik zou als ik jou was in elk geval voorlopig in de buurt blijven.' Ze stond op.

'Natuurlijk,' zei Dennis.

'Ik hoorde dat je hier een bedrijfje gaat opzetten,' zei de brigadier.

'Ja, een kwekerij, samen met Rob.'

'Met het geld van de verzekering?'

'Een erfenisje.'

'Van je adoptiefouders, die een jaar geleden om het leven zijn gekomen toen hun huis in brand vloog?'

Rebecca voelde Suzan naast zich verstijven. Ze keek naar Dennis, die een zucht slaakte en zei: 'Als ik ergens mee kan helpen moet u het maar zeggen.'

'Heb je een paspoort?' vroeg de inspectrice.

'Nee,' zei Dennis. 'Nooit gehad.' Hij schoof van de bank 'Ik zal u uitlaten.'

De brigadier gaf Suzan en Rebecca een hand. 'Het spijt me dat we u van het werk hebben gehouden,' zei hij.

Suzan knikte. 'Het geeft niet.'

De inspectrice gaf Suzan een vriendelijk knikje en trok heel even met haar wenkbrauwen naar Rebecca, alsof ze haar iets wilde zeggen, een waarschuwing misschien. Dennis gebaarde hen door de kamer, volgde hen de gang in en sloot de deur.

Ze bleven verdoofd achter.

'Adoptiefouders?' fluisterde Suzan.

'Straks,' zei Rebecca. 'Wat was dat met Halpers, waar je zo van overstuur raakte?'

'Niks.' Suzan beet op haar lippen. 'Dennis zei tegen hem dat hij hier nu de baas was en dat Kees voortaan met hém te maken kreeg en niet meer met die slapjanus van een Welmoed.' Haar stem haperde.

Ze hoorden de politiewagen starten en Dennis smeet de gangdeur achter zich dicht en kwam woedend door de kamer. 'Ik ben doodziek van jullie,' snauwde hij. 'En vooral van jou, je wordt bedankt.'

Rebecca dacht dat hij haar ging slaan. Z'n masker was af, wat ze zag was moordlust. Ze deinsde achteruit tot de rand van het aanrecht tegen haar heup bonkte.

'Dennis, hou op,' zei Suzan. 'Wíj hebben de politie niet gebeld.'

Dennis liet zijn hand zakken. Zijn gezicht kwam zo dichtbij dat ze de hitte van zijn haat kon voelen. 'Je bent te ver gegaan,' zei hij.

'*Ik?*' Het kon haar niet meer schelen. Ze was te jong, roekeloos, ze daagde hem uit. 'Waarom mocht ik niet gewoon zeggen dat je een duivenhok voor Klaas ging timmeren?'

Ze zag dat hij zich inhield, alsof hij plotseling besefte waarheen ze op weg was en haar laatste, onherroepelijke stap wilde beletten, of uitstellen. 'Omdat het ze geen flikker aangaat,' zei hij. 'En jou ook niet.'

'Je zou niet zo praten als mijn broer erbij was.'

'Rob?' Hij lachte honend. 'Doe me een lol. Rob is net zo'n ei als…'

Ze kon zich niet inhouden. 'Mijn vader?'

'*Beck!*' Suzan greep haar schouder en duwde Dennis met haar andere hand bij haar vandaan. 'Hou hiermee op!'

Dennis stapte achteruit. Zijn ogen lieten Rebecca niet los en ze zag de vlam doven en iets anders terugkomen, berekening, hersens. 'M'n tijd en m'n geld,' zei hij spottend. 'Had je een natte droom, dat het voor jou was?' Hij grinnikte en draaide zich om.

Rebecca beefde van woede. 'Waar was je, die avond?'

Dennis keek niet om. Hij stak alleen een middelvinger omhoog en verdween in de bijkeuken. Ze wachtte op de klap van de deur, maar hij deed hem rustig achter zich dicht.

Hij was weg en ze stonden in het zonlicht. Suzan keek haar aan. 'Goeie god,' fluisterde ze. 'Wat bedoel je?'

'Hij heeft Roelof vermoord.'

'Je bent gek,' zei Suzan.

Rebecca wilde huilen, om Suzan, om haar vader, om zichzelf. Ze verzette zich, er was geen tijd, en ze beet op haar tanden om het weg te krijgen. 'Bel Rob,' zei ze toen. 'Hij moet direct thuiskomen.'

Ze holde door de kamer naar het zijhuis, om dat andere nummer te zoeken.

Ik had de route van stukjes snelweg en brokjes provinciale weg genomen, om Nijmegen heen en over de Alexanderbrug, en weer eraf bij Wadenoyen. Ik was door Geldermalsen heen, zowat thuis, toen mijn cliënte belde.

Ik kon doorrijden. Vijf minuten, om na te denken. Het politiebureau was vlakbij, naast het gemeentehuis. Soms weet je het niet. Ik zag de bomvrije glasdeur en de oudere agente achter nog meer glas, die je een halve minuut bekeek voordat ze op de knop drukte. Ik reed door en activeerde m'n handsfree. Marcus was er niet. De agente kon me niet doorverbinden. Ze zou de boodschap doorgeven. Wie zei u ook weer?

Max Winter.

Ik minderde vaart op de Achterweg. Het groene zeil was van de camper getrokken en lag in een slordige hoop tegen de houtstapel. Rebecca had gelijk, Dennis ging ervandoor. Zijn oude camper was het beroerdste soort vluchtauto en ik nam aan dat hij hem zou dumpen en op de eerste de beste stationsparking een snellere zou jatten. Tot m'n verbazing verknoeide hij tijd aan z'n fiets, die hij bezig was door de schuifdeur naar binnen te duwen. Hij had er niet op gerekend halsoverkop te moeten vluchten en was nog in de war. Hij keek opzij toen hij m'n auto hoorde. Ik kon niet zien of hij me herkende, maar hij besefte kennelijk dat hij tijd verspilde, liet z'n vouwstoelen staan en schoof de camperdeur met een klap dicht.

Ik remde voor de oprit. Ik zag Rebecca aan het andere eind op de uitkijk staan en besefte tegelijkertijd dat het damhek dat ik net was gepasseerd openstond. Ik aarzelde nog tussen hem laten gaan en volgen, het gevaar naar elders verplaatsen, of hem vasthouden tot de politie het kwam overnemen, maar mijn hand had de versnelling al teruggezet en ik reed achteruit.

Het ging te snel. Ik hoorde de motor van de camper gieren. De stompe neus rukte de omheining aan flarden terwijl het gevaarte een nauwe cirkel beschreef en op het damhek af stoof. Ik zag een glimp van Dennis' vertrokken gezicht achter het vuile glas. M'n auto blokkeerde de opening. Hij ging hem rammen, er was geen tijd om m'n Beretta uit het kastje te graaien. Ik gooide het portier open en dook eruit, landde hard op m'n schouder en rolde wild uit de weg. Mijn hoofd raakte een hekpaal en de camper kwam met een schok tot stilstand, twee meter voor m'n BMW.

Ik wreef over mijn hoofd en wilde overeind komen toen Dennis uit de cabine sprong, een revolver in zijn hand. Rebecca rende langs de groenwal naar ons toe. Dennis zag haar niet, hij richtte zijn revolver op mij en snauwde: 'Godverdommese klootzak. Ik had het áf moeten maken. Blijf liggen!'

Ik zakte terug op een heup en een hand. Rebecca stormde op hem af, alsof ze geen revolver zag. Ik schreeuwde een waarschuwing, maar ze hield zich doof en ramde zonder ook maar een ogenblik te aarzelen haar hoofd in zijn schouder.

Ze was sterk en haar aanval verrastte Dennis, die opzij wankelde, om zich heen maaide en zich staande wist te houden omdat hij Rebecca's haren te pakken kreeg. Rebecca gilde. Hij gaf haar met zijn revolvervuist een harde tik op haar hoofd en sloeg bliksemsnel zijn vrije arm om haar nek.

Hij zag me overeind komen en richtte zijn wapen. Ik bleef staan. Rebecca schopte en worstelde, maar Dennis negeerde haar voeten en nagels, hij was nu achter haar, trok haar vast tegen zich aan en drukte met zijn voorarm haar hals dicht.

Ze begon rood aan te lopen, draaide haar hals en verspilde haar zuurstof: 'Max! Dat pistool is kapot! Hij kan er niet mee schieten!'

'*Max?*' Dennis zwenkte zijn revolver drie graden naar links en schoot een gat in de zijruit van mijn BMW.

Rebecca hing uitgeteld in zijn greep. Even was alles stil. Een blonde vrouw kwam aangehold over de Achterweg. Suzan. Ze stopte naast de BMW en begon hijgend te praten. 'Dennis, ga weg en laat ons met rust. We betalen je alles terug. Maak het niet nog erger.' Haar poging tot redelijkheid klonk zelfs in mijn oren ridicuul.

'Hij heet geen Dennis,' zei ik.

'Hou je smoel.' Zijn revolver bleef vast op me gericht. Hij stond drie meter bij me vandaan. '*Max*,' zei hij weer. 'Een privédetective, die kan elke puber huren.'

'Laat Rebecca los,' zei ik. 'Ze stikt.'

Hij had waarschijnlijk niet eens gemerkt dat hij bezig was Rebecca te wurgen en hij ontspande zijn greep. 'Geen bontjas dus, of betaalt ze jou ook op d'r rug?'

'Je bent weerzinwekkend.' Suzan beefde. 'Laat haar met rust.'

Dennis wierp haar een smalende blik toe. Rebecca zoog raspend zuurstof in haar longen.

'Douwe,' zei ik.

'*Hou je smoel!*' Hij trok Rebecca mee achteruit. 'Ik ga al,' zei hij. 'Zet die auto uit de weg.'

'Waarom?' vroeg ik.

Hij stond stil. 'Waarom?' Hij wist wat ik bedoelde en hij reageerde met een mengeling van verbazing en minachting en een ongeduldig gebaar met zijn revolver.

Plotseling begreep ik zijn verbazing. Frouke had haar obsessie jarenlang in zijn ziel gebeiteld, tot die voor hem zo vanzelfsprekend was geworden dat hij niet meer kon bevatten dat iemand anders het niet zou begrijpen. *Die man heeft alles wat Douwe had moeten hebben.* Het was meer dan alleen wraak. Dennis zocht waar hij recht op dacht te hebben, de plaats van Roelof, herstel van evenwicht, de schalen in balans.

'Tante Frouke heeft je voor de gek gehouden,' zei ik.

Dennis schreeuwde. 'Ben je doof? Moet er iemand dood?' Hij strekte zijn arm en richtte de revolver op mijn hoofd. Ik zag aan zijn ogen dat hij ging schieten. Mijn adem stopte. Ik stond voor de dood en dacht niks, alleen dat het afgelopen was en dat ik mijn ogen niet wilde sluiten. Het duurde een eeuwigheid en toen draaide Dennis zijn wapen en zette met een bliksemsnelle beweging de loop op Rebecca's hoofd.

'Dennis, néé!' gilde Suzan.

'Doe dan verdomme wat ik zeg!' Hij trok Rebecca achteruit, naar het portier van de camper. 'Becky rijdt een eindje mee. Of ze sterft hier. Schiet op!'

Ik hoorde een korte stoot op een politiesirene. Dennis schrok op en vloekte. Een patrouillewagen stopte op de Achterweg. Ik merkte Marcus Kemming op, die te voet langs het huis kwam. Dennis kon hem niet zien, hij stond naast z'n stuurportier en klemde Rebecca als een schild tegen zich aan, de revolver op haar hoofd, maar het moment van schieten was voorbij. Hij was niet gek, zijn hersens werkten. We kregen een gijzelingstoestand.

'Douwe,' zei ik. 'Je moet de groeten hebben van je vader.'

'*Fuck off,*' snauwde hij. 'Mijn vader is vermoord en we weten door wie. Moet z'n dochter ook dood?'

Ik hoorde geritsel en ik vermoedde agenten tussen de bomen en struiken langs de weg, Marcus ergens aan de andere kant, ik hield mijn ogen op Dennis.

'Reinout Barends,' zei ik. 'Hij woont bij Leeuwarden, ik heb hem gisteren gesproken. Hij heeft me uitgelegd dat het een ongeluk was met die trein, meer niet. Zijn stagiaire stond er tien meter bij vandaan, hij kon er niks aan doen. Je vader leeft, hij is invalide geraakt, dat is alles.'

'Je liegt!' Dennis schreeuwde. Rebecca plukte aan zijn arm omdat ze naar adem snakte, maar hij verstrakte zijn greep. Ze kokhalsde en haar handen zakten omlaag. 'Ouwe truc,' zei Dennis. 'Je probeert me af te leiden. Zeg die smerissen dat ze een bloedbad krijgen als ze niet oprotten. Haal die auto weg!'

Ik zag het grijze hoofd van Marcus in de struiken langs de oprit. De agenten zaten achter boomstammen en konden niks doen, dat hoefde ik ze niet te vertellen. Frustratie ontspoort maar zo in dodelijk geweld, en ik besefte dat ik niet meer over Roelof Welmoed moest praten.

'Ik ben bijna klaar,' zei ik. 'We zullen je laten gaan, maar je moet dit horen. Je hebt er recht op, het gaat over je vader. Ik heb met je tante Frouke gepraat, in Boxmeer. Ze was jaloers op je moeder, dat moet je toch ook gemerkt hebben. Ze heeft je vader altijd voor zichzelf willen hebben. Ze heeft jou je leven lang voor de gek gehouden met het verhaal dat hij dood was, en ze heeft je vader net zo hard voor de gek gehouden. Hij wist tot gisteren niet beter of zijn zoon woonde in Argentinië, met je moeder, Anke.'

Hij raakte in de war. De revolverhand trilde. 'Ik geloof je niet,' zei hij.

'Hij heeft me zelfs zijn linkervoet laten zien, met die tenen,' zei ik.

Dennis tilde onbewust zijn voet op, liet hem weer zakken en stond stil. Zijn gezicht raakte plotseling leeg en onzeker, beroofd van zijn obsessie, een verdwaald joch. Ik zag dat hij me geloofde. Hij wist dat het afgelopen was, het einde zat om hem heen, met pistolen en handboeien. Zijn greep om Rebecca's hals verslapte, alsof hij de macht over zijn spieren verloor. Rebecca verroerde zich niet, ze ademde.

'Misschien kun je er nog wat aan doen,' zei ik.

'Dat is te laat,' zei Dennis.

Hij leek te aarzelen, alsof zijn brein terugschrok voor een beslissing. Toen zag ik zijn ogen oplichten en plotseling wierp hij Rebecca met kracht van zich af en zette de revolver tegen zijn slaap.

Rebecca stortte in het gras en bleef liggen. Marcus was drie meter bij haar vandaan, z'n pistool in de hand. Dennis zag hem en bewoog zijn schouders, alsof het hem onverschillig liet. Zijn vinger spande zich om de trekker.

'Douwe, wacht!' riep ik. 'Je vader verlangt naar je, hij wil je zien. Hij heeft daar zijn halve leven naar verlangd.'

'Ik ook,' zei Dennis. 'En dan?'

'Ik kan je naar hem toe brengen.'

'*Ja en dan?*' Hij staarde in de leegte en begon te huilen, het was deerniswekkend, ik zag dat hij zijn besluit had genomen. De tranen stroomden over zijn wangen. 'Het is te laat,' zei hij. 'Douwe is dood.'

Het schot knalde. Hij stortte opzij, achter een rood-witte regen van smurrie en tranen aan, en lag stuiptrekkend aan Rebecca's voeten.

20

Ik luisterde naar de discussie. De een zat op de oude muur, een kleine zangvogel mees, vink, ik kan ze niet uit elkaar houden, maar hij floot elke vijf seconden een miniserie van opgaande trillers en wachtte vervolgens op de schorre, eenlettergrepige repliek van een Vlaamse gaai, die zich in het dichte groen van een cipres verborgen hield.

Cornelia van Doorn en Hanna.

CyberNel

Jaartallen, in kleine cijfers, dat was alles, geen tekst. Er bestond geen taal om Nel te beschrijven, of de ogen van Hanna. *We hebben te veel van de sterren gehouden om bang te zijn voor de nacht*, maar dat stond al op het graf van een Engelse schrijver. Ik zat naast ze op de buursteen, zo'n massief blok familiegraniet met gebeitelde bijbelteksten. 'Ik voelde niets,' zei ik, toen ik haar vertelde dat het weinig had gescheeld. 'Het rare was dat ik aan *Gladiator* dacht, dat ik naar jullie toe zweefde over een veld van rozen.'

De gaai schreeuwde terug.

Ze lagen zo stil, in de rieten mand die al bezig was te vergaan. De zangvogel zong weer, dat was een gesprek zonder einde. Het was geen erg mooi kerkhof, de schaduw van de kerk reikte niet tot hier, noch die van de cipres. Het was windstil en te warm om te roken. Ik zat in die vliesdunne zomerbroek, waar je de pijpen vanaf kunt ritsen, wat ik nooit doe, en een katoenen hemd met opgerolde mouwen en drie knopen open. 'Wat denk je daarvan?' vroeg ik.

Een hond blafte kort. Rebecca kwam over het pad en de laatste tien meter tussen de graven door, ze had een jonge herder aan de lijn en een bosje bloemen in haar hand.

'Dat meisje, dat de ramen stond te wassen, zei dat je hier was,' zei ze. 'Als ik stoor moet je het zeggen.'

Ze stoorde me niet, integendeel, ik glimlachte toen ik bedacht dat ze de cirkel rondtrok, die hier was begonnen. Ik was naar Nel gewandeld om haar, voordat straks Bart en Lia voor het weekend kwamen, te vertellen dat ze gelijk had, met dat kiezen. Dat wist ze al. Ze keek naar me, soms met haar gezicht van sfinx met sproeten. Ik moest ook nog langs mijn hulpsheriff, om hem te vertellen dat hij de steen had gelegd waarover de bandiet ten slotte was gestruikeld. De betere hengel die Casper verdiende stond bij het kerkhofhek. Ik klopte op het graniet.

Rebecca legde de bloemen op het graf en trok haar blauwe jurk strak voordat ze naast me op de steen kwam zitten. Ze gaf een rukje aan de lijn. 'Liggen.'

De herder kwispelde z'n staart en de rest van z'n lijf en bleef verwachtingsvol staan.

'Hij moet het nog leren,' zei ze.

Ik knipoogde naar de hond.

'Ik mocht ze van dat meisje wel uit je tuin plukken,' zei ze. 'Ik heb de helft bij m'n vader gelegd. Die gele is rudbeckia, ze zijn eigenlijk eenjarig, maar soms blijft er zaad van over en komen ze terug.'

Ze leek een beetje nerveus, al dat gepraat. De vogels waren stil, de hond keek naar de muur. Ik glimlachte maar wat.

'Je tuin is wel een rommel,' zei ze. 'Misschien kan Rob hem een keer voor je komen opknappen.'

'Rob zal het druk genoeg hebben.'

'Ja. Nou.'

'Hoe heet hij?' vroeg ik.

'Lukas Twee.'

De hond hoorde zijn naam en keek om, met natte ogen, die al aan haar verknocht raakten.

'Dat klinkt als een bijbelhoofdstuk.'

Jongens zouden over hun benen struikelen om in de buurt van Rebecca's glimlach te komen. 'Hij vindt het niet erg,' zei ze. 'Wil je een kauwgom?'

Mijn cliënte diepte een pakje uit haar rok en trok er een plakje uit. Ik prutste het open, kauwde op de pepermuntsmaak en propte het zilverpapier in de borstzak van mijn hemd. Geen troep bij Nels graf, ook al zou Hanna er graag een bende van maken.

We zaten naast elkaar te kauwen en toen zei ze: 'Ik ben blij dat hij dood is.'

'Oké.' Ik zweeg even. 'Je krijgt er nooit iemand voor terug.'

'Ook voor hem,' zei ze toen.

'Oké.'

Ze wilde het uitleggen. 'Ik weet nu dat het er allemaal bij hoorde,' zei ze. 'Bij z'n plan. Maar op dat moment, ik bedoel met die aanrander, dacht ik alleen maar dat ik doodging. Je weet niet wat dat is.'

'Jawel,' zei ik.

'Als er dan iemand komt...'

'Je hoeft het niet uit te leggen.' Ik begreep haar verwarring, die botsing van tegenstrijdige gevoelens waar je geen puber voor hoefde te zijn, en die verwant was aan het eigenaardige syndroom dat ik in actie had gezien in gijzelingssituaties. Maar dit was anders dan het Stockholmsyndroom, meer dan alleen een dag van terreur en pijn en dankbaarheid omdat een gijzelnemer zo barmhartig is om je in leven te laten. Dennis was de redder geweest, hij kwam met zorg en hulp, geschenken en nieuwe vooruitzichten.

Ik nam de kauwgombal uit mijn mond en stopte hem bij het papier in m'n borstzak. Mijn cliënte zou overleven en volwassen worden, een beetje eerder dan haar vriendinnen misschien, omdat ze nog een tijd die nachtmerries hield waarin haar redder en vijand z'n hersens op haar sandalen schoot en lag te schoppen aan haar voeten. Suzan was in elkaar gestort en de rest van ons was druk met opgewonden gepraat en getelefoneer en politierapporten, maar Marcus had haar direct opgetild en uit de chaos gevoerd, haar halverwege het weiland vastgehouden toen ze moest overgeven, haar naar een tuinkraan gebracht.

Het jongste bijbelhoofdstuk was eindelijk gaan liggen, zijn kop op haar voeten, zijn staart tegen Nels steen. De specht sloeg twee keer aan, ongeduldig, maar hij kreeg geen antwoord van de verdwenen vink of mees en ging er zelf ook vandoor, een roodgrijze duikvlucht uit de cipres. Ik glimlachte naar Nel, die me aan Rebecca had gezet omdat ze wist dat we elkaar zouden helpen.

Mijn cliënte leek een tijdje te dubben en vroeg toen: 'Heb je al een rekening gemaakt?'

'Nee.'

'Ik wil je betalen.'

'Dat heb je al gedaan.' Ik grinnikte. 'Het gaat niet om geld, het gaat om de reis.'

'Voor onderweg dan.'

Als Hanna zo was geworden zou je een gelukkige vader zijn. 'Ga studeren. Steek het in de kwekerij, of is dat van de baan?'

'Nee.' Ik zag haar aan iets leuks denken. 'Rob heeft een nieuwe partner, een jongen van de band, Rutger, ze zitten samen op die school.'

'De zanger?'

Ze bloosde een beetje, het kon ook de warmte zijn. 'Ze gaan proberen om geld te krijgen van de staat, er is zo'n regeling over startkapitaal voor jonge ondernemers.'

'Jullie krijgen het geld van Dennis,' zei ik.

Ze verstrakte. 'Dat hoeven we niet.'

'Gebruik je hersens,' zei ik. 'Zijn ouders zijn de erfgenamen. Zijn moeder is spoorloos, zijn vader heeft misschien nog een jaar te leven. Hij heeft het niet nodig. Zijn verpleger heeft het hem uitgelegd. Hij wil dat jullie het krijgen, en de man heeft gelijk, het is het minste wat hij kan doen.'

'Het is smerig,' zei ze.

'Nee. Het is anderhalve ton euro. Het is geen pleister. Het is een hulpmiddel, meer niet. Misschien duurt het even omdat ze officieel de moeder moeten proberen op te sporen, maar het gaat naar jullie, dat is al beslist. Jij stuurt het misschien net zo lief naar Ethiopië, maar Rob zal er nuchterder over denken. Betaal wat Halpers nog van Suzan moet hebben, dat is ook weerzinwekkend, maar dan zijn jullie van hem af. Je krijgt je vader niet terug. Alles is weerzinwekkend, maar het is verleden tijd en je moet verder. Die oude man is een goedzak, en net zo voor de gek gehouden als Dennis. Schrijf hem een keer een brief, als je dat kunt.'

Rebecca zat op haar kaken te bijten. Ik voelde me een wijze oude man. Nel vond het ook weerzinwekkend, en Lukas Twee kwam overeind, lichtte zijn achterpoot en spoot een minuscuul straaltje urine tegen haar steen.

Ik begon te lachen maar Rebecca rukte aan de lijn en sprong op. '*Lukas!*' Ze sleurde hem over mijn voeten heen naar het pad en bleef daar beschaamd staan. 'Max... Dit is niet leuk.'

Ik grinnikte. 'Lukas heeft gelijk, we moeten ophouden met zeuren, hij heeft Darwin gelezen, het is de natuur. Die wast het er ook weer af, met een regentje.'

Ik was ook opgestaan en stak mijn elleboog uit. Ze nam mijn arm en drukte hem tegen zich aan en we wandelden het kerkhof af, ik voelde haar ribben en de kracht van haar spieren en rook de melange van jasmijn en transpiratie en hoe jonge vrouwen nog meer ruiken. Buiten het hek trok Lukas Twee ongeduldig aan zijn lijn terwijl we afscheid namen, ze wilde me weer bedanken en ik wilde daar niet van horen en we zouden contact houden, waar meestal niks van komt als je bij een nachtmerrie hebt gehoord die mensen hun best gaan doen om te vergeten. Ik voelde haar lippen, ze wilde me een echte kus geven, maar ik schoof hem naar mijn wang en hield haar een tijdje vast.

'Dank je, Rebecca,' zei ik. 'Wegwezen.'

Ik nam Caspers hengel en keek haar na, in haar blauwe jurk, met de hond. Misschien was ze de uitzondering en kwam ze volgende week een fles wijn brengen of in het najaar met Rob en Lukas m'n tuin spitten en thee voor me zetten. Ik bedacht dat ik dat leuk zou vinden, dat kwam vooral omdat de straat er zo leeg en kaal uitzag toen ze uit het zicht was verdwenen.

De nacht is dezelfde wereld, zonder licht.